EREMITTKREPSENE

Anne Birkefeldt Ragde

EREMITTKREPSENE

FORLAGET OKTOBER

2005

ANNE B. RAGDE *Eremittkrepsene*
© Forlaget Oktober as, Oslo 2005
Omslagsdesign: Egil Haraldsen | EXIL DESIGN
Satt med 11 pkt. Sabon
hos OZ Fotosats AS
Trykk og innbinding: NordBook, 2005
Papir: Norbook Lux 80 g. Bulk 1,6
ISBN 82-495-0358-9
ISBN 82-525-6093-8 (Bokklubben)

6. opplag

www.oktober.no

AV ANNE B. RAGDE
En tiger for en engel. Roman 1990
Noen kommer. Noen går. Noveller 1992
... før jeg kommer tilbake. Roman 1994
(ny utgave: *En kald dag i helvete*. 1999)
Zona Frigida. Roman 1995
Ansiktet som solen. Noveller 1996
Bunnforhold. Roman 1997
Jeg vinket ikke, jeg druknet. Roman 1998
Lille Petter Edderkopp. Roman 1999
Arsenikktårnet. Roman 2001
Dr. Zellwegers gave. Roman 2002
Fosterstilling. Noveller 2003
Berlinerpoplene. Roman 2004

HUN PLEIDE ALDRI Å VÅKNE SÅ TIDLIG. Hun ble liggende med vidåpne øyne i soveromsmørket og lytte til lydene hans. Først den iherdige ringingen fra vekkerklokka som ble kuttet like fort som den startet, han måtte ha ligget og ventet på den. Klokka var halv syv, visste hun. Deretter var det helt stille i et lite minutt, før hun hørte lyden av døra hans åpne seg stille, for å bli lukket like stille, så de samme lave lydene fra døra inn til badet. Han visste han hadde fremmedfolk boende hos seg og ville ikke lage støy, for det var vel slik han så på dem? Fremmedfolk som egentlig ikke hørte hjemme her, kom og forstyrret og blandet seg. Forstyrret år med triviell rutine og trygghet.

Hun kjente ikke faren sin. Hun ante egentlig ikke hvem han var. Hvordan han så ut som ung, som barn, eller da han var på hennes egen alder. Det fantes ikke et eneste album på gården. Det var som en historie hun aldri hadde vært en del av, og som hun nå plutselig befant seg midt i. Men i dag skulle hun reise og plugge seg inn i sin egen historie igjen. Det var det hun lå her og tenkte på, at hun skulle reise før hun var blitt kjent med ham. Den eneste hun kjente var grisebonden; han som frydet seg over å lukke seg inn i fjøset; han som ble syngende og levende i stemmen når han snakket om grisepurkenes ulike særheter,

5

om ugagnsstreker smågrisene fant på, om rause kull og vekstkurver. I fjøset så hun ham, i fjøset fantes han, når han stod der i den møkkete fjøsdressen og bøyde seg inn i bingene for å rufse ei kvarttonns purke bak ørene mens han smilte bredt mot dyret og var lys og lett i blikket.

Hun hørte at han lot vannet, midt i skålen, det greide han ikke å gjøre om på, om han hadde aldri så mange gjester sovende rundt seg. Hun lyttet til etterdråpene, hørte ham trekke ned. Hun hørte ikke vannet i håndvasken etterpå, bare at døra på nytt ble åpnet og lukket, før han gikk sakte ned trappa til kjøkkenet. Der hørte hun at han tappet vann i kaffekjelen, antagelig på gammel grut fra i går kveld, så ble det stille.

Og i stillheten forsøkte hun intenst å se for seg leiligheten sin hjemme i Oslo; bildene på veggene, bøkene i hyllene, den lille glasskålen med blå badedrops på kanten av håndvasken, støvsugeren i det altfor trange gangskapet, telefonsvareren som blinket når hun kom hjem fra jobb, kurven for skittentøy, stabelen med gamle aviser rett innenfor inngangsdøra, den antikke blikkboksen hun alltid passet på var full av Rugsprø, korktavla med avrevne kinobilletter og bilder av bikkjer og eiere. Hun forsøkte å se for seg alt, og greide det. Og gledet seg. Men hun visste ikke hvem han var. Hun visste ikke hvem hun dro fra. Hun kjente grisene hans bedre enn ham.

Der var lyden av ytterdøra og stegene hans gjennom bislaget, hun fomlet fingrene frem til mobilen på nattbordet og trykket, klokka var ti på syv. Men hun ventet først på lyden av fjøsdøra som smalt igjen bak ham før hun sprang opp av dyna og ut i det iskalde rommet, rev til seg klærne og kom seg ut på badet for å kle på seg. På samme måte som han, listet hun seg. Bare at hun listet seg lynraskt og ikke på hans gammelmannsmåte. På badet kjente hun ei svak etterlukt av ham. Rommet var kaldt, den eneste varmekilden var en liten rusten stråleovn montert på veggen over toalettspeilet. Hun gransket ansiktet sitt mens hun vasket hendene, hun orket ikke dusje, hun ville vente til hun kom hjem hvor hun slapp å stå i enden av et glatt badekar og stirre inn i respatexplater som var tykke av fuktskader i skjøtene, for etterpå å tørke seg med et håndkle gjennomsiktig av slitasje. I kveld stod hun i sitt eget gode dusjkabinett, med varmekabler under keramikkflisene.

Hun lukket seg ut i gangen og lyttet før hun forsiktig trykket ned klinken på soveromsdøra hans.

Rommet var litt større enn det hun selv lå på, som egentlig var Erlends gamle rom.

Hun tente taklyset, han ville ikke oppdage det, vinduet vendte vekk fra tunet, ut mot fjorden, akkurat som hennes.

Vegger som var malt lysegrønne for årtier siden. Gulvet var en gang blitt gråmalt, nå var det slitt ned til treverket i en halvmåne innenfor døra og foran senga der fotsålene hans traff gulvet når han la seg og stod opp. Vinduene var fulle av isroser, blendhvite mot vintermorgenen utenfor, i sirlige sirkler og mønstre.

Isrosene var det eneste vakre i hele rommet.

Ikke et bilde på veggene. Ei seng, et nattbord, ei fillerye, en skjenk inn mot den ene veggen. Hun gikk bort til skjenken og åpnet dørene. Tomt. Den stod her bare som et møbel mot en vegg. Men i den ene øverste skuffen lå det noen heklete duker, stablet oppå hverandre, de var i helt likt mønster, bare i ulike farger, blankt bomullsgarn. Hun hadde begynt å fryse, antagelig hadde han lukket igjen vinduet først da han stod opp.

Lakenet under den oppvrengte dyna var skittent, mest i fotenden, med trillrunde dotter av ull her og der, kanskje han lå med ullsokkene på. Hva gjorde hun egentlig her inne, det var vel ikke her hun kunne bli kjent med ham. Dette var hans hvilerom, her var han ingen; ingen var noen i hvile og søvn. Men hvor mange kvelder måtte han ikke ha lagt seg her, stirret ut i mørket og tenkt. Hadde han tenkt på henne? Savnet henne? Savnet å ikke vite hvem *hun* var?

Det luktet tett og tungt i rommet, av kropp og fjøslukt og kalde vegger.

Der var klesskapet. Det var føyd inn i veggen og vanskelig å få øye på med det samme, det hadde bitte små knotter til å åpne det med. Noen flanellsskjorter med frynsete snipper og mansjetter, et par bukser helt i bunnen av skapet, ei hylle med sokker og underbukser, ikke mer enn tre–fire av hver, et slips innpakket i plast, hun løftet det frem, det lå et falmet julekort inni. Det var fra Eidsmo slakteri, hun la det forsiktig tilbake på samme plass.

Hun stoppet for å lytte. Men selvsagt kom han ikke tilbake, hvorfor skulle han det, han var midt i fjøsstellet mens hun gikk gjennom rommet hans uten engang å vite hva hun lette etter. For hvert blikk rundt seg kjente hun på tristheten. Forfallet. Hjemme hadde hun ei én meter og tyve centimeter bred seng med tykk overmadrass, faren hennes lå i ei seng som ikke kunne være mer enn åtti centimeter bred, og han lå på skumgummi. Midt i senga var det et dypt søkk, lakenet klebet seg rynkete til bunnen av søkket, hodegjerdet og fotgjerdet var av matt teak, hodegjerdet med et lysere felt midt på, hvor han i alle år måtte ha hvilt nakken før han skrudde av leselampa. Og i dag skulle hun reise, femti mil vekk fra dette, mens han allerede i kveld skulle legge seg i denne senga. Her skulle han legge seg på nytt og på nytt, trekke opp vekkerklokka og forsøke å sovne, bak isrosene sine.

Hun åpnet skuffen i nattbordet. Et foto av en grisunge lo opp mot henne, det var et jubileumshefte fra Norsk Svineavlslag, hun løftet på det. Under lå tyve tusenlapper, jaså, så det var her han hadde gjemt dem. Under tusenlappene lå ei bok, hun dro den forsiktig opp.

Kinseyrapporten. Kvinnens seksuelle adferd. Hun ble stående helt stille med boka i hendene. Kinseyrapporten, hun husket vagt fra et program på radioen noe om denne Kinsey som for en evighet siden hadde intervjuet amerikanske kvinner og menn om seksualvanene deres, det skapte visst rabalder i USA. Boka virket utslitt av bruk, hjørnene sprikte.

Hun ville dra tommeltotten gjennom den bakfra, men fingeren stoppet straks i det harde coveret bakerst, hun åpnet det. Trondheim Folkebibliotek, stod det stemplet, med ei smal lomme med et gult, gammeldags utlånskort stukket nedi, slike kort hun husket fra barndommens bibliotekbesøk. Hun trakk det opp. Boka skulle vært innlevert senest tiende november nittenniogseksti.

Hun la boka fort tilbake under tusenlappene. Kinseyrapporten og en skumgummimadrass ikke bredere enn åtti centimeter. Hun lukket seg ut av rommet.

– SKAL LIKSOM ORDNE LITT etter deg nå. Før du drar.

Torunn hørte ikke at faren var kommet ut på tunet bak henne, nysnøen dempet lydene.

– Er det ikke koselig å sitte ved kjøkkenvinduet og se ut på dem, da? sa hun. – Og de kommer jo ikke hvis det er tomt på fuglebrettet.

– Pleier bare å surre litt hyssing rundt en gammel fleskebit og henge opp, vi. Men det har nå vært stusslig for dem en stund nå. Var helst ... mor som ordnet med slikt.

Hun hadde nettopp vært på butikken og handlet en siste gang før hun og Erlend og Krumme skulle reise, hun til Oslo, Erlend og Krumme hjem til København. Hun ville at det skulle være god mat i huset, mat faren aldri ville ta seg råd til å kjøpe selv. Erlend hadde lovet å betale det. *Carte blanche*, hvisket han henne i øret da hun kjørte til Coop på Spongdal, og det ble hun glad for, det var ikke mer penger på kontoen hennes enn til å dekke januarregningene, om hun var aldri så mye medeier i en smådyrklinikk. *Onkel* Erlend, tenkte hun, det var rart å plutselig ha fått en onkel bare tre år eldre enn henne selv. Farens lillebror, som forlot gården i trassig selvhevdelse for tyve år siden, og som nok aldri trodde han skulle komme tilbake hit etter så lang tid for å feire jul her, attpåtil sammen med en mannlig samboer. Og så var det nettopp Erlend, den bortløpne sønn, som kanskje hadde greid seg best av de tre brødrene. Erlend var lykkelig, han var elsket og elsket tilbake, og satt svært godt i det økonomisk. Erlend hadde fortalt henne at Krumme var det man i Danmark kalte *hovedrig*, og han elsket det ordet, sa han.

Margido greide hun ikke å kalle onkel, selv om han var det. Kanskje det var jobben hans som gjorde ham så utilnærmelig, det at han måtte legge bånd på alle følelser. Å skulle forholde seg til sørgende og samtidig arrangere perfekte begravelser av nylig avdøde, det gjorde vel sitt til at han var blitt vant til å leve alene med sine egne tanker. Bare det at han hadde visst i flere år hvordan tingene hang sammen på Neshov, at så mangt var bygget på løgn, at den de kalte far, ikke var det. Margido hadde visst det og ikke sagt noe verken til Tor eller Erlend. I stedet trakk han seg bare unna dem, lot være å forholde seg til den delen av virkeligheten. Frem til julaften, da han ble nødt.

Hun hadde tenkt på dem alle mens hun gikk mellom reolene på samvirkelaget og skjøv på en handlevogn og forsøkte å huske hva som var i kjøleskapet. Og hun tenkte på tausheten i etterkant. Første juledag, med det som hun selv opplevde som krampaktige forsøk på en normalisering. Prat om vær og utetemperaturer! Det var da hun skjønte at det var slik de hadde overlevd her, med å snakke *rundt* alt, slik skapte de sin egen virkelighet. Det som ikke ble snakket om, fantes ikke. Faren hennes hadde fortsatt å omtale den gamle som *far*, og hun hadde selv falt inn i det og tenkte på ham som farfar. Og farfaren sa dem ikke imot, han følte vel han hadde sagt sitt, antagelig for første gang i sitt liv.

Hun fylte handlekurven med matvarer, og fikk ideen om også å fylle fuglebrettet til randen da hun så for seg faren om få timer sitte alene ved kjøkkenbordet og speide

11

ut på tunet over kanten av den hvite gardinkappa av nylon.

Hun hadde kjøpt fire meisekuler innpakket i grønn plast-netting og noen poser fuglenøtter emballert på samme vis. Meisekulene drev hun nå og festet med hyssing og tegnestift til tuntreet, fingrene var allerede valne i kulda. På selve fuglebrettet hadde hun smult opp et lite tårn av gammelt brød.

– Husk mer brød når det blir tomt, da, sa hun. – Spurvene vil sitte oppreist når de spiser, det er bare blåmeis som gidder å snurre rundt med hodet opp ned mens de nyter maten!

Hun lo litt, hørte selv at latteren ble feil og hul. Hun skulle hjem, hjem til Oslo og jobben sin, reise fra denne gården utenfor Trondheim hvor hun inntil for fjorten dager siden ikke hadde trodd hun hadde noe å gjøre. Et annet liv, en annen tid, nesten. Og i overmorgen var det nyttårsaften, et nytt år ville ta sats.

– Du ringer vel, sa han, brått ullen i stemmen, hun hørte godt at han ikke brydde seg om det med fuglene lenger. Uten at hun behøvde å snu seg, visste hun at han stod der og sparket i snøen med den ene treskoen, anta-gelig den høyre, sparket så nysnøen klebet seg fjonlett til de grå raggsokkene han alltid gikk med i både tresko og fjøsstøvler.

Hun presset inn den siste tegnestiften, fikk en plutselig assosiasjon til noe med å ta livet av trær ved å slå kob-berstifter inn i stammen på dem, da døde de av forgift-ning. Kanskje det var litt kobber i tegnestifter også, da var det selveste tuntreet på Neshov hun stod og tok livet av, og gårdsnissen med, for den bodde under tuntreet og ville dø hvis treet døde.

– Klart jeg ringer. Ringer med én gang jeg kommer hjem, sa hun, enda hun visste godt at det ikke var slik han hadde ment det.

– Meldt noe drittvær også. Og du skal opp i fly, sa han.

– Går så fint, så. Slapp av.

Meisekulene hang stille og grønne tett inn mot tuntrestammen, det var ikke mer å bruke hendene på, hun måtte snu seg, og han stod slik hun hadde trodd, en halvsirkel av nysnø var skjøvet vekk rundt høyre tresko, hendene var stappet i lommene på en slags rutete ullbukser, strikkejakka hang løs og slamsete rundt en tynn kropp, en kropp som ville bli seksti om fire år, *faren* hennes, det var ikke til å begripe.

– Har du vært oppe i fly noen gang?

– Har da det, sa han.

Han gikk bort og ga seg til å smuldre litt ekstra på brødet på brettet, sølte ned i snøen, smulene forsvant og etterlot ørsmå blåhvite hull. Albuene hans stod spisse gjennom jakka, som var sid foran og kort bak, ullmaskene på albuspissene var tynnslitte og viste rutemønsteret i flanellsskjorta under. En genser, kanskje hun skulle strikke en god ullgenser til ham og insistere på at den skulle brukes til hverdags. Men hva hjalp det vel om hun insisterte seg blå på telefon fra Oslo, tenkte hun, her på gården blir uansett alt det fine gjemt vekk og spart på, til dager som aldri kom.

Han ville bli så fryktelig alene, bare med den gamle mannen inne i tv-stua til selskap. Men han hadde jo grisene i fjøset. Han hadde jo dem, tenkte hun. Hun måtte få penset ham inn på dem, det at de stod ute i fjøset og ventet på ham.

– Fløy jo opp og ned til Nord-Norge da jeg var i militæret, sa han.

Han sluttet å rote i brødet, børstet av hendene og stakk dem i lommene igjen, kikket opp på himmelen.

– Det hadde jeg glemt. Da måtte du selvsagt fly, sa hun.

– Fløy Hercules. Et faens bråk inni en sånn maskin. Holdt på å fryse i hjæl også. Fløy så sakte at jeg trodde vi skulle gå rett i bakken.

Dette kunne hun si noe mer om, akkurat nå, si noe om det at han hadde laget *henne* der oppe, på perm inne i Tromsø, sammen med ei jente som het Cissi og etterpå var kommet reisende den lange veien til Neshov, gravid, bare for å oppleve at den kvinnen hun trodde skulle bli svigermoren hennes, ba henne dra hjem igjen.

– Jeg har kjøpt mye god mat til dere to også, ikke bare til fuglene, sa hun.

Han ble stille en stund. De stod. Glante i hver sin retning, hun trakk pusten dypt ned i lungene, formiddagslyset lå over fjell og fjord nederst mot syd, sola gjemt bak et rosablått frostslør. Hun skulle ønske hun satt i bilen nå, med tingene sine baki, på vei til Værnes og Gardermoen og Stovner.

– Trasig at du drar. Januaren er fæl og lang alltid. Blir ekstra lang i år.

– Gjelder flere enn deg, det. Ingen liker januar, sa hun.

– Regninger og årsoppgjør og skit. Selv om Erlend og dansken har … Huff, at det skal være nødvendig.

Erlend og Krumme hadde gitt ham penger, fått ham med på det, enda han vegret seg vanvittig og nærmest ble sint. Det var på kvelden tredje juledag, etter begravelsen, og Erlend drakk for mye øl og sa at han ville legge igjen tyve tusen. Han kunne ha ventet til dagen etter, men Erlend var den som lot munnen renne over med det hodet løp fullt av, og han ville jo bare være snill. Det var Krumme som hadde sagt de forløsende ord, at pengene ikke var til folkene på gården, men til *gården*. Tor skulle bare forvalte dem godt og riktig.

– Tenk på at det handler om gården, sa hun. – Akkurat som Krumme sa. Det går fint. Du kan male låven til våren, skifte de vinduene som er knust.

– Nå ja. De pengene havner nå helst hos Trønderkorn og Røstad.

– Røstad?

– Dyrlegen. Det er nå vanligvis han jeg bruker. Må få inseminert purkene og få kastrert smågrisene. Må ha mer fôr snart, òg.

– Litt maling får du nok råd til. Og jeg ringer jo. Blir spennende med nye kull i fjøset også, hvor store de blir. Jeg kommer til å savne grisene dine.

– Gjør du?

– Ja, gjett om jeg gjør.

– Du har da nok dyr rundt deg på jobben.

– Blir ikke helt det samme, sa hun. – Med syke katter og hunder og undulater og skilpadder. Ingenting slår å rufse Siri bak øret. Jeg har jaggu fått respekt for griser. Det er noe ganske annet enn marsvin og bøllete unghunder.

Hun sa det ikke for å glede ham, hun mente det, hun var blitt glad i de kvarttonns svære avlspurkene hans, varmen og stemningen i fjøset, kontakten med dyr som ga og ga og bare forlangte mat og varme og omsorg tilbake. Og de var så kloke, med alle sine individuelle særheter, sin stahet og humor. Og de nyfødte grisungene, så søte at det ikke var til å fatte at de ble til rugger på hundre kilo på et blunk.

Han ristet på hodet, flirte med lukket munn og dro luft inn gjennom nesa.

– Marsvin, ja. Jeg har aldri sett et levende marsvin. Syns det er snodig når du forteller fra jobben din, sa han.

– Tenk at folk bruker penger på å operere et marsvin.

– De er glade i dem. Unger spesielt, da. De gråter så de holder på å gå i stykker når de må avlive marsvinet sitt eller hetterotta si.

– Og så *rotter*! Kan du begripe at folk frivillig vil ... Jo da, jeg skjønner at småunger... Jeg greide selv å temme et ekorn da jeg var en åtte–ti år. Det druknet i gjødselkjelleren. Da var jeg ikke mye til kar. Men bikkjer òg. Husker du fortalte om de som hadde brukt nesten tredve tusen på ei bikkje. Vært frem og tilbake til Sverige og operert inn ... nye hofter, var det det?

– Nye hofter, ja. Hun hadde hofteleddsdysplasi. Hun ville blitt avlivet ellers, og hun var bare tre år.

– Men tredve tusen! På ei bikkje som ikke produserer fem flate øre selv!

– Kjæledyr blir noe annet enn husdyr, vet du. Kunne fått deg en hund du også, egentlig. Masse selskap i en hund. Den kunne tuslet rundt sammen med deg, og ...

– Ikke på vilkår. Nei, det holder med gris. Selskap nok i dem, sa han.

– Men du skjønner jo hva jeg mener. At det blir langsomt for deg. For deg og ... faren din.

– Han, ja.

Han snufset og dro en nesedråpe vekk med håndbaken.

– Har dere snakket sammen om det? sa hun. – Etter ... julaften? Du og han?

– Nei.

– Men gården blir jo endelig skrevet over på deg nå. Det setter han seg ikke imot?

– Nei da.

– Kanskje, når dere to blir alene, så vil dere greie å ...

– Dette er ikke Oslo. Snakker ikke om sånt her. Ferdig
med den saken nå, sa han hardt.

– Men jeg mente bare å si at ...

– Huff nei, det blir kaldt å stå her ute, sa han og var
vanlig i stemmen igjen. – Vi rekker vel en kaffeskvett før
dere kjører.

En time senere var den lille leiebilen fylt til randen. Det
var en Golf, Krumme hadde leid den på Værnes, og der
skulle de også levere den tilbake. Torunn sprang inn i TV-
stua til farfaren etter å ha fått på seg ytterjakke og støv-
letter igjen, hun lot som om de hadde det travelt nå, hun
hadde utsatt lenge å si adjø, bare latt som om det var en
vanlig kaffetår de tok, til tross for at Erlend romsterte
hektisk opp og ned trappa til annen etasje og ut til bilen
på tunet, i ett kjør med alt mulig han ville ha med seg i
siste liten.

Farfaren satt med kaffekoppen foran seg, en kopp uten
kaffeskål under, og smuler på bordet og i fanget etter
fyrstekakestykket hun hadde gitt ham. Han hadde gebis-
set inne, både i overmunnen og undermunnen. TV-en stod
ikke på, hun gløttet fort på potteplantene i vinduskarmene
som Erlend hadde kjøpt, og visste med usvikelig sikker-
het at om en fjorten dagers tid ville de være døde. Enten
inntørket eller overvannet. Hun visste også at det ville gå
lang tid før han barberte seg igjen. Eller skiftet under-
bukser. Hvordan skal de greie seg, tenkte hun, og jeg drar
bare min vei. Men neste tanke var at det gjorde jo Erlend
også, og han stod dem vel egentlig nærmere, hvis det i det
hele tatt gikk an å rangere slik. Erlend var lillebror, hun
var datter, hvem burde ha mest dårlig samvittighet? Men
Margido bodde bare på den andre siden av åsen, nå fikk
han stille opp for familien sin på Neshov. Han ville bli

17

nødt til det, han var en bror. Spørsmålet var vel hvordan han ville stille opp, og om Tor lot ham gjøre det, etter at han hadde holdt seg vekk fra gården i syv år.

– På farten? sa farfaren. Det klikket i gebisset.

– Ja.

Hun bøyde seg ned og la kinnet inntil hans. Det stakk. Han luktet gammel mann og gamle klær og gammelt hus, og fyrstekake og kaffe fra munnen. Det var første gang hun klemte ham, han rakk å løfte den ene armen så vidt opp mot kinnet hennes.

– Ha det, hvisket hun. Hva skulle hun ellers si, det var ingenting hun kunne love ham. – Må du ha det fint.

– Jeg vil på hjem, hvisket han.

– Hva?

Hun rettet seg opp.

– Jeg vil på hjem. Noen får ordne det. Jeg vet ikke hva Tor sier om det, men jeg vil det.

– Da må du snakke med Margido, sa hun. Hvorfor hadde han ventet til akkurat nå med å komme med en slik melding, tenkte hun, jeg kan vel ikke gjøre noe.

– Du kan ringe Margido, du. Og si det, sa han.

Hun så inn i det rynkete ansiktet, øynene bak brilleglassene, så hele livet hans og ville gråte, gråte seg aldeles tom av sorg over denne mannens bortkastete liv. Hun nikket og slapp ikke blikket hans og greide å holde gråten inne.

– Jeg skal snakke med Margido, hvisket hun. – Jeg skal ringe Margido i morgen.

Hun la hånda mot kinnet hans, holdt den der mot skjeggstubben, rakk å se øynene hans bli blanke før hun snudde seg og gikk, gjennom det tomme kjøkkenet hvor vedkomfyren durte og sang full av ved og flammer, og ut på tunet hvor Erlend stod på hodet inn i baksetet til bilen, og Krumme rakte hånda mot faren hennes for å ta farvel.

18

– Takk for nå, Tor. Det har vært … fint, sa Krumme.

Den lille, tykke dansken måtte bøye hodet bakover for å se opp på grisebonden på Neshov. Dansken som overhodet ikke hadde vært velkommen da han noen dager før julaften svingte inn på tunet i leiebilen. Tor hadde først lagt seg til sengs i dyp harme og vemmelse over et kort øyeblikk å ha blitt vitne til Erlends hånd hvilende på Krummes lår under kjøkkenbordet.

– Du får være velkommen tilbake, sa faren og så vekk.

– Kanskje til sommeren. Det er fint her da.

– Kanskje det, sa Krumme og nikket mange ganger, skjønte hvor dypt inne nettopp de ordene hadde sittet.

– Hadde jeg enda hatt et sånt *papprør*! ropte Erlend inne fra bilen. – Den kommer til å bli helt *krøllete*!

– Hva da? sa hun.

– Den posteren! Jeg har tatt den med! Kom på det akkurat nå, at jeg vil ha den med.

– Den Aladdin Sane-posteren som hang på gutterommet ditt? Den var jo helt gulnet, sa hun.

– Det sa jeg også, sa Krumme.

– Men jeg skal ha den med! Jeg kom *plutselig* på det! Men den kommer altså til å bli helt …

– Nå kjører vi, sa Krumme. – Vil du sitte foran, Torunn?

– Torunn skal *kjøre*, hun! sa Erlend.

– Skal jeg det? sa hun.

– Det skal du vel! Herregud, at Krumme kom seg helt fra Værnes til Byneset i én bit er bare et mirakel. Et julemirakel. Ikke kan han kjøre bil, og ikke kan han kjøre på vinterføre.

– Jeg har faktisk sertifikat, sa Krumme. – Så jeg syns du overdriver litt nå.

– Hva bruker du det til, da? sa Erlend. – Å hoppe inn og ut av taxier i København. Torunn kjører.

– Okey, sa hun. – Men du må sitte i baksetet, Erlend.
Siden du ikke har sertifikat i det hele tatt.

Hun nølte ikke et øyeblikk før hun ga faren en klem.
Hun slapp ham like raskt og satte seg i bilen, grep nøk-
kelen som allerede stod i tenningen, og vred rundt.
Erlend presset seg inn i baksetet hvor det så vidt var plass
til ham for all bagasjen, han romsterte hektisk med den
sammenrullete posteren som hadde fått en simpel gummi-
strikk rundt magen, og endte med å holde den fritt i løse
lufta foran seg.

Hun rullet ned vinduet og vinket mens hun svingte ut
av tunet. – Nå må du brøyte, far! Gården snør snart ned!
Ha det!

Han svarte noe hun ikke hørte, men visste at han straks
etter de var dratt, ville sette seg på traktoren og begynne
å brøyte. Han var svært glad i å brøyte, og så slapp han å
gå inn med det samme.

– Herregud, kjør! sa Erlend. – Nå drar vi.

De vinket voldsomt alle tre, lave og oppkavete hånd-
bevegelser i den trange kupéen, Torunn tutet, de kjørte
ned alléen av lønnetrær, og hun begynte å gråte. Hun hul-
ket høyt og raspende, greide ikke å stanse lydene. Erlend
lente seg fremover og klemte henne bakfra, Krumme la
hånda si oppå hennes ene som lå på rattet. Hun kjørte
inn til veikanten da hun skjønte at de ikke lenger var syn-
lige fra huset.

Hun gråt og gråt mens vinduene dogget og varmeappa-
ratet gikk for fullt, ingen sa noe på en lang stund, de bare
strøk henne over håret og klemte henne om skuldrene.
Hun fant en klump med gammelt papir i jakkelomma og
snøt seg, men begynte å gråte like fort igjen.

– Kanskje jeg skal kjøre likevel, sa Krumme.

Hun ristet på hodet og snøt seg en gang til.

– Jeg skal ta meg sammen nå, sa hun. – Jeg bare ... Det er liksom helt umulig å tenke seg at de to skal greie å ...

Erlend avbrøt henne: – Ingen kunne ha gjort mer enn det du har. Du fikk jo til og med *meg* til å komme ... Herregud, Torunn, du har bare vært helt fantastisk. Stille opp sånn enda du aldri hadde satt dine bein på gården før. Men nå drar vi. Jeg vil hjem og holde nyttårsfest. Det er over nå.

Nei, tenkte Torunn, der tar du feil, det er nå det begynner.

TOR VILLE ALDRI GLEMME at Margido hadde valgt den aller fineste kista. Selvsagt fikk han den til kostpris direkte fra fabrikk, men likevel. At han gjorde det. Viste for alle som kom i kirka at her lå et menneske som hadde vært viktig og elsket.

Etter at Torunn hadde kjørt, ble han stående ved siden av traktoren og tenke på det igjen. Han måtte tenke på alt annet nå, enn at Torunn kom til å befinne seg femti mil unna om noen timer. Den dyre kista i mahognymørkt treverk, og med håndtak i smijern, den ville han heller tenke på. Det skulle moren ha visst, at hun ble så påkostet i døden! Hun ville ha blånektet, tenkte Tor, og måtte smile litt ved tanken på forbløffelsen moren ville ha lagt for dagen. Ei dyr kiste som bare skulle ned i jorda og råtne, nei, det var da visst andre ting man kunne bruke pengene på, ville hun ha sagt.

Det hadde vært fint om Margido kunne kommet en tur i kveld og tatt en kaffekopp, han visste når Torunn og Erlend og dansken skulle reise. Men Margido var en snåling. Han hadde sagt adjø til dem på telefonen dagen før. Likevel, Tor ville være ham evig takknemlig for begravelsen, så fint han ordnet den. Selv om begravelser var Margidos jobb til daglig, så var det vel annerledes med

22

ens egen mor. Det fine heftet som ventet dem i kirka, med bilde av gården på forsiden. Det var uvanlig, men riktig. Det fantes ikke bilder av moren annet enn et gammelt passbilde fra da hun var ung. Margido hadde mange ferdiglagete motiv å velge i, hadde han fortalt, små tegninger av natur og blomster, den slags, men da han fikk nyss om at Byneset Historielag hadde tatt bilder av alle gårdene på Spongdal og Rye med tanke på en fremtidig bok, fikk han fatt i en kopi av Neshov-bildet.

Å sitte i kirkebenken, helt fremme, og se ned på husene på gården, det hadde vært en stor trøst i det. Gården var moren på så mange vis. Og bildet var tatt ved soleglad en sommerdag da husveggene skinte og revebjellene lå innover overdådig grønt buskas opp langs lønnetrærne i alléen. Staselig, så det ut. Rett ut sagt staselig. Ingen ville komme på at disse veggene trengte maling, lyset malte dem helt på egen hånd.

Etterpå fikk Tor noen av de heftene som var til overs, overraskende få til sammen. De ville bli fine å hente frem, både vondt og godt å lese strofene fra salmene de sang, *Deilig er jorden, prektig er Guds himmel*, se navnet hennes over datoene. Det var rart å lese navnet, hun var jo bare Mor for ham, ikke Anna. *Den fyrste song eg høyra fekk, var mor sin song ved vogga* ... Det var fint av Margido å ta med den sangen, tenk at han gjorde det, tross alt. Og helt vanlig var det vel heller ikke. Tor husket ikke stort fra da de sang den, selv greide han ikke å synge med, men han ville aldri glemme hvordan kirkerommet løftet sangen opp, mens blomster bugnet oppå og rundt den storslagne kista. Og tenk at så mange kom! Folk han ikke hadde sett på årevis. Kondolerte på rad og rekke gjorde de også etterpå, hver eneste hånd, det gjorde inntrykk, det fikk ham til å skjønne at selv om alle gikk og sullet for seg selv på gårdene sine og strevde med sitt, – når noe skjedde stod man sammen og var *ei* bygd. Han ville jammen følge med litt selv fra nå av, hvem som døde av de gamle, og ta på seg findressen og troppe opp i kirka. Den siste ære, kalte man det, og det kostet ikke mer enn å komme og sitte der og synge og etterpå kondolere. Det skulle han vel greie, han som andre folk.

Han heiste seg opp på traktorsetet, startet motoren og begynte å brøyte. Først tunet, deretter alléen ned til hoved-veien. Han brøytet grundig og lenge, det måtte se skikke-lig ut. Han ble alltid harm når han så vinterbrøytete gårdsveier som nærmest var halvparten så smale som de pleide å være på sommerstid. Latskap! Og mens han brøytet, tenkte han på dagene som ville komme. Før moren ble syk virket tanken på jul og romjul så enkel, den handlet som alltid ellers om grisene. Nå var det mye annet i hodet. Men han måtte konsentrere seg og gjøre det slik han hadde planlagt. Ta ungene fra Mari og Mira og få dem i ny brunst, få inseminert dem, komme i rute, telledatoen for gris var første januar, etter det skulle Sara sendes til slakting, det var jobben sin med grisene han måtte forholde seg til, og ikke alt dette andre, det orket han ikke. Der inne i tv-stua satt den gamle mannen med fyrstekakesmuler i fanget og var storebroren hans. Det nyttet ikke å tenke på, å ta innover seg. For da kom det fæle tanker om moren og bestefar Tallak også, og de skulle ikke få slippe til. I korte blaff, rett før han sovnet, hadde bildene presset seg på i disse romjulsdagene, av moren som ung, sammen med en leende bestefar Tallak. Mens de drev på med hverandre. Og skaffet arvinger til gården fordi odelsgutten selv ikke greide det. Da skjøv Tor bildene vekk, knep øynene sammen i mørket og forlangte at søvnen innfant seg momentant. Det var hverdagene han ville inn i, og den gamle mannen i tv-stua eide han ikke krefter til å se på på annen måte enn han alltid hadde gjort. Han var faren hans, i det eneste verdensbildet som fungerte. Det hadde han bestemt seg for, og slik skulle det bli. Og Torunn trodde at de skulle *snakke* om det! Byjente. Hva skjønte vel hun av slikt.

Hun hadde formant ham at han måtte dusje litt oftere og skifte til rene klær. Det var nå også en ting å si. Men hun hadde jo et poeng med det at han aldri hadde brukt vaskemaskinen, han ante ikke hva de ulike knappene var til, eller hvor man fylte på såpe. Moren hadde ordnet med den slags. Til slutt var det Erlend som hadde vist ham hvordan den virket, regelrett halt ham med seg inn på vaskerommet og til og med skrevet opp bakpå et julekort fra Landsforeningen for Hjerte- og Lungesyke hvordan knappene skulle stå når han vasket håndklær og sengetøy og underbukser, og hvordan de skulle stå når han vasket bukser og trøyer og skjorter og sokker. Erlend hadde også presisert at fjøsklær måtte vaskes for seg, siden lukta aldri lot seg vaske ut og smittet på andre klær. Erlend maste alltid med denne fjøslukta, anså den for en vederstyggelighet, enda den kom fra dyrene, dem han faktisk levde av. Forresten husket han ikke sist han fikk fjøsklærne sine vasket, hva var vitsen med det, de ble skitne like fort. Fjøsdresser skulle være tørre og hele, det fikk jaggu holde. Moren hadde heller aldri mast mye med akkurat det, hun så dem jo aldri, de ble hengende ute i fjøset. Bare han aldri gikk med dem inne i huset, var det greit for henne. De eneste som så dem, var grisene, og hva brydde vel de seg om at kjeledressen var møkkete. Men kanskje han kunne høre med Trønderkorn om han fikk en ny.

Han greide seg fint da moren lå syk også, ordnet på kjøkkenet og laget mat han var oppe med til henne. Helt til den dagen hun måtte på sykehus og han ble nødt til å varsle brødrene og Torunn. Huff, nei at hun skulle dø fra dem, hun som hadde vært så frisk ellers. Åtti år, men sprek som ei loppe, og så begynte det å blø i hjernen. En bitte liten blodsprut kan være nok, hadde legen sagt. Deretter hjertet som slarket, og vann i lungene. Han kjente det ble varmt i øynene, og snufset dypt og grundig. Motorduren overdøvet alt, han kunne ha hulket og brølt og båret seg ad verre nå, det visste han godt, men ville ikke. Det var nok. De var reist sin vei, nå fikk han hufse seg inn i hverdagene sine igjen, gjøre det han måtte og skulle. Og de tyve tusen ekstra ville komme godt med, det var nesten så han ikke helt trodde det. Tyve tusenlapper, ferske og kontante fra Fokus Bank på Heimdal. De var snille, Erlend og dansken. Det var visst dansken som tjente mest, forresten, det var bra han hadde ønsket dem tilbake da de dro. Erlend gjorde selvsagt som han ville, det hadde han alltid gjort, men at Tor selv sa det til dansken. Tok ham i hånda og sa det. Så fikk han heller la være å tenke på dette andre de sikkert holdt på med, det hadde han greid å la være å tenke på i flere dager nå.

Margido måtte ha snakket med dem, for han så aldri mer at de la hendene på låret til hverandre. Men når de la seg for natta … Hver kveld hadde han tenkt litt på det og sett for seg de villeste ting, men etter hvert kommet til at de sov vel, slike menn trengte da vel nattesøvnen sin som andre folk. Og dansken laget god mat. Smakte mye på den selv også, tykk og rund som han var. Han sa at i Danmark spiste man ikke for å leve, man levde for å spise. I så fall var han et godt eksempel på det.

I tolv år hadde dansken og Erlend vært sammen, bodd i lag. Det var besynderlig å tenke på, to menn som mann og kone slik, dele bord og seng. Forunderlig og ubegripelig, men Torunn hadde vel rett i det hun sa til ham ute i fjøset i går, om at Erlend absolutt trengte noen til å holde litt styr på seg.

Korsfjorden lå vintersvart med drivende bølgefokk inne mot land da han klatret ned fra traktoren og jobben var gjort. Det snødde ikke lenger, men det blåste. De ville få en ruskete flytur, trodde han. Han ville høre på værmeldingen hvordan været var i Oslo. Men de nevnte nok ikke Stovner spesielt, bare Gardermoen. Han hadde sett på TV fra Stovner, noen pakistanske ungdomsgjenger som skjøt på hverandre fra biler i fart. Og boligblokkene, noen monstre av noen hus, med hele grantrær som vokste i verandakasser som lignet oppkappete betongrør.

Torunn. Datteren hans i fjøsdress mellom grisene med bøtter av fôr i hendene som hun tømte ned foran sultne tryner, ivrig og glad i ansiktet. Han la hendene frempå traktorsnuten og lot restvarmen fra motoren strømme inn gjennom huden i håndflatene. Torunn *Breiseth*. Ikke Neshov. Fordi moren hennes ikke fikk komme hit og bli hans den gangen. Det var som om han ville brekke seg når han tenkte på det, alle årene av muligheter som var borte. Han løftet ansiktet mot låveveggen. Her stod han, her hørte han til. Torunn var reist. Der hvor hun bodde, drev pakistanske ungdommer og skjøt på hverandre, han kom plutselig også på det hun hadde fortalt om en hundevalp de puttet i en sekk og knyttet igjen og brukte som fotball seg imellom. Det var en pitbull, men likevel. Et dyr. Det var langt fra å gjøre slikt til det å bruke tredve tusen kroner på å operere inn nye hofter på ei bikkje. Men hun trivdes med å bo der. Litt for langt fra sentrum, sa hun, men kort vei til jobben og kort vei til marka, der hun gikk lange turer med de bikkjene hun jobbet med.

Adferdsterapeut. Man skulle tro det handlet om folk. Men ikke en eneste gang i løpet av de årene han hadde hatt telefonkontakt med henne, hadde han sagt noe negativt om det *hun* levde av, bare drevet gjøn med de overfølsomme dyreeierne, og veterinærer som ikke oftere foreslo å avlive dyr det var meningsløst å holde liv i. Hun var jo ikke veterinær, men var blitt medeier i denne smådyrklinikken fordi hun drev med å få skikk på hunder som ikke fungerte.

Ikke en eneste gang hadde han sagt noe om *det*. Selv ville han ha gjort kort prosess. En jypling av en hund som ikke gjorde som den fikk beskjed om, det var bare å ta den med bak låven og la den smake baksiden av øksa mot pannebrasken.

Nå var hun snart i gang med disse fillebikkjene igjen, enda så utrolig dyktig hun hadde vært med grisene hans. Hun kunne heller jobbet som avløser, ja, det kunne hun. Gode avløsere vokste så visst ikke på trær. Hun var fin mot dyrene, hun *så* dem, akkurat som han selv. Så verdigheten i dem og hvor forskjellige purkene var. Hun skjønte behovene deres og innså hvor prisgitt dyrene var de menneskene som hadde ansvar for dem og levde av dem. Nå ja, levde og levde, fru Blom. Han fikk nå heller kalle det å overleve.

Han gikk inn og hengte av seg ytterjakka, trampet snøen av treskoene. De måtte ha litt middag før han gikk i fjøset. Faren hadde skrudd på tv-en inne i stua og satt og så på

28

en gammel reprise om dyreliv på Hardangervidda. Han åpnet kjøleskapet og gransket de bugnende hyllene. Du slette tid, var hans første tanke, alt dette ville de ikke greie å ete opp før det gikk ut på dato. Men da han kikket nærmere etter, oppdaget han at mye var hermetikk som egentlig ikke trengte å stå i et kjøleskap. Han husket han fortalte Torunn at han gikk til kjøleskapet, og aldri til matskapet, når han ville finne seg en matbit på egen hånd. Det hadde hun altså ikke glemt. Han løftet ut en hermetikkboks med erter, kjøtt og flesk, fikk plundret den åpen og slo i en kasserolle. Brød til, forakt kjøpebrød Og i brødboksen lå også et hjemmebakt fra fryseren til opptining, også det hadde hun rukket å tenke på før hun dro. Kjøpebrød var bare luft, morens grove hjemmebakte, det var skikkelig *mat*. Mon tro hvor mange som lå igjen i fryseren, kanskje fem–seks, dem fikk de spare på. Den som sparer til i morgen, sparer til musa, sa Erlend. Av og til sa han toskete ting.

– Jeg lager mat, sa han inn gjennom døråpningen.

Faren så på ham. Nå var det bare de to her. Tor møtte så vidt blikket hans. Der satt broren hans ... Nei, det nyttet ikke å tenke på det. Han rørte kraftig i kasserollen, noen erter sprutet ut på benken.

– Lager til oss begge, sa Tor.

Innen kasserollen og fatene stod på respatexbordet, og Tor først hadde fjernet den røde juleduken som lå der, og brettet den fint sammen og lagt vekk for godt, var det for mørkt til at det var fugler på brettet. Likevel satt de begge og spiste med blikket ut av vinduet, mot låven og tuntreet, innimellom kjappe øyekast på mat og skje.

– Godt, sa faren.

– Vil du ha en papirserviett?

– Nei, sa han, og halte i stedet et lommetørkle omstendelig opp av bukselomma og dro det over hake og munn, før han snøt seg, når han først hadde det der.

Papirservietter i en eske med julemotiv på stod i vinduskarmen, det var tre bunker i forskjellige farger som lå tett sammen, rød, grønn, og hvit i midten. Hverdagsservietter, kalte Erlend dem. Før moren ble syk og alle kom, hadde de brukt noen legg dopapir hvis de trengte det, det gjorde da jobben like godt, når man ikke var for fin på det. Nå lå det tykke juleservietter og støvet ned i buffeten inne i den avlåste peisestua, hverdagsservietter i vinduskarmen, tørkerull på kjøkkenbenken og dopapir på do.

– De der får vi visst spare på, sa Tor og nikket mot serviettene. – Det blir ikke kjøpt nye. Bare rot, papir overalt. Byfolk.

– Ja, sa faren.

Tor hørte lettelsen bak det ene ordet. De var enige. Det var papirservietter det skulle snakkes om, og ikke andre ting.

Hun ringte rett før han skulle gå i fjøset. Han rakk ikke å springe ut på kontoret og ta den der, måtte ta den på kjøkkenet mens faren satt inne i stua og hørte.

Hun var nettopp kommet inn døra hjemme, sa hun.

Hjemme.

– Jaha. Og vi har spist god mat. Du får ha takk, Torunn. Det var altfor mye.

Det skulle han ikke tenke på, hun ville at de skulle spise godt. Hun hørte nok ikke selv den skjulte kritikken som lå i det, som om de ikke hadde spist godt før hun og Erlend og dansken invaderte kjøkkenet.

– Og flyturen? sa han og kremtet grundig.

Det var ganske mye turbulens, ja, og en dame hadde kastet opp på setet rett bak henne. Det luktet helt pyton, sa hun og lo.

– Gikk flyet til Erlend og dansken samtidig?

Nei, direkteflyet til København gikk en halvtime etter hennes, men alle fly hadde vært i rute.

– Du får slappe av nå, da.

Akkurat i kveld skulle hun det, men både i morgen og på nyttårsaften måtte hun på jobb, det var nok mye å ta igjen og å komme à jour med, de arrangerte dessuten nytt dressurkurs i midten av januar, det nyttet ikke å legge seg på solaen og ta ferie. Hun hørtes glad ut i stemmen, det var andre lyder bak henne også, glass som klirret og annen romstering.

– Er det flere hos deg?

Det var venninnen Margrete som bodde rett over gangen, hun kom nettopp inn døra med kaffe og julekake og konjakk, allerede før hun selv hadde fått ytterklærne av seg, sa hun og lo igjen.

– Fint du ikke er alene, da. Jeg skal i fjøset nå. Lurer på å ta ungene fra Mari og Mira i kveld.

Hun sa hun gjerne skulle vært med på det, men at hun jammen kom til å fortelle Margrete hvilken kommers det ville bli.

De ble enige om å ringes, men ikke når, hun ønsket ham lykke til med purkesjauen, de la på.

Da han hadde trukket i fjøsdress og støvler, løftet han fjøsdressen Torunn hadde brukt ned fra spikeren. Han la den mot ansiktet og luktet lenge, før han hengte den tilbake og lukket seg inn i fjøset, inn i varmen og lydene fra dyrene. Han ble stående med hengende armer og den stengte døra bak seg, lente seg mot den. Grisehodene virret

31

mot ham, avventende, mens de gryntet og pustet og ventet. Her inne var alt ved det samme. Der ute var alt annerledes. Og med ett kjente han hvor trøtt han var. Trøtt av å være våken, trøtt av å tenke. Han skjønte plutselig at han aldri i livet ville orke purkesjauen i kveld. Når purkene ble flyttet ut av fødebingene sine og ført sammen, ble det alltid et helvetes leven. Først var de stresset fordi de var fratatt ungene sine, og så skulle de opparbeide ny rangordning seg imellom. De knuffet og sloss, av og til med et raseri som kunne ta pusten fra en. Derfor pleide han å føre purkene sammen mot slutten av dagen når de likevel var slitne. Så slukket han lyset og håpet på det beste, mens han stod utenfor døra og lyttet og ikke sov rolig hele natta. Småsår fikk de nesten alltid, men ble det store flenger, måtte han ha Røstad til å komme. Nei, han fikk vente til i morgen, det var ikke bønn, han eide ikke krefter. Kanskje holdt han på å bli syk, ja det skulle tatt seg ut, mo alene med fjøset.

Han hentet en tom fôrsekk og skrevet over og inn i bingen til Siri. Hun lå i hjel en av ungene sine rett før jul, det hadde hun aldri gjort før, og han greide ikke helt å tilgi henne. Likevel trakk han skalken av kjøpebrødet opp av lomma og ga henne, hun tygget og smattet med velbehag, som om det var den fineste gåselever. Den brede skallen dirret mens hun åt, han sank avmektig ned foran henne oppå fôrsekken. De snart to uker gamle ungene sov i en rosaskimrende dunge under den røde varmelampa i fødekassen i hjørnet. Han så det på pattene til Siri at de nettopp hadde diet, hun var trøtt selv og lå. Siri maste sjelden på fôret før hun hadde det rett foran nesa. Da åt hun som en gal, men hun drev ikke og ylte og hauset seg opp som de andre purkene, som alle trodde de kunne få mat først.

Han hørte fra bingene rundt at de ikke likte tempoet hans i dag, det lå en skuffelse i gryntene og snøftene fordi han så meningsløst hadde satt seg ned på gulvet.

– Så var det oss da, Siri. Bare oss. Igjen.

Hun var borte i lommene hans og nufset, med det kolossale trynet hvor halmrusk klebet til fukten og fluer landet og tok av som om de bodde der.

– Tomt nå.

Han hvilte bakhodet mot stålrøret og lukket øynene, skulle gjerne vært en mett liten grisunge, bare et øyeblikk. Ligge tett klemt mot brødre og søstre og sove varmt. Ikke vite, ikke måtte. Før han merket det, hadde han begynt å grine. Nå var det ikke mening skapt i å stanse tårene, de fikk bare renne som de ville, fjøsdøra var lukket godt igjen.

FLYENE PÅ KASTRUP LIGNET blinkende vesener som sank ned på bakken, før de straks lettet igjen. Siden det ene flyet knapt hadde landet før det neste tok av, kunne man lett tro at det var det samme. *Touch and go.* Erlend stod barbeint ute på takterrassen høyt hevet over Gråbrødretorv og nøt synet av Københavns skyline utover mot Amager og Kastrup. Det var nyttårsaften, han var akkurat ferdig med å lage all maten, nå var det kroppspleie som stod for tur, før gjestene kom. Han hadde advart dem om at det ville bli servering «i all enkelhet» siden han og Krumme nettopp var kommet fra Norge. Da de stod opp i dag tidlig, trodde derfor Krumme at de bare skulle handle inn snacks og litt ost og frukt. Men der måtte han tro om igjen.

Erlend hadde nemlig våknet i natt og besluttet at det skulle slås på stortromme. Jeg er jo den bortløpne sønn, tenkte han, og Københavns hjemkomne. Og siden ingen andre hadde tid til å slakte gjøkalven, fikk han jaggu gjøre det selv. Han registrerte vagt at det lå en selvmotsigelse i refleksjonen, uten at han lot den få dypere feste. Men gjøkalvestek, nei det ble for kjedelig. Like kjedelig som ost og snacks. Han ville lage fingermat! I alle varianter! De hadde tatt med skivet fenalår fra Norge, og han begynte straks, da han lå i nattemørket, å tenke ut hvordan den kunne fingermatdanderes. Surres rundt staver av

34

mango? Samles i midten av en ring rødløk? Nei ... olje-marinerte soltørkete tomater! Ei stor skive forent med ei dobbelt foldet skive fenalår!

Han hadde listet seg opp og sjekket at nyttårsskuffen var velutstyrt.

Det var den. Nyttårsskuffen nederst i buffeten i den ene stua handlet han til hele året igjennom, hver gang han kom over noe lekkert. I den lå de tradisjonelle papir-hattene, bare at de var kjøpt i Kairo og hadde små bjeller festet til kanten, tyve i tallet, i ulike farger. Der lå bord-rakettene som sprutet ut tindrende gullkorn når man trakk i en snor, de var lettere å støvsuge vekk enn kon-fetti av papirbiter. Der lå stjerneskudd, både lange og korte, samt diademet. Han trykket på knappen og sjek-ket batteriet. Jammen virket det. Små lyspunkt i grønt og gult og rødt blinket i en hissig puls langs diademets bue. Diademet pleide han å sette plutselig på hodet til den han utpekte til å holde kveldens festtale, de improviserte talene var alltid de beste, og diademet kledde menn og kvinner like godt, syntes han, selv om det til tider hadde medført en del mannlige protester.

Ellers om året når han dekket til fest, skulle det være stilig og originalt. Men på nyttårsaften var han en usvi-kelig tilhenger av kitsch. Da skulle det være glorete og kontrastfylt og *too much*, det skulle være fest! Girlanderne med hologramdekor lå pent sammenrullet, de skulle henge fra takhimlingene, godt unna de levende lysene, de glitret som krystall når man beveget seg gjennom rommene.

Men det han egentlig ville sjekke om befant seg i skuf-fen, var pinner. Små pinner til å stikke i fingermaten. Da behøvde de bare fat og servietter og glass, og folk kunne vandre rundt mellom stuene og takterrassen og sitte og stå hvor de ville.

Forrige nyttårsaften serverte Krumme kalkun. Tre i tallet: én laget på asiatisk vis, nærmest som pekingand; én med karri og hvitløk og magen full av urter og fennikel, og én tradisjonell, dekket av baconstrimler og fylt med engelsk stuffing. De hadde *sitdown dinner* for atten, og noe slikt måtte naturligvis planlegges uker i forveien. Det var et stort sprang fra trippel kalkun til ostebord og snacks, hadde han tenkt. Altfor stort, man hadde da et visst renommé å opprettholde. Fingermat var dekorativt og superfestaktig, med pinner med glitrende dusker i enden. Og pinnene lå der, pose på pose. Gud, der var også de han hadde funnet i et bitte liten gavebutikk på Halmtorvet siste sommer! Dem hadde han helt glemt! Riktignok tilsynelatende enkle, laget av klar plast, men støpt med en liten edelsten av plast i enden. De lignet knøttsmå septere, hvor mange hadde han? Han telte. Tre poser med førti pinner i hver.

Egentlig ville han ha begynt med det samme, men tvang seg selv i seng for å være opplagt til neste dag. Krumme lå på ryggen og sov med halvåpen munn, øyelokkene hans sitret i det plutselige lyset. Erlend skyndte seg å skru det av, før han la seg godt inntil Krumme og fant hånda hans under dyna. Til og med i dyp søvn svarte Krumme med å trykke hånda hans i respons, lykkelig uvitende om hvilket inferno av shopping som ventet ham neste morgen.

Ostebord. For en vits.

Han begynte å lage handleliste over frokosten. Fingermat var mer pynt enn mat, derfor var det han som hadde regien. Krumme var den som laget de store ting. Krumme var selve kokken. Men til fingermat behøvdes ingen kokk,

36

da var det en *kompositør* og organisator som måtte til.

– Men hva skjedde med ostebordet? sa Krumme og gjespet.

– Altfor kjedelig, forstår du vel!

– Det tar timer å lage fingermat, lille mus. Kan vi ikke holde oss til osten ...

De satt ved kjøkkenbordet med store krus nytraktet jamaicakaffe, begge i silkemorgenkåper og lodne slippers.

– Tenk deg om, Krumme. Et simpelt ostebord er da ikke *oss*!

– Det behøver ikke være simpelt. Og vi er slitne begge to. Jeg må en tur innom jobben.

– Slapp nå av, og ikke vær så problemorientert. Delikatessebutikken åpner klokka ni. Du blir med og hjelper med handlingen, så tar jeg en taxi hjem med alle varene og du drar noen timer på jobb. Drikke kjøper du på hjemveien, i dag skal det utelukkende være champagne fra begynnelse til slutt, kjøp en syv–åtte kasser. Bollinger, selvsagt. Husk å forsikre deg om at kassene kommer fra kjølerommet, vi rekker aldri i livet å få dem avkjølt i tide. Og kanskje konjakk, hvor mye har vi?

Krumme reiste seg tungt og gikk inn i stua for å se i barskapet.

– Fem flasker, ropte han.

– Da trenger vi noen til. Men herregud, da må vi jo ha noe søtt også! Til kaffen og konjakken. Hva syns du vi skal ha? Hva med designersjokolade? Du kan jo ...

– Kransekake og iskrem, sa Krumme og satte seg igjen.

– Jeg gidder altså ikke å krysse halve byen bare for å kjøpe sjokolade som noen har stått og nafset på for at ikke to biter skal se like ut.

– De bruker sterile hansker, Krumme, ikke vær latterlig.

– De smaker vel på den innimellom og slikker sjokoladen av hansketuppene.

Erlend lo. – Hva du kan få deg til å tenke av stygge tanker! Tror du virkelig at man makter å putte en eneste bit i munnen når man arbeider med sjokolade hele dagen! Det tror ikke jeg.

– Ostebord ville vært lykken i dag. Litt Samsø, litt Danbo ...

– Du med den Danboen din. Den osten lukter slik sokkene mine luktet da jeg var tenåring.

– Det ville ha vært godt.

– Men Krumme. Vi skal da ha et fat ost. I tillegg!

Krumme sukket. – Jeg er sliten, det var en hard tur. Sterke opplevelser. Men jeg er glad jeg dro. Nå vet jeg hvem du er, hvor du kommer fra.

De så på hverandre. Erlend nikket, nå visste Krumme hvem han var. Trodde han. Men bare fordi man plutselig måtte vasse rundt i sine egne norske røtter og spille yngstesønn på bondegård, var det slett ikke dermed sagt at man ikke like hurtig omfavnet storbyens deilige liv. Derfor ville han ha glans og glitter i kveld. Ikke bare stinkende ost. Men noen kompromisser fikk han vel gå med på.

– Okey. Så dropper vi designersjokoladen. Kransekake og Häagen-Dazs iskrem er slett ingen dum idé, Krumme. Vi kan ta den med toffee og pecannøtter. Jeg setter det på listen. Er det ikke morsomt, du? Å feire julaften én kveld, og så gå direkte på nyttårsaften kvelden etter?

De hadde feiret sin egen julaften kvelden før. Spist femretters på TyvenKokkenHansKoneogHendesElsker og deretter gått hjem og pakket opp gaver, drukket konjakk og spilt Brahms, mens de nøt synet av juletreet ute på terrassen, som stod like fint da de kom hjem fra Norge, med lys, kurver fylt av kunstig snø, og en Georg Jensen-stjerne i toppen. Ekte snø var kommet og allerede smeltet mens de var bortreist, så verken treet eller kurvene var egentlig like pene i dagslys lenger, men når mørket kom, var illusjonen den samme. Krumme hadde gitt ham det krystallsjakkbrettet fra Swarovski han hadde ønsket seg så brennende, og Erlend forærte ham en Matrix-frakk i svart skinn som det hadde kostet en formue hos skinnskredderen å få omsydd til Krummes kuleformete kropp. Han hadde knapt sett Krumme så glad noensinne, og både frakken og Krumme var blitt grundig avdydifisert etterpå, når de endelig fikk elske høylytt og jublende under private og lydisolerte forhold.

– Skal du ha frakken på i dag? På arbeid?

– Selvsagt! sa Krumme og smilte, strakte ei hånd mot ham over bordet. – Jeg elsker deg, du rare, fine bondesønn ...

– Så så. Nå er det slutt på snekkerbukser og halmstrå i munnen, du. Endelig kan jeg bruke øyesminken min igjen uten at folk får hysterisk anfall.

– Du snakker alt vekk. Når det går litt tid nå, må vi prate grundig gjennom ting. For Torunns skyld. Hun må slippe å sitte med alt alene. Hun tar ansvar.

– Hun er jo i Oslo! Nesten like langt unna som oss! sa Erlend og trakk hånda til seg.

– Hun føler på ansvaret. Det har vi sett. Hun sa det jo selv også. Du ringte henne ikke i går? Hun skulle snakke med Margido om at den gamle vil på hjem.

– Åååhh! Nå sitter vi her og planlegger fest! Alt dette andre kan vi ta i morgen. Jeg er overbevist om at når Torunn kommer hjem til huset sitt og jobben sin, vil hun legge alt dette *ansvaret*, som du maser sånn om, bak seg. Jeg tok da også *ansvar*, forresten? Gjorde jeg ikke det, kanskje?

– Jo, det gjorde du, Erlend. Jeg er stolt av deg, veldig

39

stolt. Det er ikke godt å holde så mye skjult.

– Skjult og skjult. Det var jo aldri det at jeg løy, jeg bare orket ikke å tenke på det.

– Og nå har du holdt opp å tenke igjen?

– Nei! Det er ikke slik! Ordkløver! Jeg bare … Jeg er jo *meg* også. Her! Og Torunn skal komme hit på besøk, til onkel Erlend og onkel Krumme. Jeg har fått en lys levende niese, tenk det.

– Jeg er mer bekymret for dem på gården. Og det er Torunn også.

– Ja, ja, ja. Vi skal snakke om det. Men ikke i dag! Jeg skal stå i timevis og komponere fingermat og pynte hele huset, jeg vil være i kreativt humør …

Han anla en litt sutrete tone som alltid virket på Krumme. Krumme sukket på nytt og lente seg tilbake på kjøkkenstolen.

– Nå kler vi på oss og drar og handler, hm? sa Erlend.

– Ja, det gjør vi, sa Krumme og slo seg på de tykke lårene og smilte, muligens en smule anstrengt, men han smilte i alle fall, dessuten kunne han snart iføre seg sin splitter nye Matrix-frakk, det måtte da telle for noe. – Får bare håpe Diners-kortet mitt ikke tar fyr av friksjonsvarme.

– Jeg tar med pulverapparatet, sa Erlend.

Da kjøkkenet var fylt til randen av innkjøpte varer og han var blitt alene i huset, satte han Marlene Dietrich i CD-spilleren og fant frem alle de fat og brett de eide. På det ene gjesterommet slo han ut klaffene på tebordet som stod der, og la dyner og puter inn i skapet. Han trengte god plass til fatene, ett bord og én dobbeltmadrass burde holde, han kunne ikke fordra å plassere mat på gulvet, selv om rengjøringshjelpen alltid vasket og bonet parketten til den skinte. Vinduet satte han åpent, og vips hadde han det perfekte kjølerom. Når gjestene kom, ville vinduet være lukket, alle matfat stå inne i stuene, og de kunne legge klærne sine her. Det andre gjesterommet fungerte som kontor og var det eneste rommet i huset hvor det alltid var rotete, så det viste man ikke frem til gjester.

Han plasserte fatene utover benkene, før han hentet ei flaske Bollinger i kjøleskapet forbeholdt drikke. Han ble stående med døra åpen og betrakte innholdet. Ja ja, hvis noen ville ha drinker utover natta i stedet for champagne, lå det både gin, vodka, tonic water og russchian i hyllene.

Han åpnet champagnen forsiktig så ikke en dråpe skulle gå til spille, slo opp i et glass og drakk grådig, før han med voldsom konsentrasjon lot blikket seile over den innkjøpte maten. Først hentet han farget aluminiumsfolie, rødt og gull, og pakket fatene inn i den. Det var et plunder, han måtte feste den med teip på undersiden, det så ikke pent ut, men det var overflaten som telte. Syv gullfat og åtte røde. Så enkelt, men virkningsfullt. Presentasjon og *display*, det var nøkkelen til øyets, og magens, forlystelse. Åh, det ville bli deilig å komme i gang med jobben igjen, fjerne jula fra alle utstillingsvinduene, tenke nytt og modig og mer treffende enn de konkurrerende vindusdekoratørene. På Nesliov hadde han faktisk fått en idé til et vindu han kunne bruke for Benetton. Han ville bygge opp en gårdsscene med halmballer og grovt treverk, trau og tauverk, bjelker. De rene jordfargene ville bli en perfekt setting for fargerike barneklær, han kunne til og med plassere dyr i vinduene. Københavnere ville ikke løfte på et øyenbryn ved synet av en utstoppet sau eller geit eller et hestehode som stakk ut av spiltauet sitt. Han måtte kontakte en taksidermist med det samme han kom på

41

jobb 2. januar.

Han begynte med fenalårskiver og soltørkete tomater, bandt kjøttet og tomaten sammen med trepinner med grønne dusker, fylte et gullfarget fat med delikatessene og bar inn på gjesterommet. Fatet lignet et glitrende pinnsvin. Han kokte egg, avkjølte dem, delte i to med en våt kniv så ikke plommen klebet, og dekket hvert halve egg med ishavskaviar og aïoli og ferske dilldusker. Han skar fersk mozzarella i skiver og trædde på pinner sammen med skiver av fersk tomat og et blad basilikum på toppen, dryppet olivenolje over hele fatet og tok en runde med pepperkvernen. Han la knøttsmå ferdiglagete mørdeigskåler på et fat, penslet med smeltet smør i bunnen og fylte med rød Beluga-kaviar, dryppet litt sitron på toppen, og en ørliten flekk crème fraîche. Han skar opp chorizo-pølse i tykke skiver og trædde på pinne sammen med en bit purre og en stor kongekapers på stilk. Han slo cocktailbærene og svarte oliven over i et dørslag for å la dem renne av, skar mild ost i store terninger og sterk sveitsisk ost i små og laget fargerike ostepinner. Han fylte to fat med dem, i gult og svart og rødt, og måtte drikke et helt glass champagne og virkelig nyte synet før han bar fatene inn på gjesterommet. Han laget tunfisksalat av tunfisk, grov sennep, hakkete sylteagurker og remulade, den ble fantastisk god, og likevel så enkel at selv mor, tenkte han, men skjøv tanken like fort unna, nå var han her, i kreativ champagnerus, ingenting fikk forstyrre, ikke engang telefonen, som stod på lydløst mottak, prisgitt svareren.

Marlene sang gutturalt erotisk fra B&O-høyttalerne på kjøkkenveggen mens han fylte tunfisksalaten i høye, nybakte miniatyrterter av butterdeig fra bakeriet på hjørnet, med en klatt sennep, og resten av de soltørkete toma-

42

tene klippet i strimler og revet sitronskall på toppen. Resten av tunfisksalaten klemte han mellom runde melbatoast. Hva mer hadde han å ta av?

Han lot blikket løpe opphisset over ingrediensene. Aspargesen! Gud, den hadde han aldeles glemt. Han skyndte seg å rense dem og satte til koking i den høye søylen av en aspargeskasserolle med metallkurv som bare var til å løfte ut etterpå. Mens den kokte, delte han varsomt parmaskinken i separate hauger, og finhakket hvitløk og persille og blandet i litt olje, havsalt og eggeplomme. Da aspargesen var ferdig kokt og bråavkjølt i iskaldt vann med isbiter, lot han den renne av, før han pakket den inn i parmaskinke med hvitløkspasta innerst.

Nå trengte han et par fat med fingermat av bare markens grøde. Det ble ett med fersk blomkål, fennikel, oliven og jordbær i enden av pinnen, og ett med mango, blodappelsin, rødløk og selleri. Over begge fatene dusjet han balsamico slik Krumme hadde vist ham. Krumme lå nemlig under for den idéen at balsamico aldri skulle dryppes over maten, men dusjes, det hadde han sett på et matprogram på Rai Televisione.

Da oppdaget han Krummes ostepose, den hadde han glemt, det skulle tatt seg ut, når det åpenbart var det eneste mannen hadde lyst på. Han pyntet rundt ostene med rester fra fingermaten: cocktailbær, selleri og oliven. Bladene fra sellerien klemte han innunder den ene osten, og han dekket fatet med cellofan for å unngå å forpeste resten av maten, før han bar fatet av gårde.

Han skiftet fra Marlene til Neil Diamonds *Best Of* og begynte å pynte i stuene, hengte opp girlandere, fylte lysestakene med gullys og sølvlys, dekket bordene med gullchiffon, som nok hadde en flekk her og der, men fatene ville skjule dem. I enden av det ene bordet la han noen store, firkantete metallkasser under duken, kassene stjal han med seg fra en vindusdekoratørjobb på Pamfilius, og dermed løftet duken seg i myke folder opp til ulike platåer, hvor han ville sette glassene og champagnekjølerne. Han måtte huske å fylle vann i containeren i kjøleskapet, så isbitmaskinen ikke ville gå tom. Han satte fat frem i stabler og la serviettene i vifter, nyinnkjøpte samme dag, med ekte glitter som sikkert ville drysse i maten, men slikt fikk man tåle på en kveld som denne. I enden av det andre bordet plasserte han kransekaken. Den var litt gørr pyntet, han piffet den opp med å iføre den et skjørt av kramset, rød aluminiumsfolie med et dryss av små sølvstjerner han fant i nyttårsskuffen. Resten av stjernene slengte han rundt på dukene. Kaffekopper, konjakkglass og dessertskåler måtte stå ved siden av kransekaken. Og bollen med kinesiske lykkekaker. Sånn.

– Skål! Han løftet glasset foran seg og tømte det, fylte i siste skvett fra flaska i kjøkkenet og gikk ut på terrassen.

Og de blinkende flyene landet og tok av i ett kjør, mens han nøt kulda fra marmorflisene under fotbladene. Bak ham stod treet, når han så mot nord, var Norge langt der oppe i mørket et sted. Hvis han ringte, ville nok Krumme bli fornøyd med ham og slutte å mase. Og hvis han ringte før han gikk på badet og fordypet seg i såper og kremer og mental festforberedelse, ville han kunne gjøre det med mye lettere hjerte. Men rekkefølgen?

Han besluttet å ringe etter samme prinsipp som han spiste mat som liten, én og én ting på tallerkenen, det beste gjemte han til sist. Alltid med en viss fare for å få påfyll av det han likte minst, for eksempel kålrabi, fordi moren da trodde han var så glad i det, siden det var kålrabien han kastet seg over først.

Han kjente en ekkel hjertebank da han slo nummeret. Men dette offeret gjorde han for Krumme og Torunns skyld.

– Det er Erlend! Vi skal ha en del gjester i kveld, så jeg tenkte å ringe nå i stedet!

Tor lurte på hvorfor.

– Hvorfor …? Det er jo nyttårsaften! Jeg ringer for å si at vi er vel hjemme og ønske godt nytt år!

Det hadde han nå aldri gjort før. Og det var vel ikke så mye å feire.

– Men …

Dessuten skulle han i fjøset og hadde det litt travelt, han ventet dyrlegen, ei purke måtte sys.

– Har den skadet seg?

Ja, vært i slåsskamp.

– Jeg visste ikke at de sloss, sa Erlend, og gned de kalde føttene mot hverandre. Han frøs så han verket langt opp-etter leggene, han ville ta et bad etterpå, og ikke bare dusje.

Jo da, sa Tor, det visste han hvis han hadde hørt litt etter. Så der var det ikke mye nyttårsfeiring, de skulle legge seg til vanlig tid.

– Bra jeg ringte nå, da. Så jeg ikke forstyrret siden! Dere får ha godt nyttår, da, begge to.

Takk det samme, sa Tor og la på.

Han måtte styrke seg med en ørliten skvett konjakk før han tok neste telefon, og stakk tærne i slippersene med det samme. Begge deler hjalp, også det å ta en hektisk titt inn på gjesterommet og beundre de struttende fatene som stod der og ventet.

Margido tok telefonen på første ring.

– Godt nyttår! Jeg vet det er litt tidlig på kvelden, men

vi skal ...

Var det han som ringte, det var overraskende.

– Du trodde kanskje det var en kunde? sa Erlend og lo litt. Han mente det burde gå an å le litt sammen med Margido nå, etter alt som var skjedd. Men kanskje det var champagnen og konjakkskvetten som ga ham overdrevne forventninger, for Margido lo ikke. Han svarte i stedet at han trodde det, ja, det trodde han alltid.

– Ikke så mange som ringer ellers, kanskje? sa Erlend, litt for å være spydig, Margido kunne ha ledd, gitt ham *det*, i hvert fall.

Margido svarte ikke på om det var mange som ringte ellers, men fortalte at han var invitert på middag. Sa han det på en litt triumferende måte, eller var det noe Erlend innbilte seg?

– Ja vel? Noen jeg kjenner?

Nei, Margido trodde ikke det. En tidligere klient.

– Levende? Nå gikk han for langt, men greide ikke å dy seg. Men jammen lo endelig Margido litt.

Jo da, klienten var høyst levende.

– En dame, kanskje? Herregud, Margido, har du en *date*?

Erlend krøllet tærne i slippersene, nå stod ikke verden til påske, og at Margido *fortalte* det! Men dette med Gud skulle han antagelig ikke pushe for langt, Margido var jo kristen.

– Jeg mente ikke å si herregud, skyndte han seg å si.

Ja, det var ganske riktig en dame, avbrøt Margido ham, men heller ikke noe mer.

– En dame, men ikke noe mer? sa Erlend.

Hun var en bekjent, det var alt, hun ville invitere ham på middag som en ren takknemlighetsgest fordi han hadde gitt mannen hennes en vakker begravelse, og det

46

hadde vært dumt av Margido å i det hele tatt nevne det.

– Nei da, nei da! Jeg bare tuller! Du ... dere får ha godt nyttår, da! Jeg skal hilse fra Krumme.

Han fikk hilse tilbake.

Dette tok på i større grad enn han hadde trodd på forhånd. Han gjorde det jo bare for Krummes og Torunns skyld, og likevel, her stod han og ble nesten ute av seg. Han fokuserte på denne damen og ble glad igjen. Tenk om Margido kunne bli vel og godt spleiset, kanskje til og med med et ungt menneske som kunne gi ham barn. Det kunne bli folk av mannen. Oppspilt av tanken ringte han Torunn, mens han stakk konjakkflaska inn i armhulen, bet korken av den og tok en støyt direkte.

– Det er meg! Gjett hva! Margido har en *date* i kveld!

Det var en voldsom støy rundt henne, hun hørte ikke hva han sa og ropte at hun måtte gå ut, han fikk vente litt. Men der var hun endelig.

– Det er onkel Erlend! Margido har en *date* i kveld! En dame!

Hun lo så det skrallet i øret på ham, var det sant? Hun snakket med ham i går, han nevnte ikke noe da, men det var vel ikke akkurat en ting Margido ville fortelle *henne*. Hun hadde fortalt ham at farfaren ville på hjem.

Æsj, skulle de snakke om dette nå.

– Hva sa Margido til det, da?

At han ikke var syk nok, at det sikkert ikke ville gå, det var rift om plassene, men at Margido heller skulle forsøke å ordne med hjemmehjelp til dem én gang i uka.

– Kjempefint, da ordner det seg, sa Erlend.

Torunn var ikke så sikker på det, hun trodde ikke at faren ville ha noen fremmede som kom og la seg borti ting, selv om det bare gjaldt litt vasking.

– Du kjenner ham godt, du! Bedre enn jeg!

Det rakk hun ikke å svare på før det hørtes et vold-
somt hundeglam, og hun forklarte at hun var på hyttetur,
var blitt invitert med av noen venner, de var en hel gjeng
og fem hunder, og nå var det visst full slåsskamp her.

– Da blir det fest hos deg også! Har ikke noe å si med
full slåsskamp, dere har vel nål og tråd med! Faren din
ventet forresten på dyrlege da jeg snakket med ham, der
var det purkene som sloss!

Hadde han ringt faren, det var fint gjort. Hun ble glad i
stemmen, merket han, altså var det likevel verdt ubehaget.

– Fint og fint, han er nå storebroren min, da. Om han
er aldri så sær. Men skal du ringe ham selv, må du gjøre
det innen ti. Da legger han seg.

Det var godt han sa det, hun hadde tenkt å ringe
klokka tolv.

– Det er ikke mange raketter på Byneset akkurat! Ikke
flere enn dem de skyter opp selv! Under dynene!

Hun fniste. Bak henne lød rasende brøl, opprøret i
hundeflokken ble åpenbart slått hardt ned på.

– Du får ha godt nyttår, vi sees i det nye, ikke sant? Du
kommer hit på besøk?

Ja, det ville hun absolutt, sa hun, før hun avsluttet med
å si at de fikk krysse fingrene for Margido.

– Å, han krysser vel det han har allerede. For eksempel
knærne, så det skal ikke vi to tenke på, lille niese.
Krumme hilser med tusen kyss!

Han sank ned i badevannet, uendelig fornøyd med seg
selv. Det gikk i ytterdøra.

– Jeg er i badet! ropte han.

– Skal bare bære inn kassene først, så kommer jeg!
svarte Krumme.

48

– De er kalde? Kassene?

– Ja da!

– Sett dem bare ut på terrassen, de slipper omveien om kjøleskapet!

Og endelig lå de i hver sin ende av jacuzzien, to legemer nedsenket i boblende vann, det var en og en halv time til gjestene kom. Erlend betraktet fiskene som svømte i det store saltvannsakvariet i hele baderommets lengde. Han fulgte Tristan og Isolde med øynene, de var skinnende turkise og favorittfiskene hans. Men det var for mye alger på innsiden av glasset, han måtte huske å bestille akvariemannen som renset det for dem og byttet planter, kanskje også flytte litt på det steinslottet fiskene svømte ut og inn av.

– Nå var du langt borte, sa Krumme.

– Jeg reflekterte rundt slott og alger, den slags trivialiteter. Men du, hva sa de på jobben om Matrix-frakken din?

– Ikke så mye. Men de tenker vel sitt, sa Krumme.

– Hva tror du de tenker, da?

– At jeg er verdens heldigste mann. Og det har de jo aldeles rett i.

MARGIDO HOLDT KAMMEN UNDER springen og dro den gjennom håret, før han glattet etter med ei hånd. Han gransket seg selv kritisk i speilet over glasshylla med tannbørste, tannkrem og ei flaske Old Spice. Slipsknuten var glatt og fin og satt midt på der den skulle. Å knytte en dobbel Windsor var pussig nok en av de første tingene han lærte da han jobbet som lærling i begravelsesbyrå, men i dag forstod han det jo, dette med at fremtoningen var en uhyre viktig del av jobben, på mange måter det som ga de pårørende profesjonstrygghet.

Knuten var perfekt. Verre var det med dressen han stod her i. Den var for mørk, og altfor *jobb*. Han hadde saumfart klesskapet, som om det ville dukke opp en dress han ikke visste han eide. Men alle var svarte eller mørkebrune, unntatt en koksgrå han brukte om sommeren, den var lett i stoffet, men slitt. Vanlige mennesker kunne alltids gå i middag nyttårsaften i svart dress, tenkte han, men han var ikke vanlig. Folk forbandt ham med sorg. Helst burde han hatt en lysegrå dress, han besluttet å kjøpe en straks han fikk tid, den ville komme til nytte i andre sammenhenger også, på jobb på dager da han ikke skulle treffe pårørende i noen sammenheng. Men i dag fikk den koksgrå gjøre nytten.

Han trakk pusten dypt. Klokka var halv syv, han var invitert til den nyslåtte enken halv åtte. Selma Vanvik, toogfemti år, like gammel som han selv, hun hadde vært etter ham i uker, han på sin side hadde vært avvisende, men høflig. Når han sa ja til å komme i kveld, ville hun kanskje oppdage hvilken kjedelig fyr han var og slutte å mase, tenkte han. Han ville inn i hverdagene sine igjen, inn i rutinene og pendling mellom jobb og isolert fritid her hjemme i leiligheten. De siste månedene hadde han begynt å tenke på å kjøpe en ny leilighet, ikke fordi denne var for liten eller stygg, den var akkurat passe, men han ønsket seg så inderlig ei badstue hvor han kunne svette og sitte og gjøre lite annet. Det var umulig å bygge ei badstue i tilknytning til badet her, det ville spise opp det lille kjøkkenet på den andre siden av veggen, men ennå var han ikke helt i gang med å studere boligannonser. Tanken på en flytting uroet ham voldsomt, å tømme de trygge rommene bit for bit, det ville ta på.

Alt fløt plutselig, slik kjente han det. Fløt ut mellom fingrene på ham, han ville ikke miste kontrollen. Jobb og timer fri her hjemme, det var det eneste han var vant til. Først skjedde alt dette med moren, og Erlend og Krumme kom, og med Torunn midt oppi det hele. De hadde da greid seg på Neshov i alle år, også i de siste syv hvor han selv ikke hadde satt sine bein der, og med moren borte og sakenes natur til en viss grad avklart, burde det endelig kunne bli litt ro. Men nei, telefoner, telefoner ... Først Torunn i går som ville at den gamle måtte få komme på hjem, og nå Erlend.

Han likte det ikke.

De juridiske spørsmålene knyttet til gården hadde han satt bort til advokat Berling, en klok og sindig mann som han pleide å anbefale til pårørende som slet med arverettslige spørsmål. Berling ville ordne alt, her var det jo heller ingen disputt på gang. Tor ville få gården skrevet

51

over på seg, den gamle ville ikke sette seg imot det, han selv og Erlend ville avstå fra arv inntil videre.

Da ville Torunn få odelsretten, men med denne klausulen om arv. Skjønte hun rekkevidden av det? Ansvaret som ville bli pålagt henne den dagen Tor døde eller ble for skrøpelig? Det trodde han ikke.

Men han fikk i alle fall ordne med en hjemmehjelp så *det* var gjort, og han slapp dette maset om hjem. Farens omstendigheter ville ikke holde, han var ikke behovstrengende nok. Å ikke skifte underbukser daglig og å surre bort gebisset sitt i vedskjulet holdt ikke for at kommunen skulle stille plass til rådighet for ham på sykehjem. Han ville vel til det nye på Spongdal, som åpnet for bare få år siden. Trodde vel, som så mange andre gamle, at man havnet på hjem nær der man bodde. Men Trondheim kommune var nødt til å få puslespillet til å gå i hop og fylte plassene etter listene sine, enten sykehjemmet lå her eller der. Kanskje han skulle nevne det for den gamle, at han kunne risikere å havne på et hjem langt unna Byneset. Huff. Det var jo synd på ham òg. Var det noen det var synd på, så var det ham.

Han slukket lyset på badet og gikk inn i stua. Han kjente brått at han gjerne skulle hatt noe å styrke seg på. Trangen fylte ham med undring. Han drakk omtrent aldri, men nå ville det faktisk vært godt. Hva om hun begynte å klå på ham, hun hadde faktisk gitt ham en klem ved én anledning og trykket seg inntil.

Han burde aldri ha sagt ja til dette, han kjente hjertet slå ubehagelig fort og lukket øynene. Han hadde lovet å ta en drosje og ikke kjøre selv, hjem fikk han gå, det var litt langt, men overkommelig, han fikk ta ytterskoene med i en pose. Eller han kunne ringe og si at …

Nei. Dette fikk han våge enten han ville eller ei. Hadde de bare visst, fru Marstad og fru Gabrielsen som jobbet for ham, at han hadde laget en telefonbeskjed på mobilsvar som henviste til ett av de større byråene. Det gjorde han bare når han selv hadde fullt opp, siden ingen av damene likte å ta førstehenvendelser. Her stod han, med Old Spice på kjakene og hadde slett ikke fullt opp å gjøre. Men dro han til henne i kveld, ville hun sikkert slutte å mase på ham.

Han fant ei flaske rødvin i skapet, en gammel pårørendegave med støv på. Han plukket en flaskeåpner frem fra helt innerst i skuffen og trakk ut korken. Det smalt. Lyden ljomet mellom kjøkkenveggene. Han skjenket seg et glass og la plastfolie over tuten, han visste ikke engang hvor lenge ei slik åpnet flaske ville holde seg, for sikkerhets skyld satte han den i kjøleskapet. Han drakk glasset altfor fort og kjente virkningen med det samme. En *date* ... Hørt på maken til galskap. Da kjente han det isne i hele kroppen, han hadde ikke noe med til henne, han skulle selvsagt hatt noe med til henne! Avskårne blomster avskydde han, men noe annet. Ør av lettelse kom han plutselig på den uåpnete esken med Kong Haakon han fikk av kisteleverandøren, og som fremdeles lå fremme i veggseksjonen, endatil med gullsløyfe knyttet rundt. Nå fikk han ringe etter drosje, ringe før han ombestemte seg.

Det stod en blafrende fakkel på trappa utenfor eneboligen hennes. Hun åpnet med det samme.

– Konfekt! Så koselig! For en gentleman du er, Margido!

Han nikket og laget et smil, skyndte seg å streve veldig med ytterfrakken da han så at hun var på vei til å gi ham en klem.

– Det lukter godt, sa han.

– Jeg eller det? sa hun og la hodet på skakke, fingret med gullbåndet på konfektesken.

– Maten, sa han, og ville helst snudd og gått sin vei. Det begynte altså med det samme. Men hun skulle ikke innbille seg noe.

– Du vet det, Selma, at når jeg kommer hit i kveld, så er det fordi jeg tenkte det ville være hyggelig. Jeg vet jo at du er alene, og ...

– Nå nei, der tar du feil, jeg er faktisk blitt invitert i øst og vest, men har takket nei, sa hun og lo. – Etter at du meldte avbud til julaften og jeg måtte tilbringe kvelden sammen barn og støyende barnebarn når jeg egentlig ville ha ro og fred, skulle det bare mangle at vi ikke skulle ha denne kvelden i stedet. Jeg har kjøpt raketter også.

– Er det ikke forbudt å sende opp her?

– Nei, det er indre bykjerne, det. Her er det lov.

– Jeg har aldri sendt opp en rakett i mitt liv, sa han og ble stående med hengende armer.

– Det står bruksanvisning på, bare slapp helt av!

Han skulle ha vært mer varsom med alkoholen, men når han ikke var vant med den ... Enken levde i den villfarelse at han fremdeles var personlig kristen, det gjorde jo alle, ingen av dem visste at gudstroen forlengst hadde forlatt ham, og likevel skjenket hun stadig i glasset hans. Maten var nydelig, og han var vant til å la slurker av drikke ledsage spisingen. Det var som om han glemte at det var alkohol han satt her og drakk, og ikke det sedvanlige saftglasset eller melkeglasset.

Hun serverte rekesalat til forrett, med hvitvin til, og lammestek med fløtegratinerte poteter og erter og rosenkål til hovedrett, med rødvin til. De satt midt imot hverandre.

Bordet var bredt og romslig og ga ham betryggende avstand, han tenkte senere at det nok var den fysiske avstanden som hadde fått ham til å slappe av og bare nyte måltidet. At det skulle fortsette å være slik; der skulle hun sitte, og her han.

Da hun reiste seg for å ta av tallerkenene etter lammesteken, reiste han seg også for å hjelpe, og måtte straks ta et lite støttesteg.

– Nei, bare sitt, du! Sliten arbeidskar, nå må du bare slappe av mens jeg rydder litt og setter over kaffen. Og litt musikk, kanskje?

Han fulgte henne med øynene der hun nærmest fløy over gulvteppene, først mot et stereoanlegg hvor hun trykket og romsterte med knappene, deretter som en vind ut på kjøkkenet med fatene. Hun hadde en svart kjole på, og perler i halsen og i ørene. Hun kledde seg gammelmodig, tenkte han, kvinner på litt over femti år i dag fremstod jo som rene ungdommer i klesveien, det var han vant til, og fikk plutselig en stor godhet for henne, fordi hun kanskje gikk her og følte seg gammel. Akkurat som han selv.

Han kikket på hendene sine, de lå på bordduken og var liksom ikke hans. Han hadde sølt rødvin også, oppdaget han, og brun saus, han pirket litt på sauseflekken, gned den ned i duken. Tunga og leppene kjentes hovne; han berørte leppene, men de var slik de pleide, og kroppen var gloende varm, mest panna og halsen og tykkleggene. Satt han her og var blitt *full*? Det ville i så fall være første gang i livet, allerede som unggutt på Byneset var han med i kristelige foreninger og hadde ikke behov for å eksperimentere med alkohol, eller noe annet for den saks skyld. Hva var det for slags musikk hun spilte. Jo, nå gjenkjente han den, Glenn Millers *In The Mood*. Du allmektige skaper, han måtte se til å komme seg hjem.

55

Han reiste seg på nytt, holdt seg i bordkanten. Da var hun der med kaffekopper, desserttallerkener og konjakkglass.

– Jeg tror ikke ...

– Men så *sett* deg da, Margido. Jeg har alt under kontroll her, du behøver ikke å gjøre noe! Nå tar vi kaffen her, og så flytter vi oss inn i stua med champagne etterpå.

Da hun snudde ryggen til, gløttet han på klokka, den var nesten ti. Hvor var timene blitt av? Han hadde fortalt mangt og mye fra jobben sin, hun virket genuint interessert, og maten serverte hun flere ganger, men likevel, at tiden fløy så fort, kanskje *det* var grunnen til at folk ble alkoholikere, at de vil få tiden til å gå fortere, tenkte han, mens en matthet bredte seg i hele kroppen. Han var fanget, han slapp ikke løs, han kunne like godt gi opp, han visste plutselig ikke om han orket å kjempe imot lenger heller.

– Maten var nydelig, sa han og lyttet til seg selv. Snøvlet han?

Konjakken vekket ham, brått kjentes hodet klart. Forundret drakk han enda en slurk, etterfulgt av kaffe, nå var han helt fin igjen. Makan, tenkte han, dette forstår jeg ingenting av, jeg drikker meg edru. Nå ville hun snakke om seg selv, og han lot henne takknemlig snakke mens han fulgte nøye med på alt hun sa. Like etterpå hadde han glemt det og måtte spørre om igjen. Det var nesten fornøyelig, han lo litt av seg selv.

– Jeg har visst mistet korttidsminnet mitt, sa han.

Hun tindret mot ham, skimmeret fra de levende lysene la seg på øynene så hun lignet en katt. Hun så da slett ikke gammelmodig ut, kjolen var godt utringet og kløften mellom brystene så vidt synlig.

– Nå flytter vi oss inn i stua, sa hun.

Allerede? Han reiste seg sakte og omstendelig. – Jeg ble
så mett, sa han. – Det er derfor jeg er litt treg av meg.

Salongbordet var fylt av boller med snacks og en rød
kurv med mandariner. Hun tente lysene, høye og hvite,
og i peisen, hvor det på forhånd var gjort klart. Hun satte
seg ved siden av ham i sofaen og rakte ham ei champagne-
flaske. Glassene stod på bordet, høye og smale.

– Den får du åpne, som er mann.

I en alder av toogfemti år skulle han for første gang
åpne ei champagneflaske, han tok imot den og nøt kulda
i glasset mot de varme håndflatene. Heldigvis at han så
såpass mye på TV. Han viklet av metallet og begynte å
skru på metallstrengen, slik han hadde sett det bli gjort.
Deretter lirket han forsiktig på korken. Den løsnet med
et voldsomt smell, spratt over salongbordet og traff gul-
vet på den andre siden.

– Guuud! ropte hun og skrattlo, deretter: – Å unn-
skyld, jeg mente ikke å ...

Men hun fortsatte å le, han lo også, mens hun holdt
glassene innunder kovet av hvitt skum som veltet ut av
flasketuten. Han kjente han måtte hive etter pusten med
det samme. Han sølte på bordet og på teppet.

– Æsj, det spiller ingen rolle, det er jo nyttårsaften! Da
skal det være litt søl!

Han møtte blikket hennes mens de skyndte seg å drikke
skummet av glassene, blikket var oppspilt og blankt, som
om selve øyeeplene lo mot ham, han sprellet med tærne i
svartskoene, tenkte at han burde ta seg sammen nå, og
ikke drikke mer, men like fort forsvant tanken, i stedet lo
han igjen, på en fjollete måte, kunne han selv høre, men
ikke engang det spilte noen rolle.

– Tror du sølte litt på buksene dine òg, jeg, sa hun og var fremme med fingrene og kostet formålsløst.

Da sanset han seg. Hva var det han drev med. Han satte glasset forsiktig fra seg på bordet, men det skulle han ikke ha gjort, for det gjorde hun også, og plutselig hadde han to armer han ikke visste hva han skulle bruke til, og det hadde hun også, bare at hun visste hva hun skulle gjøre med sine, da hun la dem rundt nakken hans og så ham inn i ansiktet.

– Margido, hvisket hun.

– Ja.

– Hvorfor er du så redd.

– Jeg er da ikke redd, jeg vet bare ikke helt hva jeg skal ...

– Skal hva da?

– Gjøre, sa han.

– Med meg? Hun åpnet leppene. – Du kan jo kysse meg, for eksempel.

Han la leppene mot hennes og trykket, kjente at hun kom med tungespissen, lyttet til pulsen som et fossefall i ørene sine, det dundret og kvernet, musikken i rommet forsvant, han var i ferd med å bli døv. Hun tok vekk ansiktet sitt og satte seg nærmere, hun gjorde det sakte, nærmest med et stort alvor, og hun smilte ikke lenger.

– Margido, hvisket hun.

– Ja.

– Du behøver ikke svare. Jeg bare sier navnet ditt, jeg liker å si det.

Hun la ei hånd over gylfen hans, han rørte seg ikke. Han ville gripe glasset igjen, men trodde ikke han greide å løfte det.

– Her er du jo, hvisket hun.

Han skjønte hva hun mente, han hamret, han kom seg ikke av flekken, dette ville han ikke komme levende fra, samtidig kunne det være det samme med hele livet, hånda hennes kjentes som silke, enda det var flere lag stoff mellom, både underbukser og dressbukser. Han spredde knærne, det var ikke plass til å holde dem samlet lenger, og lente seg avmektig bakover i sofaen, var han i ferd med å besvime, var det hjertet som ville stanse? Fremdeles var han døv og musikken borte, fanget hans fylte hele kroppen, kjolen hennes var av fløyel, som å ta på et vått pelsdyr, det hadde han aldri gjort, men han trodde det måtte føles slik, kanskje en våt oter. Han lukket øynene og ble langsomt fylt av en stor andakt, var det slik det skulle være. Han åpnet øynene, hun satt på fanget hans, utringingen var blitt mye større, der var den borte, det var bare brystene igjen. Tuppen av det ene var som en rosin mellom leppene, med en svak saltsmak.

– Det er bare å lese bruksanvisningen, sa hun da de stod med ytterklær i hagen. Eller ... *hun* stod, han satt på en murkant uten å ha børstet vekk snøen først. Hun lyste på raketten hans med en lommelykt, men han klarte ikke å skjelne bokstavene. Han skalv på hendene også. Hun rakte ham champagneflaska.

– Ta denne i stedet, du. Jeg har allerede gjort klar ei tomflaske i snøen her borte, hvor vi kan sette dem, men jeg tenkte å overlate det til deg, menn liker sånt.

Hun fniste, han fniste tilbake, kjente seg doven og ugjenkjennelig, jeg er Margido, tenkte han, nå sender hun opp raketter, skal jeg ringe til Tor og fortelle det, nei, til Erlend, Tor sover.

Han trakk mobilen opp av innerlomma, måtte tenke i lange og seige sekunder for å huske koden da han skrudde den på, mens hun plundret med en lighter og ropte: – Nå kom jeg på at jeg har kjøpt sigarer også!

Det var til slutt tommelfingeren som husket koden og ikke han, han søkte deretter på Erlends nummer og trykket grønn knapp. En rakett gikk til værs, sprutende og fresende som en gal og gul orm mot den svarte himmelen, hun lo hysterisk og klappet i hendene.

– Hallo? Hallo?! Er det Erlend? sa han.

Han fikk en skingrende *jaaa!!!* til svar.

– Det er Margido! Godt nyttår, lillebror!

Erlend svarte noe aldeles ubestemmelig.

– Jeg er på *date*!

Så kuttet han samtalen. Ble sittende med mobilen i hånda. Hun kom byksende mot ham gjennom nysnøen.

– Kom da! Legg bort den dumme telefonen, du skal da ikke snakke med noen nå! ropte hun og dro ham i den ledige hånda. – Men så *kom*, da, Margido! Jeg har kjøpt en hel familiepakke med raketter!

Det var det ordet som fikk ham til å komme til seg selv, sanse seg: *familiepakke*.

– Godt nyttår, Selma, nå må jeg gå, sa han og reiste seg, greide å bli stående. Hva hadde han gjort, hva i himmelens hellige navn hadde han gjort. Han hadde ringt Erlend.

– Er du blitt gal? Selvsagt skal du ikke …

– Jeg fikk en telefon. Det er krise på jobben, sa han, han måtte stable ordene møysommelig etter hverandre.

– Men du har drukket! Du kan da ikke … Hun slet i frakken hans.

– Jeg kan ikke kjøre bil, men jeg kan det meste av andre ting.

Han hørte at han snøvlet. Men hun var full selv, hun hørte det sikkert ikke.

– Jeg må gå. Jeg beklager. Det har vært …

– Men vi har jo nettopp ... Jeg trodde du ville ...

– Vil og vil, sa han. – Her handler det om viktigere ting, et menneske ligger død i sin seng, og jeg må ...

– Men det fins da andre som kan ta seg av det, Margido?

– Nei. Det er bare meg.

Han fulgte brøytekantene helt hjem, det gikk fint. Han låste seg inn og gikk rett til kjøleskapet, hvor han slo resten av rødvinsflaska ut i vasken. Han kom plutselig til å tenke på en historie om en mann på glattcelle som hadde begått selvmord ved å svelge sin egen tunge.

Han trakk tunga helt bak i svelget. Antagelig måtte man hjelpe til med fingrene. Men det fikk vente til i morgen, han måtte finne senga før han besvimte. Han orket ikke å kle av seg først.

HUN LOT DEM SETTE SEG MED god avstand til hverandre i det store møterommet i kjelleren på klinikken. Valpene var desperate etter å få fatt i hverandre, og lyden av pistring og småbjeffing og skraping av klør mot linoleum fylte rommet, nærmest overdøvet henne. Hun visste at mange hundeskoler gjennomførte de første kurskveldene uten hunder til stede, men det forekom henne meningsløst.

Det var dressurkurset for valper som begynte først nå i midten av januar, valper fra fire til seks måneder. Det begynte å bli litt roligere. En border collie-valp lå allerede nede med hodet på labbene, flere var i ferd med å skjønne at slaget var tapt.

– Det er viktig at hunden lærer å være sammen med andre uten å få leke eller herje med dem. Det er god miljøtrening for den. At den må forholde seg rolig mens andre ting skjer rundt den som den ikke får stå i sentrum av. Jeg tipper at den absolutt er i sentrum hjemme ...

– Det kan du trygt si, sa en mann med skjegg og islender og flirte. Det var han som eide border collien.

De andre humret med og nikket unisont.

– Nettopp, sa hun. – Det hunden opplever akkurat nå, er å måtte avstå fra umiddelbar behovstilfredsstillelse.

Hun sa det med en latter, så de skulle skjønne at hun kastet om seg med psykologiserende fremmedord mest

62

på spøk, men i bunnen signaliserte hun også at hun visste hva hun snakket om.

– Det dette kurset handler om, er faktisk å lære hunden å lære. Når hunden blir eldre, gir vi læringen mer innhold. Hvis dere melder dere på videre kurs, selvsagt. Men på dette kurset skal du som hundeeier få trygghet nok, og kunnskap, til å vite hvordan du går frem. Valpen din lever i sitt eget univers og tror absolutt den er sentrum. Den har flyttet fra moren sin til deg. Moren dens var streng med den, mange får sjokk når de ser en tispe virkelig ta en uskikkelig valp fatt. Mennesker duller og koser og klapper valpen. Jeg mener ikke at du skal begynne å delje løs på den, men du skal heller ikke være redd for å sette grenser. Et tydelig nei, og overstrømmende ros når den gjør det riktig, eller lar være å gjøre gale ting. Men det holder ikke hvis husets datter samtidig roper at *ikke vær sint på Fido, han er jo så søt og liten! Kom til meg du Fido, stakkars, er pappa slem med deg ...*

Flere smålo og kjente seg åpenbart igjen.

– En valp som ikke opplever tydelige grenser, blir en utrygg hund, fortsatte hun. – Men en valp som blir slått, føler seg uønsket i flokken, altså familien. Det er like ille. Ros og atter ros når den viser ønsket adferd, det er stikkordet. Men du må lære deg å kommunisere med den, så den forstår at det er fra deg informasjonen skal komme.

– Hvordan i himmelens navn skal vi greie det, da? spurte en kvinne med en riesenschnauzer-valp.

Torunn visste det var en hannvalp, og også at familien aldri hadde hatt hund før. Hun lurte på hva oppdrettere virkelig tenkte på, når de solgte en hann-riesen til første-gangseiere, en av de strieste rasene som fantes. Hun ville bli nødt til å holde ekstra øye med dette paret, ellers ville hunden bli avlivet når de verste dosene med testosteron begynte å romstere i kroppen på den.

– Vi skal begynne med å lære hunden å fokusere på ansiktet ditt, øynene dine og hva du sier. Valper fokuserer på hender. Det er litt ulikt rasene imellom, for eksempel den border collien der, du har vel allerede opplevd at den stirrer deg i øynene når den lurer på hva du vil?

Mannen i islender nikket. Han var kjekk. Men han hadde giftering.

– En border collie er som en tom harddisk, det er bare å legge inn data, sa hun. – Der er det faktisk sånn at hunden blir frustrert og kan få problemer hvis den *ikke* lærer nok. Du vil oppleve at det er enkelt å få kontakt med den og lære den ting, men problemet ditt vil bli omvendt. Du kan ikke overse den eller forsømme den mentalt. Da går den på veggen. En riesenschnauzer derimot, *må* lære å lære, og *må* vite hvem som bestemmer. Kan jeg få låne den litt? Hva heter den?

– Nero, sa kvinnen.

Torunn fikk den svarte riesenschnauzer-valpen frem foran de andre. Den dro i båndet og ville tilbake til eieren, før den like fort ga opp og begynte å snuse på gulvet og en stol som stod der.

– Nero? sa hun.

Den reagerte ikke, snuste videre. Hun trakk en godbit opp fra lomma og stakk den foran fjeset på valpen. Straks ble den interessert, men hun ga den ikke godbiten. Hun løftet den i stedet sakte opp mot ansiktet til hun fikk blikkontakt. Da roste hun den voldsomt.

– Har du lyst på denne? sa hun. Valpen satte seg. Ikke fordi den hadde lært det, visste hun, men fordi det var mest komfortabelt når den måtte bøye nakken for å se opp. Hun roste den igjen. Langsomt førte hun armen med godbiten bak på ryggen. Valpen fulgte hånda hennes med blikket helt til godbiten forsvant, da rykket den i båndet og ville følge etter. Med den andre hånda holdt hun den fast.

– Nero?

Den møtte blikket hennes, og hun roste veldig. Da skyndte hun seg å gi den godbiten, deretter plukket hun en ny opp av lomma. Til slutt skjønte den hva hun mente. Ved å holde blikket hennes fikk den godbiten, ikke ved å stirre på hånda hennes. Hun lot kvinnen få valpen tilbake, og vesle Nero kastet seg lykkelig opp i fanget på eieren, med en gjensynsglede som om den nettopp hadde krysset Grønland på egen hånd.

– Dette må øves på hver dag, sa hun. – Har du blikket til hunden, lytter den til det du sier. Noen spørsmål så langt?

– Kan det virkelig være så enkelt? At Cox vil lære alt mulig bare den ser meg i øynene? sa en rødhåret kvinne med en airedaleterrier-valp som sov avslappet ved føttene hennes.

Hun smilte. – Så enkelt og så vanskelig. Du vil oppdage at det tar tid. Alt må repeteres. Og slumser du unna med øvelsen en stund, er det hånda den følger med blikket igjen. Det er tre ting dere skal lære dere som må sitte som spikret før hunden kan lære videre: Det er denne øvelsen jeg nettopp viste. Deretter er det mat-øvelsen og leke-øvelsen, dem kommer vi snart til. Med disse tre tingene på plass kan jeg omtrent garantere dere at dressur videre vil være hundre ganger enklere. Og hele familien må være med på notene. Det er nå dere legger grunnlaget for et godt hundehold resten av hundens liv. Dere må gjerne begynne med sitt og dekk og sånn allerede nå, men ikke sett det i fokus, så hunden opplever det som en stressende prestasjon.

– Hvis det faktisk er så enkelt, sa en ung mann med en schæfer-valp som lå og tygget på skolissene hans, – hvorfor fins det i det hele tatt problemhunder?

– Fordi de ikke har vært på kurs, kanskje? sa mannen i islender og blunket til henne.

– Nemlig! sa hun og smilte tilbake. – Nå skal jeg forklare dere mat-øvelsen og leke-øvelsen. Alt dette skal dere trene på hele uka til vi møtes igjen. Da vil dere ha mange erfaringer, og dem skal vi da jobbe med, analysere og komme til bunns i. Hvis du vil ha med andre familie-medlemmer da, så gjør det. Mat-øvelsen er utrolig enkel å forklare, men slitsom å trene på. Den handler rett og slett om at når du setter det lekre og fristende matfatet til hunden på gulvet, skal hunden holde avstand. Den kan sitte eller ligge, og den får ikke maten før du sier *vær så god*. Til å begynne med må du holde den fysisk tilbake, inntil du sier de magiske ord. En dag venter du ti sekunder, neste dag tredve, variér lengden av ventetiden. Den vil forstå at du er sjefen. Uten at du behøver å brøle eller slå eller noe.

– Jøss, sa mannen i islenderen. – Det høres jo dødslogisk ut.

Hun smilte. Han var virkelig tiltrekkende. Synd med den ringen.

– Ja, det er dødslogisk. Når denne øvelsen sitter, bytt på hvilket familiemedlem som gir den mat. Hvis hunden driter i at femåringen setter maten på gulvet og bare styrter frem for å spise, må du som voksen gripe inn og hjelpe. Den skal også adlyde femåringen, sa hun, og så i det samme direkte på eieren av Nero.

– Leke-øvelsen er like enkel og like viktig. Kast deg på gulvet og lek med valpen. Lek skikkelig! La den tygge på deg, og tygg tilbake hvis du orker kjeften full av hundehår.

Plutselig reiser du deg og går på kjøkkenet og lager deg en kaffekopp, overse hunden fullstendig. Ikke et klapp, ikke et blikk. Til å begynne med vil den pipe og sutre og krafse og bite deg i buksebeina, men overse den. Dette forteller den også dypt i instinktene hvem som bestemmer.

Etter en lang spørsmålsrunde og en prat med hver enkelt av eierne, vinket hun bilene av gårde og gikk opp trappa til klinikken. Kveldsrushet uten timebestilling var snart over, de holdt åpent fra seks til åtte på kveldene, men fremdeles satt det fire på venteværelset. To med katter i bur, en svær eventyrblanding av en hund som været oppspilt i retning burene, samt en ung jente med en bichon frisé som åpenbart hadde fått lus eller øremidd, den satt og kløddе seg i ørene i ett sett.

På pauserommet var det tomt, alle tre behandlingsrom var i bruk. Da Sigurd, en av de tre veterinærene, kom ut av det ene sammen med en haltende hund med en kritthvit bandasje på den ene forlabben, gikk hun inn for å rydde etter dem før nestemann skulle inn. Egentlig var hun ikke veterinærassistent de kveldene hun hadde dressurkurs, men som medeier følte hun ansvar og tok et tak der hun kunne. Kjapt desinfiserte hun behandlingsbordet og fjernet de blodige og provisoriske bandasjene hundene åpenbart var ankommet med, og instrumentene tok hun med for desinfisering. Da Anja kom ut av det andre behandlingsrommet med en neddopet katt i armene, gikk hun inn der og gjennomgikk samme rutine. På bordet lå en svær, blodig treflis, åpenbart trukket ut av katten et eller annet sted, hun tippet munnen.

Hun var sliten, hadde jobbet i hele dag, og hodet var fullt av tanker som jobben hjalp å holde på avstand. Nå begynte de å sige på, hun kviet seg for å skru på mobilen. Hun gikk inn på pauserommet og satte i gang en ny kanne med kaffe, tente lyset på bordet og slo litt flere pepperkaker til halv pris i julekurven som fremdeles stod der, før hun vekket mobilen til live og begynte å vente.

Det var to meldinger fra moren, den ene som sms, den andre på svareren. Sms-en sa at han måtte aldri innbille seg at han fikk komme tilbake når han var gått lei. Hun ringte svareren, og der var det gråt og sinne, men Torunn behøvde ikke å komme og trøste, hun skulle nok *stå han av*. Når hun begynte å snakke nordnorsk, ble Torunn litt beroliget. Da var hun mer sint enn fortvilet.

Moren og Gunnar hadde dratt til Barbados for å feire jul og nyttår, og der hadde Gunnar truffet en annen kvinne. I treogtredve år hadde de vært gift, siden Torunn var fire år, og nå satt moren og var en forlatt kvinne, i en alder av femogfemti. Merkelig nok var den nye damen ingen ung bimbo, men en voksen kvinne på toogførti. Gunnar falt altså ikke inn under de vanlige klisjéene, hadde Torunn tenkt da hun fikk hele historien i fanget første nyttårsdag da moren og Gunnar kom hjem. Han hadde tilstått, pakket rene klær i en koffert og dratt. Men at den andre kvinnen ikke var en ung bimbo, gjorde det om mulig verre for moren, siden det ga et større anstrøk av alvor.

En ting var å se på at ens mann gjennom treogtredve år går sin vei, men moren hadde vært hysterisk ved tanken på at hun koste seg på stranden i Barbados mens han hadde vært utro bak ryggen på henne. God tid hadde han også hatt, siden han led av kraftig soleksem og gjorde andre ting på dagtid og dro på slike ferier utelukkende for Cissis skyld. Han hadde visstnok fortalt om alt mulig han hadde opplevd, på små bussturer og museumsbesøk, og alt må ha vært løgn, sa moren. Gunnar på sin side hevdet overfor Torunn at han ikke traff denne andre før fem dager før de skulle reise hjem. Torunn møtte ham på en kafé, en ekkel samtale, uvirkelig, hun sa straks at hun ikke ville fungere som noe mellomledd, men Gunnar ville bare forklare seg, sa han, det var alt, så hun ikke skulle tenke stygt om ham, det var kjærlighet ved første blikk, aldri hadde han opplevd noe slikt, ikke engang med Cissi, hun måtte tro ham. Han var for gammel til å la denne sjansen gå fra seg. Du er like gammel som Cissi, hadde Torunn innvendt, femogfemti er ikke akkurat gammelt. Han ville ha barn, sa han, og Marie ville også det.

Marie. Hun hadde to voksne barn fra før, men ønsket en attpåklatt. Torunn var imponert over hvor mye Gunnar og denne damen hadde fått avklart på så kort tid, og sa det, hvorpå Gunnar svarte at det jo slett ikke var sikkert at det *ble* de to, men han måtte *satse* nå, og han ville ikke satse på bakgrunn av en løgn, derfor måtte han forlate Cissi. Etter treogtredve år, hadde hun svart, så kanskje står du uten noen, om noen måneder når forelskelsen har gitt seg. Men den sjansen fikk han ta, og Cissi ville overhodet ikke lide noe økonomisk tap, men kanskje tvert imot blomstre og finne en ny mann, få oppleve forelskelsen igjen. Da hadde ikke Torunn sagt mer, hun skjønte at det var fåfengt, hun så egoismen i ham, den monomane egoismen som alltid fulgte med en forelskelse. Hun visste av egen erfaring at forelskelse ble en slags psykose, hvor ingenting annet betydde noe. Hun spurte om Gunnar hadde fortalt Cissi at han kanskje planla barn med denne kvinnen, men det hadde han ikke. Det må du heller ikke si, sa hun, ikke ennå, det vil knuse henne.

Moren hadde i alle fruktbare år vridd seg unna det å få barn, Torunn trodde det på mange vis handlet om minnene hun hadde fra å være enslig mor i fire år. Rasjonelt var det ikke, men et faktum.

Siden hadde hun ikke snakket med ham, men overnattet flere ganger hjemme hos moren og pratet mye med henne. Det var for ferskt ennå, bare fjorten dager, det var antagelig ikke helt gått opp for henne. Heldigvis hadde hun gode venninner som alle var på banen og skjelte ut Gunnar sammen med henne og på vegne av henne. Torunn skulle ønske moren brukte disse venninnene mer og ikke sendte henne slike sms-er eller la igjen hysteriske meldinger. Hun orket ikke ringe henne nå, hun ville drikke kaffe med kollegene og slappe av litt før hun dro hjem.

Den tredje sms-en var fra et ukjent nummer. Hun åpnet den. *Blir du med en svipptur i morra? Kan møte deg innerst i Maridalen, ved Skar.*

Det måtte være Christer som hun møtte nyttårsaften. Sledehundkjøreren. *Kanskje det*, svarte hun. Svaret hans kom nærmest umiddelbart. *Varme klær. Vær der kl. seks.* Etterfulgt av en smiley.

Plutselig var hun ikke like sliten lenger. Sigurd kom inn og sank ned i sofaen.

– Nytraktet kaffe? Akkurat hva jeg trenger. Men de pepperkakene er jeg pisse lei av nå, sa han.

– Jeg skal på sledehundtur i morra! sa hun.

– Jøss, kjenner du sånne folk også? Jeg trodde du holdt deg til de litt striglete og dresserte hundefolkene som vil ha bikkjene sine til å gå pent i bånd.

– Traff ham på nyttårsaften. Var på hyttetur med noen venner ... Noen *striglete* venner... Og så kom han bare over, bodde fast på ei hytte i nærheten og hørte det var fest.

– Ta det litt varsomt nå da, Torunn, sa Sigurd og var alvorlig i stemmen. Sigurd var den hun stod nærmest på klinikken, og Torunns valg av håpløst feil menn var et gjennomdiskutert tema.

– Vi er ikke sammen eller noe, sa hun. – Han har bare invitert meg på en tur.

– Sånne trekkhundfolk er klin gærne og helt macho, sa han.

– Det vet du ingenting om. Og hvis han er klin gæren, pigger jeg bare.

– Hvis du ikke forelsker deg. Få en kopp kaffe nå, da, ikke bare stå der med kanna i hånda og se dum ut.

I bilen på veien hjem ringte hun ham og fikk nøyaktig anvisning om hvor hun skulle parkere. Det var god mobildekning der, sa han, enkelt å peile seg inn på hverandre. Han ville komme med syv hunder, hun skulle få sitte på sleden.

Hun likte stemmen hans. En bamse av en fyr som plutselig hadde stått i hyttedøra med en helt hvit huskytispe på armen. På armen, av alle ting, som en skjødehund. Hunden hadde knallblå øyne.

– Jeg hørte det var sånn hundeglam her, tenkte jeg skulle komme over med politiet, hadde han sagt.

– Politiet? sa Torunn og de andre i kor. De satt rundt peisen med ølflasker og spekemat og flatbrød.

– Henne, sa han og satte hunden på gulvet. – Men nå ser jeg jo at her er det orden i sysakene likevel. Er jo ikke ei bikkje i sikte her, jo.

– Vi har satt bikkjene i hundegården bak, og to av dem i bur, sa Aslak, broren til Margrete, som hadde invitert dem med.

– Hva slags hunder er det, da? spurte mannen, mens den hvite tispa saumfór hyttegulvet med nesa.

– To boxere, en vorsteher og to blandingshunder, sa Aslak. – Kanskje du vil ha en øl?

71

– Gjerne. Jeg heter Christer. Bikkja heter Luna. Hun veier bare toogtyve kilo, men hun er lederhunden min, og jeg skal love hun holder orden i rekkene!

– Hun har samme jobben som Torunn, hun, da! sa Aslak og flirte.

Hun låste seg inn, vrengte av seg alle klærne og stilte seg i dusjen. Lukta fra medikamenter og desinfeksjon satte seg i hud og hår. Hun lukket øynene mot det rennende vannet og tenkte at det skulle bli godt. Gjøre noe helt annet enn hun pleide, noe helt annet enn hun *burde*. Sitte i januarmørket på en slede bak syv hunder, med et mann-folk som styrte alt. Hun gledet seg. Visste at hun måtte ringe faren igjen i kveld, høre hvordan han hadde det med tanken på den hjemmehjelpen Margido hadde ord-net med, og som skulle komme for første gang i morgen. Og moren, der ventet også en telefon.

For en måned siden hadde de greid seg begge, helt uten hennes hjelp, plutselig satt hun til halsen i ansvar.

Erlend kalte det *selvpålagt* ansvar, men hva hjalp det, så lenge hun følte det slik. Han ville at både hun og moren skulle komme til København, sa han hadde planer om å sjenke Cissi så mye champagne at skjell ville falle fra hen-nes øyne og hun ville oppdage at verden var full av lekre mannebein. Hun pratet ofte med Erlend, ble alltid glad når hun hørte stemmen hans, det var moro å høre om alt han drev med, aldri det samme to dager på rad, nå måtte han ha fatt i utstoppete gårdsdyr, de måtte være ekte, hun tvilte ikke på at han greide å skaffe dem, til og med et hestehode trengte han, og litt av halsen. Fremdeles kom han stadig tilbake til en samtale han påstod han fikk fra Margido klokka tolv nyttårsaften, men Torunn trodde ham ikke. Margido hadde vært full og kalt ham lillebror og skrytt av at han var på *date*. Torunn regnet med at det var Erlend som var full. Selv hadde hun i alle fall ikke merket noe annerledes med Margido de gangene de hadde snakket om hjemmehjelpen, som nå var i boks. Margido ville betale egenandelen de forlangte, det var ikke mye.

Hun frotterte seg grundig og smurte seg inn med bodylotion, kjente roen sige på. Hun ville ta et glass rødvin også, og lage seg et ostesmørbrød. Slik bare hun likte dem, *kokt* i mikrobølgeovn, med grøtete ost og skinke i midten. Og brått bestemte hun seg for ikke å ringe verken faren eller moren i kveld. En voksen mann måtte da for pokker greie å ta imot en hjemmehjelp uten moralsk støtte, og moren fikk heller hyle og bære seg overfor venninnene sine. I kveld ville hun tillate seg å skulke. Skulke ansvaret, ta på morgenkåpe og raggsokker og spise og drikke vin, finne noe hjernedødt på TV, legge seg tidlig og glede seg til i morgen kveld. Tenke på Christer og den vevre lille ledertispa hans med blå øyne, og på hendene hans.

Det var dem hun husket best, brede og furete, sterke. Hendene, og hvordan han luktet da han ga henne en klem før han dro til sitt, etter at de hadde pratet hund i timevis, bare med vage hentydninger mot private forhold, ikke mer enn at hun hadde skjønt at han bodde alene på denne hytta, og at han hadde skjønt at hun også var fri og frank. Han måtte ha strevd fælt med å få tak i telefonnummeret hennes, tenkte hun, før hun plutselig husket at han spurte om etternavnet hennes. Han hadde altså planlagt allerede da å ringe henne.

Men hun visste ingenting om ham, annet enn det Sigurd hadde sagt, at slike folk var klin gærne.

Det fikk holde foreløpig.

DETTE VILLE HAN IKKE. HAN tok på ei ren skjorte og lot være å ta på strikkejakka, den var ikke helt ren foran. Så satte han seg til på kjøkkenet for å vente. Klokka ett skulle hun komme. Faren satt inne i stua og leste i de evinnelige krigsbøkene sine, med forstørrelsesglasset holdt dirrende over hvert eneste fotografi.

Han trommet fingrene mot den gråmarmorerte respatexen og strakte hals over nylonkappa i vinduet, enda han visste han ville høre bilen i god tid. Det var klarvær og halvhjertet januarlys, ei latterlig lav sol mer til bry enn gagn. Snøen var hard og blank etter å ha tint for så å fryse igjen. Nei, dette ville han virkelig ikke. Kunne han bare ha gått i fjøset og sluppet denne kommersen, men noen måtte jo ta imot henne.

At Margido ville ty til *så* skitne triks, det hadde han ikke trodd om ham. Som å kreve at Tor sa ja til husmorvikar for Torunns skyld. Her skulle de altså måtte finne seg i å ha et vilt fremmed menneske til å snuse rundt i huset for *Torunns* skyld. Hun som befant seg langt nede i Oslo!

– Faen! sa han og slo flathånda i bordet.

Faren rykket til i stolen der inne. – Kommer hun? sa han.

– Nei.

74

– Å.

– Høres ut som du gleder deg. At du ble skuffet nå?

– Nei da.

– For dette blir ikke moro, skal jeg si deg! sa Tor. – Og nå tier du stille! Du har sagt nok!

Det kom ikke en lyd fra stua. Tor reiste seg og gikk bort i døråpningen, betraktet den sammensunkne figuren i lenestolen, forstørrelsesglasset, de pistrete tustene med fett, grått hår sidelengs over en blank isse.

– Kunne sagt det til meg først, sa han. – Så jeg slapp å høre fra Margido at du ville på hjem.

– Jeg sa det til Torunn. Det er hun som …

– Torunn kan da vel ikke sitte nede i Oslo og ordne så du kommer på hjem, må du vel fatte og begripe! Dessuten er du ikke syk! Du er bare gammel, det er ikke det samme.

– Jeg dusjer ikke, hvisket faren.

– Dusjer ikke? Er da ikke grunn god nok til å komme på hjem! Men bare fordi du maste om det, må vi ha husmorvikar nå. Din skyld alt sammen! Vi kunne hatt det helt greit her, uten noe sånt tull!

Han stakk hendene i lommene og gikk tilbake på kjøkkenet. Trakk pusten og glante ut på det tomme fuglebrettet, gikk tilbake til døråpningen.

– Er ikke din skyld alt sammen. Blir bare så sliten av å tenke på at fremmede folk skal komme rennende her. En gang i uka! Hadde i alle fall holdt med en gang i måneden.

Faren nikket seg enig, men Tor visste at hvert eneste nikk var løgn, faren gledet seg til å få besøk, han hadde blomstret med folk i huset i jula, fått sterkt å drikke, fått snakke om krigen, var blitt rød i kinnene, ulik seg. Og ikke greid å holde kjeft om ting som aldri burde kommet ut, sannheter de burde vært spart for.

75

Der hørte han en bil, han kikket ut. Likedan bil som den bilen dansken hadde leid på Værnes, men hvit. Og med bokstaver trykt på bildøra.

– Herregud, sa han.

– Hva? sa faren.

– Bare ei lita flis av en jentunge. De kan da ikke sende slike!

Han hadde sett for seg en ferm, eldre kvinne. Hun lastet ting ut av bilen bak, bøtte og langkost og hvite, stappfulle bæreposer. Mørkt, kortklipt hår og dongeribukser, ei rød skinnjakke. Han betraktet henne mens hun kom med armene fulle mot bislaget, hun var nesten helt fremme før han gikk ut i yttergangen for å åpne for henne.

– Hei! Nå kommer jeg! Har med litt forskjellig, da vet du, siden det er første gangen, men det lar jeg stå igjen. Siden dere behøver at jeg kommer, regner jeg ikke med at dere sliter det ut i mellomtiden.

Hun lo høyt og ellevilt, det ene øret hennes var perforert med små sølvringer, hun banet seg vei forbi ham og rett inn på kjøkkenet, som om hun hadde hatt sin gang i huset til alle tider. Lasset slapp hun på gulvet, før hun rakte ham hånda.

– Camilla Eriksen heter jeg.

– Tor Neshov.

– Er dere ikke to?

– Han sitter i stua.

Hun pilte inn dit, rakte hånda mot faren, som var i ferd med å reise seg.

– Bare sitt, du! Camilla Eriksen heter jeg, det eneste du behøver å gjøre når jeg er her, er å løfte føttene når jeg støvsuger under stolen din!

– Tormod Neshov, sa faren og smilte. Heldigvis var begge gebissene på plass.

– Tor og Tormod. Så gøyalt. Men det er vel sånn på landet, at man kaller opp etter hverandre. De plantene der er døde.

Hun pekte mot vinduskarmen.

– De kan bare stå, sa Tor.

– Stå sånn? Kan du ikke bare kjøpe nye? Så kaster vi de der.

– De kan bare stå.

– Ja vel. Men du, apropos støvsuger, så må jeg få se om den dere har virker skikkelig. Hvis ikke, må jeg ta med det også.

– Den står i yttergangen, sa Tor. – Under trappa.

Hun pilte tilbake og ut i gangen.

– Jeg må sjekke sugeeffekten, ropte hun. – Hvor er det kontakt?

– Bak klærne som henger der.

– Æsj, som det lukter av *dem*, da!

– Har du lyst på kaffe? sa han, kanskje hun ville roe seg litt ned.

– Dere har jo *fjøs*, ja. Det glemte jeg. Ja, jeg tar gjerne en kaffekopp. Er det lov til å røyke her?

Før han rakk å svare, var støvsugeren i gang. Lyden steg og sank vekselvis, som om hun holdt hånda foran munnstykket, og det var vel nettopp det hun gjorde.

– Helt super, denne! ropte hun.

Han kjente en voldsom lettelse, som om han bestod en prøve. Det var en atten år gammel Electrolux. Han fylte kokende vann i kjelen så den ville bli fortere ferdig, og stirret på haugen på gulvet. Da var hun der igjen, hun minnet ham om en røyskatt som pilte ut og inn av syne.

– Du er veldig ung, sa han.

– Jeg sper på studielånet, sa hun. – Og moren min døde da jeg var tretten og jeg hadde mange småsøsken, så jeg måtte lære meg å vaske, det er en grei jobb. Men det er forskjellige ting jeg ikke gjør, da. *Var* det lov å røyke her?

Han fant en kaffeskål og satte foran henne, hun tente sigaretten som om det stod om sekunder før hun ville dø av nikotinmangel, og inhalerte energisk før hun slapp røyken ut med bøyd nakke og et nytende blikk i taket.

– Men altså, det er ting jeg *ikke* gjør.

– Jaha? sa han.

– Jeg handler ikke inn, jeg vil ikke ha noe med penger å gjøre. Ikke det at jeg er redd penger, tvert imot!

På nytt denne hysteriske latteren.

– Men bare sånn i tilfelle, fortsatte hun. – Gamle folk … Ja, jeg mener det ikke *sånn*, altså. Men de har ofte mye kontanter hjemme og skifter gjemmested for dem og glemmer det like fort, og så får hjemmehjelpen høre at hun har stjålet. Derfor er det like greit at jeg ikke har med penger å gjøre. Det er et *prinsipp* som dere ikke må ta personlig, altså.

Han nikket alvorlig og tenkte på de tyve tusenlappene som lå i nattbordsskuffen hans. Forresten var det bare femten igjen nå, etter inseminering og kastrering og sying og noen regninger han fikk purring på.

– Jeg vasker, sa hun med et plutselig alvor, som for å understreke betydningen. Det bruste i kjelen, bare den kunne koke snart.

– Jaha.

– Huset. Ikke folkene.

Hun lo igjen og sa: – Da må dere ha hjemmesykepleie. Hun nikket stumt mot stua.

– Det går fint. Vi greier oss fint, vi, sa han.

Hvis faren sa *ett* ord der inne nå, ville han hive ham ut av vinduet, rett i den hardfrosne snøskavlen. Men alt han hørte, var et grundig og omstendelig kremt.

Endelig kokte kaffevannet, han øste i kaffekorn og rørte rundt med gaffel, holdt kjelen under utslagsvasken og sendte en iskald sprut på toppen.

– Jeg skal se om vi har noe kaffebrød, sa han. – Jeg tror vi har ...

– Ikke til meg, jeg er på slanker'n.

Ja, der var det mye flesk til overs. Hun veide ikke mer enn femogførti kilo, det visste han med sikkerhet, vant som han var med å bestemme slaktevekt.

– En sukkerbit, da.

– Er du gæren!

Han ga faren en kopp kaffe og to sukkerbiter inne i stua og var glad for at han av gammel vane holdt seg der. Han hørte alt som ble sagt, det fikk holde. Camilla Eriksen ville vite hva slags dyr de hadde i fjøset, og om ikke han syntes det var grusomt med sauebønder som ville drepe ulver, og om han trodde torsken følte smerte.

– Torsken?

– Fisken, vel!

– Det aner jeg ikke, sa han og så demonstrativt på klokka på veggen.

– Jeg får vel se å komme i gang! sa hun og slo seg på dongerilårene og smilte bredt. Han ble så lettet at han spurte: – Hva studerer du, da?

– Første avdeling juss. Hvor mange liter tar varmtvannstanken?

Han hadde ingenting å gjøre i fjøset på denne tiden av dagen, men gikk dit likevel da hun satte i gang. Han fikk ikke lukket fjøsdøra fort nok bak seg.

Grisene lå og døste. Han ga seg til å gjøre rent i smågrisbingene, de skottet uinteressert på ham og sov videre, kjente intuitivt av døgnrytmen at det ikke var mat på lenge.

Han tok vann på en papirbit han rev av en fôrsekk og gned gluggen i vaskerommet ren for spindelvev, derfra så han rett mot bislaget. Plastfillerya fra kjøkkenet var slengt ut på bakken foran, var nå det nødvendig, kjøkkengulvet ble jo vasket i jula. Han kom plutselig på at hun ikke sa hvor hun skulle vaske, og skyndte seg ut og hastet over tunet.

– Du, sa han, idet hun kom bærende ut med knyteteppene fra stua.

– Camilla, sa hun.

Hun hadde tatt av seg den røde skinnjakka og trukket ei t-skjorte med bilde av et mannshode på, over sine egne klær. *Robbie*, stod det under, med røde bokstaver.

– Du trenger ikke vaske på soverommene oppe, bare på badet.

– Okey. No problem. Jeg vasker bare der dere vil ha det rent.

– Det var bare det jeg ville si.

Han gikk med travle skritt tilbake over tunet igjen, og lukket seg inn i fjøset. Nå ville han vekke Siri, om hun så ble aldri så sur over at han ikke hadde noe godt med til henne, i lommene.

Midt under middagen kom Margido. Den hvite Citroën stasjonsvognen svingte inn på tunet mens han og faren satt ved kjøkkenbordet og åt stekte kjøttpølser lagt på kneippbrødskiver. Pølsene var gått ut på dato for tre dager siden, men luktet ikke vondt da han la dem i stekepanna. De drakk kaldt vann til og hadde hver sin klatt ketsjup på kanten av fatet. Det smakte godt, og kjøkkenet luktet av grønnsåpe og salmiakk.

– Margido, sa faren.

– Jeg er ikke blind.

Det var da voldsomt, tenkte han, nå manglet det bare at Torunn ringte, for å høre om de hadde overlevd at et menneske hadde vært der og vasket for dem.

Margido lukket seg selv inn.

– Laget bare akkurat nok til oss to, sa Tor. – Så det er ikke mer igjen.

– Jeg har spist på jobben, sa Margido. – Hvordan gikk det?

– Det er rent her, sa Tor. Faren sa ingenting, saget bitene av brødet til små terninger og førte dem mot munnen. Radioen stod på ettermiddagssendingen fra NRK Sør-Trøndelag, det var de tykke bilopphuggerne fra Namsos som spilte. Margido trakk en stol vekk fra bordet og satte seg på den, midt på kjøkkengulvet. Han så sliten ut, tenkte Tor, sliten og grå, man blir vel slik av å jobbe med dauinger hele tiden. Men så kom han på moren, og begravelsen, og angret seg.

– Sett over kjelen, sa han. – Det er litt igjen. Ha oppi litt vann.

Margido reiste seg og gjorde som han sa. Det var rart det òg, at Margido kom her og gjorde som han ble bedt om.

– Skal snart i fjøset, sa han.

– Jeg vet det, sa Margido. – Jeg var i nærheten og ville bare høre hvordan det gikk.

Det hadde han allerede svart på, så det sa han ikke mer til.

– Har Torunn sagt noe? Du snakker vel med Torunn? sa Margido, fremdeles med ryggen til foran komfyren, hva drev han med? Stod og stirret ned i kjelen?

81

– Sagt? Om hva da? Her er det bare mas om *hjem* og *hjemmehjelp* og jeg vet ikke hva.

Faren kremtet. – Takk for mat.

– Vel bekomme! sa Tor.

– Da går jeg og ser litt på TV.

– Gjør det, sa Tor. – Så får du kaffe av Margido etterpå.

Faren reiste seg og tuslet inn i stua, etter mye plunder fikk han skrudd på TV-en, volumet stod på for fullt, han plundret videre for å få ned lyden litt, TV-en var gammel og hadde ikke fjernkontroll.

– Nei, det var ingenting, sa Margido.

– Hva mener du om hva Torunn skulle ha sagt? sa Tor.

– Hvis hun har snakket med Erlend.

– Jeg skjønner ikke et plukk, sa Tor. – Hva mener du?

Margido snudde seg mot ham og holdt hendene bak seg mot kanten av komfyren. Han stod så rart, ulik seg selv, som om han var på spranget mot noe, ansiktet virket fremmed, fylt av en slags intens *forklarelse*. Det var det eneste ordet Tor fant, da han noen timer senere lå i senga og tenkte på det.

– Jeg ..., sa Margido.

– Ja?

– Jeg mistet Kristus av syne en stund. Uten at noen av dere visste om det. Nå er Han her igjen.

– Og det har du sagt til Erlend? Av *alle*?

– Nei! Men ...

– Jeg skal i fjøset. Du får si det du skal si.

– Jeg trådde feil.

– Hvordan da? sa Tor. Margido trådde aldri feil, når skulle han ha anledning til det?

Margido snudde seg mot kaffekjelen igjen. – Jeg trådde feil, hvisket han. – Jeg lot meg lede av Satan selv. Jeg lot meg friste.

– Når skjedde det, da? Og hva gjorde du?

– Jeg ville bare si det. Ikke fortelle om det. Og jeg tror det var Gud som satte meg på prøve. Jeg bestod ikke. Nå må jeg søke hans tilgivelse. Jesus må ta imot meg igjen.

– Tror jeg nok han gjør. Hengte han seg ikke på korset for *alle* verdens syndere? Var ikke det hele poenget?

– Tor! Du må ikke snakke som om ... som om det var en *hverdagslig* hendelse!

– Jeg er sliten.

– Du tror *du* har det vanskelig, men Kristus vil alltid være der for deg, Tor. Både for deg og for meg. Jeg ber for oss alle.

Tor reiste seg. – Skjønner ikke hva du snakker om. Jeg har ikke trådd feil, så be for deg sjøl. Og nå må jeg i fjøset. Du får drikke kaffen din alene. Eller sammen med ... far din.

Nå visste grisene hva som skulle skje, nå stemte alt. Mørket utenfor fjøsvinduene, travelheten hans, at døra til fôrrommet ble slått på vidt gap, at støvlene hans klasket hissig mot det klisne betonggulvet.

– Alle skal få! ropte han slik han pleide. Og smågrisene logret mot ham, purkene snøftet med surklende lyder, til og med diegrisene begynte å springe rundt hverandre for å være med på moroa. Alle var glade, unntatt han.

Det var blitt en slik uro! Gikk det for i svarte helvete ikke snart an å få litt *fred* på denne gården. Hvis Torunn ringte, når han kom fra fjøset og bare ville drikke lunken kaffe og slappe av, så skulle hun jaggu få høre hva det var hun hadde satt i gang.

EGENTLIG VILLE HAN HA HATT med en katt også, men der satte markedssjef Poulsen ned foten. Han ville ikke ha gråtende barn foran butikkvinduene sine. Og hva mus angikk, måtte det være brune villmus, som han kalte dem, og ingen hvite. Ved utstoppete kjæledyr gikk den etiske grensen, sa Poulsen.

Erlend hadde fått to assistenter med seg fra byrået, og de jobbet dag og natt. Hele tablået ble bygget opp på et ekstra gulv som gikk på små gummihjul. Når alt var ferdig, var det bare å skyve utstillingen frem i vinduet, som nå var dekket av gråpapir. Han hadde allerede drevet taksidermisten til vanvidd ved å forlange nye øyne på dyrene. De han først fikk på sauene, geita og hestehodet, minnet ham om gamle Ivo Caprino-filmer.

Tablået var genialt, en tro kopi av et foto han fant i ei bok om livet på landet ved forrige århundreskifte, etter å ha sittet i Den sorte diamant i dagevis og bladd i bøker som en stakkars bibliotekar måtte hjelpe ham å lete frem, i stadig håp om at han snart fant det han var ute etter. Og så bladde han om, og der var det. Bjelkene, gulvet, lyset inn gjennom plankedøra, halmballene, redskapen, hestehodet som stakk frem. De andre dyrene puttet han inn selv. Ei geit som stod bundet, med et listig oppsyn under en mørk pannelugg, og en søye med to lam. Pluss musene.

Fem brune mus som stod plassert i forhold til hverandre som om de var i vill lek, i hjørnet bak halmballen hvor Benettonbarna ikke kunne se dem. Og barna var naturligvis dukker og ikke utstoppete barn, utstillingsdukker iført United Colors of Benetton. De stod ikke bare rett opp og ned og viste frem klær. Den ene holdt et melkespann, en annen en spade, en tredje klappet geita, og en stod med hånda oppstrakt mot hesten. Ei jente satt på gulvet med et halmstrå i munnen, som de festet med lynlim.

En katt som lå på den andre siden av halmballen, lyttende og lurende etter musene, ville ha vært prikken over i-en. Men hestehodet var det aller beste, det uttrykket taksidermisten til slutt fikk frem, som om den stod og knegget godmodig ned mot barna! Poulsen var ekstatisk av lykke da tablået begynte å få sin endelige form. Da hadde assistentene snekret alle vegger, og gulvet, etter nøyaktige anvisninger fra Erlend. Materialene fikk de fra en nedrivingsgård, de var ekte gamle, med skår og hakk og gamle hull etter treorm. De plasserte halmballer og strødde halmrusk på gulvet, hengte antikt seletøy på veggene. Erlend tok lyssettingen selv, det var en helvetes jobb å illudere solstrimer inn gjennom den glisne plankedøra samtidig med at selve tablået skulle være strålende opplyst.

– Klærne skal jo stå i sentrum, sa Poulsen.

– Der tar du feil, min gode mann, sa Erlend. – Det er den totale opplevelse av nostalgisk lykke som skal stå i sentrum.

– Det trenger jo ikke å bli *helt* Laura Ashley heller, sa Poulsen.

– Det skal du ikke bekymre deg for. Dette vinduet vil vekke oppsikt, og dermed også klærne.

85

– Bare vi ikke får Dyrebeskyttelsen på nakken.

– Alle tillatelser er i orden, det har byrået tatt seg av. Dyrene er kjøpt og betalt, og skånsomt og respektfullt avlivet. Og bonden visste hva de skulle brukes til. Hvis vi bare i tillegg hadde hatt en katt...

– In your dreams, sa Poulsen.

– Der er det svært få katter, sa Erlend.

– Bare ingen gjenkjenner hesten. Hvor kommer den fra?

– Det er en travhest fra Sønder-Jylland som fikk beinet revet av under et løp. Den hadde fire eiere som tjente fett på den. Hvis noen av dem bryter sammen i krampegråt foran vinduet her, er det fordi de har mistet en god melkeku i hesten sin, bokstavelig talt.

Den formiddagen gråpapiret ble revet ned og vindusruta nitidig pusset, var det med den største tilfredshet og opphisselse Erlend dirigerte alle som skjøv tablået på plass.

– Pass på ledningene! Ikke så fort, geita kan velte!

Og endelig fikk han komme ut på gata og se, og det han så ga ham tårer i øynene av lykke. Perfekt. Det var i sannhet et mesterverk.

– Sett i gang! sa han til den ene assistenten. – Knips i vei!

Alle nye vinduer skulle grundig avfotograferes til byråets skrytemappe.

– Gratulerer! sa Poulsen og deljet ham på skulderen.

– Det er jeg som skal gratulere, sa Erlend. – Med nyåpningen av et fantastisk flott vindu. Fakturaen kommer om ei uke.

– Ikke over kostnadsrammen, håper jeg.

– Vi får se. Hvis det blir for dyrt, kan jeg bare komme og fjerne ... for eksempel hesten.

86

– Nei! Er du gal! Jeg får lyst på en ridetur bare av å se på den. Og jeg kan ikke engang ri. Vi blir nok enige om sluttsummen.

– En annen ting. Hvis andre Benettonbutikker vil kopiere idéen, ligger altså copyrighten hos oss. Selvsagt kan de bruke idéen, men det vil koste dem.

– Mye?

– Vi blir nok enige om sluttsummen, sa Erlend.

Siden han jobbet provisjonsbasert, kjente han nå en ustyrtelig trang til å feire. Og det hastet. Han fikk både Poulsen og assistentene med seg inn på nærmeste kjellerkneipe. Assistentene var et kjærestepar fra Fyn, lynkjappe i oppfattelsen og presise og dyktige i arbeidet sitt. De jobbet på vanlig lønn, og da måtte man absolutt påskjønne innsatsen.

Han bestilte frokost til dem alle. *Biksemad*, med speilegg, rødbeter og rugbrød til, og øl og Gammel Aalborg.

– Ikke en eneste stresset småbarnsforelder i København vil passere det vinduet uten å bli syk av dårlig samvittighet for all den landsens ro og harmoni de berøver sine barn for, sa Erlend og løftet ølglasset med patos. – Det er ren psykologi. Gi dem en mulighet til å oppnå det umulige, og de griper den begjærlig.

– Vinduet er en drøm, sa Poulsen.

– Nettopp. En drøm som kan kjøpes, sa Erlend. – Skål! De drakk og tørket skum av overleppen.

– Du er genial, sa Poulsen.

– Ja, det er du virkelig, sa Agnete, den kvinnelige delen av kjæresteparet.

– Vi lærer utrolig mye av deg, sa den mannlige, som het Oscar.

– Så så, sa Erlend. – Nå skal vi altså ha på det rene at uten dere to ville vinduet aldri sett dagens lys. Dere har jobbet som slaver. Takk. I morgen står det en kasse *utmerket* rødvin til hver av dere og venter på byrået. Deretter kan dere ta fri i to dager.

– Er det sant? sa Oscar, som allerede hadde begynt å miste håret i en alder av femogtyve år. Han burde barbere av seg alt, tenkte Erlend, da ville han bli lekker.

– Klart det er sant! Innsats lønner seg. Tilbring dagene i senga. Medbrakt kassene. Det er mitt ydmyke råd. Skål igjen!

I den faglige euforien han nå befant seg, ville han gjerne ha snakket med dem om alle de nye idéene han hadde for andre vinduer, men våget ikke. Poulsen kunne plapre om dem til andre, og vips var de stjålet og satt ut i livet. For han ville fortsette med å tenke *tablå* og ikke bare produktfokusert utstilling. Han ville gi opplevelse, som satte i gang en mengde assosiasjoner hos betrakteren.

Rett før jul dekorerte han et vindu hos en gullsmed, og smykkene var lekkert nok displayet, men nede i vinduets hjørne laget han et miniatyrtablå av en tom smykkeeske midt i krøllen av avrevet gavepapir, to halvfulle champagneglass og en dametruse som lå henslengt. Slik antydet han kvinnens takknemlighet over en kostbar gave. Det var frekt, men butikkeieren hadde elsket det. Snart ville de trenge en ny vindusdekorasjon, og hvis han fikk eieren med på det han hadde i tankene ... Da var han sikker på at det ville havne i вт. Krumme ville legge det frem for redaksjonen om de var aldri så mye samboere.

To menn, som selvsagt var utstillingsdukker, skulle sitte mot hverandre ved et kjøkkenbord, i dongeri og hvite т-skjorter og med solbriller skjøvet opp i håret. De måtte styles litt røft, tenkte han. Ringer i øret, tatoveringer malt på, skitne joggesko. På bordet ville han ha whiskyflaske og glass, et fullt askebeger, en sigarett mellom fingrene på den ene. Situasjonen som umiddelbart skulle falle betrakteren i øynene, var at dette var to tyver som satt og vurderte byttet sitt. En fillete rullegardin på veggen bak dem, og smykker og armbåndsur over hele bordet og i åpningen av striesekken som lå på gulvet. For å tilføre humor, ville han ha fangedrakter liggende vekkslengt inne i hjørnet, slike de brukte på amerikanske filmer, tverrstripete i hvitt og svart. Antagelig ville han selv bli nødt til å kjøpe stoffarge og male svarte tverrstriper på hvitt langundertøy. Kanskje også en kule med lenke, saget rett av? Dette var nylig rømte straffanger! Og lyssettingen måtte være perfekt, mennene i dunkelt skyggelys, og presist smale spotlys på smykkene og urene. Gud, hvis han fikk eieren med på det. Det ville bli kriminelt raffinert, en sensasjon. Men han kunne ikke snakke om det nå, i stedet brakte han på bane debatten som gikk høyt i New York. Agnete og Oscar kjente godt til den, men ikke Poulsen.

– Moralistiske grupperinger boikottet butikken fordi vindusutstillingen var for vågal, sa Erlend. – De viste nesten *nakne* utstillingsdukker, tenk det, på selveste Henri Bendel.

– Boikott? Da taper de jo penger, sa Poulsen.

– Omsetningen har gått *opp*, sa Agnete. – Boikott er super PR!

– De tøyer grensene overalt i New York nå, til og med H&M viser sexleketøy i undertøysutstillingene sine. Vindusrutene er neddugget av kunders pesing ... Helt vanlige folk snakker om det og mener noe om det, slik er det ikke akkurat i København, du.

– Amerikanerne er puritanere, det er ikke vi, sa Poulsen og tømte glasset, Erlend ga tegn til kelneren om et nytt.

– Nei, det ville ingen løftet et øyenbryn over her, sa Erlend. – Sexshops er jo dristige i USA også, men at de store, Saks Fifth Avenue og H&M og Bendel og Victoria's Secret tør å gjøre det, det er nytt. Hun som laget H&MS første erotiske vinduer, var også stylist for «Sex og singelliv», så hun er vant til å pushe grenser og tenke konsept.

– Hva ville sjokkere i København, da? sa Oscar.

– Det vet jeg godt, sa Erlend. – Et av de fine motehusene for menn, la oss si på Strøget, kle to mannlige dukker i Calvin Klein-dress, la dem kysse hverandre. Kanskje den ene sitter bredbeint på en stol, den andre står med ryggen til oss, lent innover mannen og holder seg fast i armlenene, og hodet vippet litt til siden. Vi ser hva han gjør, selv om det er dukker. Et skikkelig dypt, fransk kyss.

– Det ville blitt ramaskrik, sa Poulsen.

– Nemlig, sa Erlend. – Det ville ha blitt en salgsmagnet både for butikken og Calvin Klein. Men ingen butikkeier ville våge det.

– Det kan du være sikker på. Jeg er glad jeg selger barneklær, sa Poulsen.

– Barn finner på så mangt, sa Erlend. – Inne på en låve. Kanskje oppå en halmball mens de leker doktor og pasient. Iført, eller delvis *avkledd*, United Colors of Benetton.

Poulsen så skrekkslagent på ham.

– Du kunne våge, sa Poulsen.

– *Jeg* kunne, men ikke *du*, sa Erlend.

Han spaserte hjem, ville kjenne frisk luft i lungene. Når han arbeidet, røykte han alltid for mye. Han kjente seg intenst lykkelig, helt ned i de niktongjennomtrukne lungespissene. Som han elsket denne jobben, som han elsket hele *livet* sitt! Han kunne ikke tenke seg å forandre på en eneste ting! Jo, kanskje peisen hjemme, det var en kostbar gasspeis med glass foran. Men nylig leste han om siste skrik: hologrampeis. Det perfekte peisbål som brant illusorisk, man kunne stikke hånda inn i det uten å brenne seg, for strålevarmen kom fra rammen rundt peisåpningen. Når man satt foran den, var det ikke et menneske på jord som så forskjell. Ikke noe søl, ingen aske, og mye mer spennende enn en gasspeis. Han ville ta det varsomt opp med Krumme, en hologrampeis kostet det hvite ut av øyet, pluss litt av det blå.

Han sjekket mobilen som hadde stått på lydløs, tre sms-er fra Torunn og én fra Krumme, han leste den først. Krumme ville bli sen, men skulle ta med seg hjem noe snadder å spise. Det passet Erlend godt, da ville han rett hjem og finne senga, de holdt på med utstillingen til to i natt og fortsatte klokka syv i dag tidlig. Den ene ølen og snapsen sammen med Poulsen og assistentene gikk rett i sovehjertet hans, han så allerede for seg mønsteret på sengetøyet, hvite månesigder mot svart bunn.

Han leste sms-ene fra Torunn med en blanding av misunnelse og bekymring. Hun var blitt fullstendig og pladask forelsket i denne typen hun traff på nyttårsaften og hadde første date med for fjorten dager siden. Han var bekymret fordi han ikke visste hvordan hun håndterte dette med menn, det hele virket så *voldsomt*, ulikt den Torunn han var blitt kjent med. Og hun åpnet seg totalt for ham, sendte sms og ringte og betrodde seg om denne Christer, villmarkens sønn. Hun snakket knapt om Tor lenger. Ikke hørte han mye om moren hennes heller for tiden, den forsmådde madammen fra Røa. Så egentlig burde han være lettet og glad på Torunns vegne. Men nå ... Slik? Nei, han var bekymret. Nå skrev hun at han var kommet på jobben til henne, bare for å se hvor hun jobbet, så han visste hvordan det så ut rundt henne når de snakket sammen på telefonen. Og i den andre sms-en stod det, ganske enkelt, *Han r perfekt. For mg.*

91

På den annen side, all bekymring lagt til side, var han dødelig misunnelig. Et røft mannfolk som henter deg på en januarmørk parkeringsplass med syv polarhunder, kjører deg i lys fra en hodelykt opp til et åpent landskap under stjernehimmelen og brer reinskinn utover snøen og serverer kanelboller og varm kakao fra termos ...

Selvfølgelig hadde det endt i den totale erotiske utskeielse, og det skulle bare mangle. På reinskinn ... Det hadde han selv til gode. Luktet de ikke litt stramt og dyreaktig? Han fikk et indre bilde av seg selv og Krumme mellom mange skinn, mens Karlsvogna seilte over dem og ulvene ulte i det fjerne. Huff nei, takke seg til jacuzzi og varmegulv, tenkte han, og sendte henne en sms, *Kos deg og take care. Kyss og klem fra onkelen, som nettopp har avduket ett av sine banebrytende vinduer. Benetton rules!;-D*

Men selve forelskelsen, den savnet han ikke. Rett som det var tente han som gal på andre menn, men det var rent fysisk, da var det bare å finne nærmeste toalett. Alene.

Mange homsepar hadde *carte blanche* på kjappe knull med tilfeldige menn de plukket opp på bar eller i sauna, og anså ikke det som utroskap. Det gjaldt ikke ham og Krumme. Ingen, absolutt *ingen* andre skulle få kjenne varmen mot panna fra Krummes stramme kulemage, enn si kunne nyte fryden med å legge et lykketårevått kinn mot den. Og prisen han betalte for å forlange denne eksklusiviteten var selvsagt at da måtte ingen fremmede tukle med hans egen mage heller.

Han låste seg inn, kledde av seg og slapp bare klærne rett ned på badegulvet, tok en dusj og gikk naken i seng uten engang å sjekke telefonsvareren. Soverommet var kaldt og godt. Krumme kalte det bare kaldt, han avskydde å sove for åpent vindu, men hadde godtatt Erlends norske vaner. Dessuten hadde de dobbeltdyne og delte raust på kroppsvarmen. Men akkurat nå var han for trøtt til å savne lunheten fra Krummes kropp. Eller snorkingen. Han elsket Krummes snorking, den lignet lyden av et gåsetrekk, en skvatrende og sammenhengende surklelyd som fikk ham til å sove som en stein.

Han bråvåknet av ei hånd som grep sin.

– Krumme, er du hjemme, jeg var så trøtt, gikk bare og la meg. Så godt at du er hei, hva har du med å spise ...

– Erlend.

– Ja?

Han løftet seg opp på albuen, det var et ork, men det var noe i Krummes stemme som var feil.

– Jeg ...

– Men hva ER det, Krumme? sa han, og tente downlightene over hodegjerdet.

Krumme var forferdelig å se til, blod fra et sår på haken og Matrix-frakken grå av skitt på den ene skulderen, håret til værs, tårer i øynene.

– Men herregud Krumme, hva ER det? Hva har ...

Han hoppet ut av senga og holdt om ham, Krumme begynte å hulke tørt, Erlend forsøkte å stable en eller annen fornuft på beina.

– Er du blitt SLÅTT NED? Har noen ...

– Kjørt ned. Nesten drept, sa Krumme.

– Men ... HER? Utenfor HER?

– Nei. For to timer siden, rett utenfor redaksjonen. Politiet kjørte meg til skadestua på Bispebjerg, men der sa de at jeg er helt fin. Ikke hjernerystelse heller. Og det på haken behøvde ikke å sys. Jeg er helt fin, men ...

93

Erlend kikket fort på klokkeradioen, han hadde sovet i mange timer. Han fikk stablet Krumme på beina og leid ham ut på badet, fikk frakken og klærne av ham og skjøv ham inn i dusjen, gikk inn sammen med ham, lot vannet strømme og holdt ham. Krumme gråt og bablet om hverandre, med en voldsom skjelv i hele kroppen. Erlend kjente hvordan han elsket denne mannen, elsket ham over alt på jord, lille tykke Krumme som lignet barndommens Karlson på taket.

– Jeg trodde jeg skulle dø. Nei ... jeg *visste* jeg skulle dø ... Jeg lå med ansiktet ned i den skitne og sølete brolegningen og så alt sidelengs, alle mennesker, alle biler, jeg bare lå der. Og en ny bil kom i full fart, jeg så hvordan støtfangeren og dekkene nærmet seg. Den ... greide å stanse. Det hylte i bremsene, og den ble stående på skrå, rett foran der ... jeg lå. Der jeg lå, Erlend, midt i gata.

– Nå er du her, Krumme min, jeg holder rundt deg, nå er du her.

– Jeg visste jeg skulle dø, og jeg tenkte ...

– Så så ...

– Jeg tenkte ... Hva med resten av mitt liv? Hva med det?

– Jeg er jo her. Og du lever.

– Jeg vil at vi skal få et barn, Erlend. Et barn.

– Hva?

– Jeg har tenkt sånn på det. Lenge.

Erlend slapp det knugende taket og strøk vannet ut av Krummes hår. Krumme stod med lukkete øyne og hengende armer, var bare kropp og hud under strømmende vann. Såret på haken blødde ikke lenger, men blåmerker var i ferd med å vokse frem på skulder og overarm, hva var det han snakket om, et barn, hva foregikk, sov han fremdeles og befant seg midt i et mareritt?

94

– Et barn, gjentok Krumme.

– Men ... med hvem? sa Erlend. – Og hvorfor? Du har jo meg.

Krumme åpnet ikke øynene, bare stod der fremdeles under vannet og sa: – Jeg aner ikke med hvem, jeg aner virkelig ikke. En surrogatmor, slik mange andre homsepar gjør det, eller en kvinne, som akkurat som oss vil ... Jeg vet ikke! Men jeg vil at vi skal få et barn, Erlend. Et barn som er vårt. Jeg elsker deg, jeg holdt på å dø, jeg kunne ha vært død nå, jeg vil at vi skal få et barn. Det handler om resten av vårt liv, Erlend. Det må være mer. Enn akkurat slik vi har det nå. Mer. Noe som strekker seg fremover, utover oss selv. Videre. Et liv.

– Nå skrur jeg av vannet, sa Erlend. – Så tørker vi oss og får på oss morgenkåpene. Og så tenner vi på peisen og slapper litt av. Du er i sjokk, Krumme.

– Ja, det er jeg sikkert. Men det er jeg egentlig også litt glad for.

Krumme åpnet øynene, de var mørke og intense. Til hverdags var de blå og glade. Det gikk et grøss gjennom Erlend, enda vannet var varmt, hva var det som skjedde, hva stod han her og hørte, han som elsket livet sitt, jobben sin, og Krumme. Ingenting manglet, ingenting! Var dette et omen, fordi han bare for timer siden hadde tankelekt med Skjebnen og ikke banket i bordet da han tenkte på hvor lykkelig og tilfreds han var?

– Du skjelver, Krumme, kom, la meg frottere deg, så blir alt bra igjen, sa han. – Jeg lager irish coffee til oss. Tre til hver. På tom mage, da blir nok alt bra igjen, skal du se.

– MARGIDO, DET ER EN DAME HER som vil snakke med deg, sa fru Marstad. – Skal jeg sende henne inn?

– Hvem da? Jeg har ingen avtaler nå, jeg har tusen andre ting å gjøre.

– Vi hadde mannen hennes her i høst. Selma Vanvik?

– Jaha. Ja, jeg husker henne når du sier det.

– Men kan jeg sende henne inn? Eller be henne sette seg og vente?

– Be henne komme inn. Om ... fem minutter.

Fru Marstads hode forsvant, han hørte skrittene hennes ned gangen til mottagelsesrommet.

– Herre min Gud, se i nåde til meg, vær der for meg nå, hvisket han og skrudde sammen fyllepennen, la den forsiktig i den smale riflen i skrivebordsstativet. Han satt så godt i stolen nettopp, hadde sittet og tenkt på det, at den høye prisen på en Håg-stol faktisk var verdt det. Ryggstø og sete og armlener kunne innstilles perfekt. Her hadde han sittet og trodd at alt var overstått, sittet her overdrevent tilfreds og nytt komforten ved en *stol*, var dette også en prøve han ble satt på, kontraster han skulle kastes bardust ut i?

Han foldet hendene og satt bak skrivebordet da hun entret rommet og lukket døra skarpt bak seg. Han løftet ikke blikket, men lyden av dørsmellet fikk det til å synge vondt i hele kroppen. Salige er de som er fattige i seg selv, for himmelriket er deres, messet han inni seg, jeg er fattig.

96

Men rik også, han var rik i troen, egentlig burde han nesten være takknemlig. Hun snakket, han hørte ikke helt hva hun sa, men hva var det han hadde tenkt, jo, at han burde være takknemlig, Selma Vanvik var den prøven Gud satte ham på, men hun var også et menneske selv om hun var Guds redskap. Og redskap var de alle, han måtte se i miskunn til henne. Han løftet hodet og blikket, hun stod rett foran skrivebordet hans, altfor nær, iført noe grønt, munnen hennes gikk opp og ned, han ville ikke se lengre ned, bare se på munnen hennes, eller øynene. Han så likevel rett i øynene på henne, men fokuserte raskt på munnen igjen, øynene var umulige å se inn i, svarte og fremmede, han måtte høre hva hun sa. Hun snakket høyt nå, hva om fru Marstad eller fru Gabrielsen kom og blandet seg, i dette kontoret snakket man alltid lavmælt.

– Jeg hørte visst ikke riktig hva du sa, sa han og så ut av vinduet.

Hun sank ned på den ene stolen som stod i pårørendeposisjon foran skrivebordet hans, og begynte å gråte.

Han slappet litt av, gråt visste han alt om. Gråtende mennesker var trygt forutsigbare. Han lot henne gråte en stund, så sa han: – Beklager. Jeg er lei meg for det som skjedde, Selma. Svært lei meg.

– Men hvorfor det? Vi hadde det fint, Margido. Du gjør alt bare verre når du sier det på den måten ..., sa hun, med en liten-pike-stemme som fikk lufta rundt ham til å stå stille. Om han bare kunne vært et annet sted, hvor som helst, til og med i en mørk grav.

– Du burde ikke ha kommet hit, sa han. – Hvis fru Marstad eller fru Gabrielsen fikk vite ...

– Og så? Er du gift med dem, kanskje? Har du ikke et eget liv?

Han kunne gjerne ha svart nei på begge spørsmål, men hørte med stigende engstelse at et nytt sinne var i ferd med å bygge seg opp i henne. Dette håndterte han dårlig. Hvis hun var en kvinne som nettopp hadde gjennomlevd grusom sorg, ville det ha vært mye enklere.

– Det du kan beklage, er at du ikke vil snakke med meg! Jeg har ringt, og til og med skrevet brev, jeg har holdt på en *måned*! Hvordan tror du jeg føler meg? Jeg trodde først du trengte tid. For en idiot jeg har vært!

– Shhh, ikke rop, jeg hører deg.

Da begynte hun heldigvis å gråte igjen, han torde å se på henne, hendene hennes foran ansiktet, det grønne var en ullhatt med en hvit tøyblomst festet på bremmen. Veska hennes var også grønn, hun satt med den i fanget, hvilte albuene i den.

– Du kan ikke bare gjøre sånn, hvisket hun gjennom fingrene. – Ligge med en kvinne og så forsvinne, påstå at du står midt i viktige ting når jeg ringer, jeg vet du lyver, du fortalte meg hvor påpasselig du alltid er med å skru av mobilen når du står midt i noe viktig.

Den forbannede mobilen, alt var enklere før, uten den. Tungvint, men enklere.

– Jeg trodde vi fant tonen, Margido. Jeg trodde virkelig det.

– Det er ikke så enkelt. Jeg er et dypt troende menneske, Selma.

– Pøh! Jeg syns ikke akkurat du oppførte deg som *det* på nyttårsaften!

– Jeg tåler ikke alkohol, jeg drikker aldri. Det var derfor.

Sinnet var der igjen, hun reiste seg, lente seg fremover skrivebordet, han trakk seg uvilkårlig tilbake, den kostbare stolen fulgte bevegelsen hans.

– Fylla har skylda, liksom. Er det det du sier?

Han lukket øynene. Noe så vulgært. Hun var blitt en annen, det var slutt på munter spøk og kokettering, den kvinnen som stod foran ham, var blitt rå og plump, og det gjorde alt så uendelig mye enklere. Han reiste seg og så henne rett i øynene.

– Jeg vil at du går nå, Selma. Jeg beklager virkelig, jeg gjør det. Du er en meget … flott kvinne. Men et forhold til deg er ikke forenlig med min gudstro.

– Er du munk, eller? Katolsk prest? Hæh? Du jobber i et fordømt begravelsesbyrå, jeg tror ikke akkurat at du kan plukke kvinnfolk ned fra trærne! Men for meg var du en flott mann, en som ga meg trygghet, roen din fascinerte meg. Jeg skulle ha skjønt at den roen ikke var noe annet enn simpel passivitet. Du er en feig faen, Margido Neshov. Og nå går jeg. Du skal slippe å høre mer fra meg.

Da alle dagens oppgaver var unnagjort, papirer samlet i mapper, viktige telefoner tatt og neste dags begravelse i Ilen kirke planlagt i detalj, dro han rett hjem, enda klokka bare var halv fire. Overfor damene lot han som om han skulle en tur til kistelageret for å gå over beholdningen, hørte selv hvor dumt det lød, siden alt slikt lå på data hos fru Marstad, og la derfor til at han trodde det var ei kiste som var feilvare, det ene håndtaket virket løst, han ville se om han greide å ordne med det selv, så han slapp bryet med å returnere den.

Egentlig hadde han planlagt å handle mat for ei uke, han pleide å gjøre det på torsdager, men da han satte seg i bilen, innså han at det orket han ikke. Hvis fru Marstad og fru Gabrielsen hadde fått den minste mistanke om at noe var galt fatt … For en skam. Han trengte deres respekt, var avhengig av den, han var den som aldri gjorde noe galt eller uetisk.

Han lukket seg inn i blokkleiligheten og låste bak seg, nå var han tilgjengelig på fasttelefonen, han trykket vekk mobilen og pustet ut da skjermen gikk i svart. Hun hadde hjemmenummeret hans også, men nå var han i alle fall tilgjengelig på én kanal mindre. Selv om han egentlig trodde henne, hun ville ikke kontakte ham mer.

Feig, tenkte han, tenk å kalle ham det, han som hadde rettet ryggen og sett synden i øynene og lagt sine egne behov til side. Styrke kalte man derimot slikt, selv om han nektet seg å kjenne hovmod ved det. Styrken var en selvfølge, den var en bekreftelse på Guds og Jesus Kristus' faste tilstedeværelse i sinnet hans, i sjelen hans. Det var ikke ham selv styrken kom fra, den var et direkte resultat av troen. Det ville hun aldri forstå, hun med sin rødvin og sin *familiepakke*.

Han stekte et egg og en halv vossakorv, skar opp en tomat og la på tallerkenen sammen med ei kneippbrødskive, gikk til kjøleskapet med et glass og fylte det med melk, bar alt inn i stua og spiste mens han satt i stresslessen med fatet i fanget, uten å skru på tv-en. Da maten var oppspist, satte han fat og glass på det lille kaffebordet og lente seg tilbake.

Det var så stille. Det var begynt å snø. Han kikket ut på sypressen som stod i en krukke på verandaen, den var vakker med snø mot det grønne, det gledet ham alltid å se på den, men ikke i dag. Han ville flytte, finne en leilighet med badstue, eller plass til å bygge ei, han reiste seg og fant dagens avis, bladde opp på boligannonsene. Da ringte telefonen, og pulsen hans skjøt opp, det tordnet i ørene, hendene skalv da han tok den.

– Det er meg, sa fru Gabrielsen.

– Er det deg, ja.

– De ringte nettopp, Randi Lagesen ringte, Randi og Einar Lagesen, de med det krybbedøde barnet, det vi stelte i går og som skal begraves mandag?

Fru Gabrielsen hadde en ekkel uvane med å gi ham det opplagte inn med teskje. Det ville ha holdt å si Lagesen, han satt jo bare for timer siden og leste sistekorrektur på heftet til bisettelsen.

– Ja da, jeg skjønner hvem du mener.

– De vil ha en båreandakt likevel. Foreldrene hans er kommet fra Oslo i ettermiddag. Jeg ringte sykehuset om kapellet, og det er ledig i dag, men opptatt i morgen. Kan du ta den i dag, tror du? Det var ledig klokka syv.

– Ja, det kan jeg. Bare gi dem beskjed om det. Det rekker jeg fint.

Han foldet avisa pent sammen og hentet seg enda et glass med melk. Dette var virkelighet, den virkeligheten som omga ham. Og som Selma Vanvik åpenbart ikke forstod et dugg av.

– Gode Gud, du som ser oss og kjenner oss, kom oss nær med din trøst.

Både barnets mor og far var troende. Det gledet ham, det måtte gjøre sorgen deres lettere å bære. Det var det første barnet deres, og det første barnebarnet på begge sider. Moren og faren stod tett sammen med foldete hender, med to par besteforeldre som vekselvis strøk dem over ryggen og grep etter hverandres hender. Foran dem lå den åpne barnekista med et jentebarn på tre måneder, iført en rosa og hvit hjemmestrikket drakt. Luen var også rosa og hvit, med et rosa silkebånd under haken. Øyehulene var allerede mørknet, men han hadde rukket å dekke dem med litt krem før de kom. De hvite lysene var tent og flakket mot veggene. Det vesle kistelokket lå på en stol inne ved veggen.

Alle lyttet til ordene hans, det gjorde godt å fremsi dem, være noe for disse menneskene, bringe dem et bitte lite skritt videre. Altfor lenge hadde han stått slik og kjent hulheten i egne ord, nå varmet de ham selv, like mye som de trøstet foreldre og besteforeldre.

– La oss høre hvordan Jesus åpner Guds rike for barna.

Han løftet blikket, og de møtte hans. Morens øyne var røde og fylt av en uendelig sorg og en slags fysisk lengt han alltid så hos mødre som mistet babyer.

– De bar små barn til ham for at han skulle røre ved dem; men disiplene ville vise dem bort. Da Jesus så det, ble han harm og sa til dem: «La de små barn komme til meg, og hindre dem ikke! For Guds rike hører slike til. Sannelig, jeg sier dere: Den som ikke tar imot Guds rike likesom et lite barn, skal ikke komme inn i det.» Og han tok dem inntil seg, la hendene på dem og velsignet dem … Jesus sier: «Jeg er den gode hyrde. Jeg kjenner mine, og mine kjenner meg. Og jeg gir dem evig liv; de skal aldri i evighet gå tapt, og ingen skal rive dem ut av min hånd. Min Far som har gitt meg dem, er større enn alle, og ingen kan rive noen ut av min Fars hånd.»

Moren hulket, og fikk armen fra sin egen mor lagt om seg.

– Slik lyder Herrens ord.

Han tok noen sekunders pause før han fortsatte: – La oss sammen be Herrens bønn.

De pårørende slapp hverandre, foldet hendene og bøyde nakken. Dette var altså alle troende mennesker, og heldigvis var barnet døpt, de feiret dåp bare for ti dager siden. Jentebarnet hadde fått navnet Sara Emilie.

Margido lukket øynene, kjente hvordan han ble fylt av en stor høytid ved å fremsi Herrens bønn sammen med dem.

– Fader vår, du som er i himmelen, la ditt navn holdes hellig, la ditt rike komme, la din vilje skje på jorden som i himmelen, gi oss i dag vårt daglige brød, forlat oss vår skyld, som vi òg forlater våre skyldnere. Led oss ikke inn i fristelse, men frels oss fra det onde, for riket er ditt, og makten og æren i evighet, amen.

– Amen, hvisket de.

Han hentet kistelokket og holdt det.

– Vil dere dekke ansiktet hennes? sa han lavt.

Den ene bestemoren foldet ut silkeduken som ventet på hodeputa ved siden av det lille fjeset og bredte den over ansiktet etter å ha strøket det ene kinnet. Et tørt hulk presset seg ut av henne.

– Veslejenta mi ... Jeg rakk jo aldri å bli ordentlig kjent med deg.

Det var helt stille da han la lokket på og barnets far festet skruene.

De håndtakket ham alle seks etterpå, med ekte og varm inderlighet.

– Du sa alt så vakkert, sa den ene bestefaren. – Det var fint for oss å oppleve at Herren kom oss nær med sin trøst. Det er jo det Han gjør. Mange tusen takk, nå skal vi også greie begravelsen.

Han måtte koste bilen ren for snø, han kostet med langsomme bevegelser og kjente en slags lykke. *Led oss ikke inn i fristelse* ... Men det var skjedd. Det var skjedd og kunne ikke gjøres om på. Likevel visste han at han var hjemme igjen nå, hjemme i Guds fold, han var satt fri, var blitt en av uendelig mange igjen, han var ikke alene.

HAN VAR TOTALT ULIK ALLE menn hun tidligere hadde vært sammen med, og hun forsøkte derfor å overbevise Sigurd om at han bare måtte slappe av. Sigurd påstod han var oppriktig bekymret, og det gjorde henne forbannet, men hun forsøkte å ikke vise det, hun skjønte jo at det var fordi han brydde seg om henne, selv om han var helt på jordet.

– Du kan heller være litt glad på mine vegne, jeg svever jo!

– Takk, det ser jeg, det ser vi alle.

– Du så jo at han verken hadde horn i panna eller en Uzi-gun under jakka da han var her. Han er en skikkelig fyr, og jeg er ...

– ... over alle støvleskaft forelsket. Han virket veldig hyggelig, men du har bare kjent ham i ...

– Tre uker! Man finner ut mye på tre uker! Dessuten traff jeg ham allerede på nyttårsaften, så det blir fem.

– Men du tar sånn *av*, Torunn. Sånn som i går på møtet, da du satt og stilte de samme spørsmålene om og om igjen. Den stakkars regnskapsføreren holdt på å gå fra vettet!

– Gjorde jeg det? Ja ja, men ha nå litt humor på det, sa hun. – Vi går jo med overskudd i massevis, det må vel den fyren greie å gjenta noen ganger. Og de forholdene jeg har hatt de siste årene, de har også begynt bra, men så har det gått til helvete fordi jeg begynte å bosse dem rundt, og til slutt lot de seg bosse, og da mistet jeg respekten for dem, og de begynte med andre damer for å få selvbekreftelse. Psykologisk kortversjon! Men Christer lar seg ikke bosse rundt, Sigurd.

– Skulle bare ønske du tok det litt lugnt. Jeg vil jo bare at du skal ha det bra, Torunn.

Han tok en pepperkake, husket for sent at han var lei av dem og skar en grimase.

– Jula varer helt til påske, sa hun. – Men ærlig talt, Sigurd, jeg har det vidunderlig, du trenger ikke å passe på meg. Egentlig er han nok en ganske normal fyr, selv om han kjører rundt i Maridalen med syv bikkjer i stappmørket. Men når du går så hardt ut mot meg, blir jeg nødt til å skryte ham overdrevent opp i skyene. Skjønner du ikke det? Hold deg til fakta.

– Og det er?

– At dette *ikke* er som diverse tidligere forhold jeg har hatt. Dette er *sunt* for meg. Du trenger ikke bekymre deg.

– På én betingelse. At du fyller de pepperkakene i et matfat og setter på venterommet til besøkende bikkjer og kjøper Maryland Cookies igjen.

– Ja da, jeg skal kaste de pepperkakene. Men Mary får du kjøpe sjøl.

Det hun ikke likte, var at Margrete terpet på mye av det samme i forhold til Christer. At det gikk for fort, at hun havnet på dypt vann for fort. Men hvordan kunne hun unngå det? Å være sammen med Christer var som å komme *hjem*, selv om det for andre lød som en klisjé. Og det at hun i det hele tatt traff ham, var som å vinne i Lotto. Ikke gikk han på byen, ikke befant han seg i de kretsene hun vanket i. Han var av og til på Majorstua, i leiligheten sin i Bogstadveien, men ellers holdt han seg i skogen på hytta si. Det var ikke lov å bruke hytta som helårsbolig, derfor denne leiligheten på Majorstua, hvor posten hans kom. Og hvor han stod oppført med boligadresse.

– Ikke engang Luna har vært der, sa han. – Men den er jo en investering også, stiger som faen i verdi. Jeg får klaus av å låse meg inn der. Rart at det kryr av folk som vil bo i stabler oppå hverandre.

– Sånn som jeg, sa hun. – Når jeg er inne i min egen leilighet, har jeg ikke fornemmelsen av at det bor noen verken over eller under.

Men selvsagt likte hun hytta hans bedre enn sin egen leilighet, det skulle bare mangle. Hun skulle gjerne bodd slik om hun kunne. En tilsynelatende enkel hytte når man så den utenfra, men ganske stor, og inni var den perfekt. Oppvarmete skifergulv, bad med vegger av rundtømmer og med vedovn, et enormt blått spisebord, diger peis, gamle og dype lenestoler fylt av saueskinn, et kjøkken med koselig rot og likedan vedkomfyr som på Neshov. Veggene i stua var dekket av hyller med bøker og gamle Vi Menn og Villmarksliv og Det Beste. Det var virkelig hyttestemning, helt til man åpnet døra til datarommet. Tre skjermer, printere, fax og klokker som viste tiden i både New York, London og Tokyo. Det var da hun fikk komme inn hit, den andre gangen de var sammen, at hun snudde seg mot ham og sa: – Men herregud, hva *driver* du med, egentlig?

Det hadde de enda ikke snakket om, hun hadde ikke kommet så langt som å spørre. De hadde snakket hund opp og hund i mente og innimellom ikke snakket i det hele tatt, bare vært nær, elsket, blitt kjent med hverandre gjennom lukt og smak og berøring. Rent fysisk hadde han tatt henne i besittelse på en måte hun hadde drømt om da hun var i puberteten, men gitt opp håpet om at noensinne ville skje. Hun hadde trodd det bare var en tåpelig, rosa ungpikedrøm.

– Driver med? Tjener penger.

– På hva da?

– Aksjer. Aksjefond. Kjøp og salg.

– Alene? Bare du? Jobber du ikke noe sted?

– Her. I huset i skogen.

Han hadde jobbet som fondsmegler i bank i flere år, et rotterace som han kalte det, noe hun ikke fant grunn til å tvile på. Samtidig var han blitt mer og mer oppslukt av hundekjøring og innså etterhvert at de to tingene ble mer og mer uforenlige. Første gang han kjørte Finnmarksløpet bestemte han seg på dag tre, mens han stod og skilte fire velvoksne slåsskjemper midt i sporet og alt av seletøy var viklet inn i hverandre, for at slik ville han leve på heltid. Han hadde dratt rett hjem og gitt alle dressene og skjortene sine til Fretex, bare beholdt en svart Bossdress han mente han kunne få bruk for i tilfelle han skulle i begravelse.

– Alt går via data. Da kan jeg egentlig jobbe hvor jeg vil. I ei fangsthytte på Svalbard, for den saks skyld.

– Men koster det ikke fryktelig mye? Må man ikke ha kapital og sånn?

– Jo, men det har jeg opparbeidet meg nå. Sitter bra i det. Og fordeler jevnt mellom høy og lav risiko. I det siste litt mer mot høy, for å være ærlig. Men det går bra, går så det griner.

Deretter ville han ikke snakke mer om jobben, lukket døra til datarommet og holdt om henne, løftet henne opp fra gulvet, kysset henne på halsen og helt oppunder hårfestet og sa at de skulle fyre opp i peisen, og ville hun ligge over. Det ville hun, det gikk bilvei helt frem på baksiden av hytta, og der stod bilen hennes, det ville ta henne bare litt over en halvtime til jobb.

Kunne hun bare ha vært helt og holdent i det, uten mas, men det gikk ikke. Moren maste. Faren maste ikke, men det var nesten verre, at det alltid var hun som måtte ringe og ikke omvendt. Det var noe martyraktig over det. Før ringte han av og til for å prate, men ikke nå lenger. Som om han ville bevise at han greide seg fint, og da skulle han pinadø heller ikke ringe, og *trenge* henne. På jobben var det fullt opp med dressurkursene og klinikken. Helst ville hun ha låst seg inne med Christer, kastet mobilen i do og steget til overflaten når våren kom.

– Og en annen ting, Sigurd. Det er så innmari artig å kjøre med hunder! Tenk deg, de hører etter meg! Det gir en egen slags ... beruselse! Og med svarte skogen rundt, og de åpne flatene, og ingen andre lyder enn pesing og sleden som glir over snøen.
– De blir vel ikke klienter hos oss, de hundene, sa han.
– Slike folk syr hundene sine selv, og hvis de får verre skader enn flenger og sår, er det de evige jaktmarker på flekken.
– Det blir et litt annet hundehold, ja, sa hun, det måtte hun innrømme.
Trekkhunder var brukshunder, selv om Christer hadde et nært forhold til hver eneste en etter hva hun kunne bedømme. Luna var favoritten, vevre lille Luna foran flokken, hvor alle var større enn henne. Og var det noe krøll i rekkene, snudde hun seg og bjeffet noen kraftsalver som bare hunder forstod, i alle fall virket de. Ved én

anledning mens hun satt på, begynte to hannhunder å slåss.

– Se nå, sa Christer og kommanderte full stopp. Han lot hannhundene slåss, sprang bare forbi dem, og fikk Luna løs av seletøyet. Som en hvit tornado gjøv hun inn mellom hannhundene, snerret i begge retninger og gikk nærmest opp på bakbeina mens hun dyttet en fremlabb mot hver av kumpanene. De stanset øyeblikkelig det de holdt på med, sank sammen, hvorpå Luna vred meldingen inn med å bite dem bak ørene, først den ene, så den andre, mens hun knurret rasende. Hannhundene hylte som valper.

– Skader hun dem? ropte Torunn.

– Det er så vidt hun er borti dem, de hyler bare for å si at de gir seg.

Innen Luna var ferdig, hadde også de andre hundene lagt seg flate i snøen, og Torunn kunne formelig se hvordan det vokste vinger ut av ryggen på dem. Da Luna ble spent fast i front igjen, ristet hun seg voldsomt og fnøs selvfornøyd, med raske øyekast bak over skulderen.

– En sånn tispe er verdt sin vekt i gull, sa Christer og flirte før han satte spannet i gang igjen: – Hiiii-ya!

Men i dag skulle hun ikke treffe ham, hun skulle til moren. Derfor satt hun og tøyde ut tiden på pauserommet sammen med Sigurd. Han var gift firebarnsfar, hadde vært gift i tusen år, hva visste vel han lenger om forelskelse. Til slutt ringte moren og spurte hvor det ble av henne.

– Jeg er på vei nå, ble litt heftet her. Skal jeg kjøpe noe med til deg på veien?

Hva skulle det være?

– Jeg vet ikke. Noe godt? Noe du har lyst på? sa Torunn. Moren hadde ikke lyst på noe.

Hun åpnet døra iført den hvite silkepysjen sin.

– Hallo, vennen min, sa hun og ga Torunn en rask klem før hun snudde seg og tuslet inn gjennom entréen.

– Lå du?

– Nei. Har bare ikke kledd på meg ennå.

– Men herregud, mor. Klokka er ni på kvelden!

– Da er det i hvert fall ingen vits i å kle på seg. Skal likevel legge meg om noen timer.

– Dette går ikke, mor, det går bare ikke.

– Ikke fortell meg hva som går og ikke går, du har ikke vært her et halvt minutt ennå. Få nå av deg ytterjakka før du begynner å øse av din livsvisdom.

– Hvis du skal være ekkel, bare drar jeg igjen. Egentlig er jeg ganske sliten.

Hun kunne dra til Christer, overraske ham, kjøpe med pizza og digg. Moren stanset midt på stuegulvet, la hendene for ansiktet og begynte å hulke høyt.

– Unnskyld, vennen min. Unnskyld! Jeg vet jo at du bare vil meg vel!

Og så var det det samme gamle, at hun var den som måtte trøste moren, når forulempingen egentlig hadde gått motsatt vei. Hun skyndte seg bort og trakk moren inntil seg.

– Så så, mor, ikke gråt. Men du må komme deg mer ut. Du kan ikke bare gå hjemme her, kanskje vi skal dra en tur til København? Erlend har jo så lyst til det. At vi begge to skal komme. Jeg kunne ordne med en langhelg.

– Kanskje det ... Selv om han er av Neshovfamilien, helvetes gjeng. Men han derre Erlend høres jo veldig gøyal ut.

– Han *er* det, mor! Du vil elske ham! Han vet om alle de gode butikkene hvor du kan shoppe!

– Shoppe ... For hva da? Når jeg tenker etter, har jeg ikke råd til Københavntur engang.

Torunn slapp henne, gikk og satte seg i en lenestol, trakk ytterjakka av seg og slapp den på gulvet ved siden av stolen.

– Gunnar har da ikke tenkt å la deg i stikken økonomisk, sa hun.

Moren tørket tårene med krappe bevegelser og foldet armene dramatisk foran brystet.

– Han kan ikke forsørge meg resten av livet. Men jeg har vært hjemmeværende siden jeg traff ham, Torunn. Og det er, som du vet, ganske mange år siden. Og som du også vet, har jeg null utdannelse. Han vil vi skal selge huset.

– Jaha.

– *Jaha?* Er det alt du kan si? Hjemmet mitt i over tredve år!

– Det er Gunnar sitt hjem også. Og denne villaen er sikkert verdt en formue. Du kunne kjøpe deg en fin leilighet og ...

– Si meg, er du på hans side? Er du det?

– Mor. Kan du ikke være litt realistisk. Du kan da ikke bo alene i en toetasjes villa på Røa mens Gunnar bor i ...

Hun holdt inne, hun ante ikke hvordan Gunnar bodde. For alt hun visste, eide Marie en takleilighet på Aker Brygge, hvor Gunnar satt med høy sigarføring og underjordisk garasje.

– Jeg er på din side, mor. Jeg vil at du skal ha det godt. At du skal ... komme deg løs fra dette.

– Gi opp, mener du.

– Det motsatte, faktisk. At du *ikke* skal gi opp, sa Torunn.

– Gi opp Gunnar, mener du.

Torunn stirret på henne. – Men du har jo sagt tusen ganger at du aldri i livet vil ha ham tilbake hvis han kommer luskende med halen mellom beina!

– Nå ja. Den halen hans er ikke så lang at han vil greie å putte den baklengs mellom ...

– Mor! Jeg vil ikke høre på sånt!

– Huff da. Slik en tander sjel. En kopp te, vennen min?

Hun kom seg ikke løs før klokka var nærmere halv ett. Det første hun gjorde da hun var kommet i sikkerhet i bilen, var å ringe Christer, han svarte etter at det hadde ringt en hel evighet, og sa at han satt og jobbet.

– Nå på denne tiden?

Den var halv åtte om morgenen i Shanghai.

– Shanghai?

Det var i Shanghai alt skjedde.

– Alt hva da? sa hun.

Investeringer, sa han, dette århundret tilhørte Kina, det var bare å glemme USA og Japan, pengene lå i å investere i Kina. En turbokapitalisme verden ikke hadde sett maken til siden Hong Kong ble frigitt for vestlige kapital-investeringer. Likevel var dette hakket villere.

– Jeg tror deg.

Han hørtes annerledes ut i stemmen, hun greide i øye-blikket ikke å se ham for seg bak et fullt spann med hun-der. Heller i dress og hvit skjorte med blankt silkeslips. Den svarte dressen han sparte for begravelser. Hun hadde håpet han ville si: kom. Kom selv om det er aldri så sent på natta og du må tidlig opp, Torunn. Men det sa han ikke, han hørtes travel ut, men selvsagt kunne han ikke slippe alt han hadde i hendene bare fordi hun ringte. Det var dette han levde av.

– Vi snakkes, da, sa hun.

– Det gjør vi, sa han. – Og husk hva jeg har sagt. Har du femti ledige tusen, skal jeg få dem til å yngle. Jeg jobber vanligvis ikke med så små summer, men for deg skal jeg gjøre et unntak.

– Jeg *hadde* femti ledige tusen og litt til, men vi kjører alt tilbake i klinikken, investerer i nytt datastyrt røntgenutstyr og kanskje ansetter vi en ekstra ...

– Husk likevel hva jeg har sagt. Snakkes!

Han la på. Hun tenkte: Han sitter og jobber og visste jeg skulle noe annet i kveld, han er i en annen modus, det kan jeg ikke anklage ham for, hvis jeg kjørte rett opp dit nå og banket på døra, ville han sikkert ha blitt kjempeglad.

Da hun låste seg inn i den tomme leiligheten, kjente hun seg brått uvant alene. Det var rart. Hun likte alltid å låse seg inn, vite at dette var hennes egen lille hule. Hun kokte tevann, kledde av seg og tok på morgenkåpe, bladde gjennom postbunken og silte vekk reklame. Regninger og en innkallelse til møte i borettslaget, hun gadd ikke se på sakslisten. Hun stakk ut i yttergangen for å se om det lyste i dørsprekken til Margrete, men der var det mørkt. Da hun lukket seg inn igjen, var hun lettet over det, hva skulle hun snakke med Margrete om? Kunne hun for pokker ikke i en alder av syvogtredve år få ha en affære med en enslig mann på sin egen alder? Takk og lov for at hun ikke hadde sagt et pip til moren om Christer. Men hvordan skulle hun kunne det. Fortelle at hun var dødsens forelsket mens moren satt der og utelukkende forventet at Torunns liv skulle være et ekko av hennes eget kjærlighetsløse liv.

Hun fikk lyst til å ringe ham igjen, satt med mobilen i hånda, hentet nummeret hans frem på skjermen, men uten å trykke på den grønne knappen. Der var nummeret hans, i alle fall. Trykket hun, ville stemmen hans være der.

Erlend. Det var alltid deilig å prate med ham. Men det var sent. Den var ett på natta. Hun sendte likevel en prøvende sms til Erlend, *Kan jeg ringe dg?*

Ok, svarte han, etter noen minutter.

– Det er meg. Jeg vet det er sent, men nå er klokka faktisk åtte om morgenen i Shanghai.

Jaså, såpass. Hun hadde virkelig global oversikt.

– Dere sitter sent oppe, dere også?

Ikke Krumme. Bare han.

– Hva driver du med, da?

Ingenting spesielt, han satt bare med en konjakk og kikket ut over lysene i København.

– Høres deilig ut.

Ja, det var ikke så aller verst.

– Du høres litt … lei deg ut? Er det noe som har skjedd?

Ingenting var skjedd. Han hadde oppdaget en ny rynke, under den ene rumpeballen, av alle steder, men han fortalte det helt uten sedvanlig gnist og dramatisk innlevelse.

– Men du er liksom ikke deg selv. Erlend, *er* det noe? Bortsett fra den rynken, mener jeg.

Hun skulle bare slappe helt av og ikke innbille seg ting. Dagen før hadde han hentet Aladdin Sane-plakaten sin i rammebutikken, den var blitt fantastisk flott med alle skrukker presset flate, og den var blitt renskåret i kanten for å fjerne tegnestifthull og teiprester. Den hang nå i brannrød ramme på soverommet. Og så hadde han sendt tilbake en drøss signerte papirer til en advokat Berling i Trondheim i dag, nå varte det ikke lenge før Tor satt som rettmessig eier av gården.

– Så fint, sa hun, og tenkte: Jeg *må* ringe faren min i morgen. – Er det ellers noe nytt?

Tja, Krumme ble nesten drept her om dagen, men fikk bare noen skrammer og blåflekker, bilen greide å stanse i siste liten.

– Men herregud! Og det sier du først nå? Ble han ikke fryktelig redd? Åh, stakkars Krumme!

Plutselig senket Erlend stemmen, sa at nå stod visst Krumme opp igjen, han hørte ham ute i badet.

– Har dere kranglet? hvisket hun tilbake. – Siden du hvisker?

Det hadde de ikke, men det var litt ... surt for tiden.

– Surt? Nei, nå tuller du. Du og Krumme er jo helt ... Det går bare ikke an!

Det gikk an, men det gikk nok over, det måtte den lille niesen bare ikke tenke mer på, og nå måtte han legge på, de fikk snakkes.

Hun la seg i iskaldt sengetøy, krøllet seg sammen i foster-stilling og knep øynene sammen. Fra et åpent vindu hørte hun sår barnegråt, og nede på gangveien gikk noen ung-dommer og diskuterte voldsomt og skingrende. *Litt surt for tiden ...*

Det var vindstille, været laget ikke en lyd. Hun likte å sovne til vind eller regn, slik at de digre bjørketrærne støyet og bysset henne i søvn. Ei varm seng føltes så uen-delig mye bedre når det var skikkelig drittvær ute. Men det var vindstille og oppholdsvær på Stovner. Hun stod opp, skrudde på mobilen, sendte en sms, *Jg savner dg. Sees vi i morgen?* Hun ble liggende og se på de røde digital-tallene på klokkeradioen til de viste 02.43 før hun sovnet og Christer fremdeles ikke hadde svart.

DA HAN SOM VANLIG STOD OPP halv syv og kom ned på kjøkkenet, så han på gradestokken at det var minus tolv ute. Han ble straks urolig. Han hadde to nyfødte kull, de yngste bare fem dager gamle. En av syv griser pleide å dø den første uka, det var statistikk og gjennomsnitt, men han hatet når det ble hans egen virkelighet. Og kulda var en lumsk fiende. Da var naturen sjef.

Etter at moren bestemte at de skulle selge melkekvoten for noen år siden og gå over til svineavl, bygget han om fjøset, men fikk ikke råd til varmegulv i fødebingene. Ungene sov i fødekasser i hjørnet, der var det varmt fra lampa over dem, og de lå godt på halm, men når purka ruffet og gryntet og kalte til mat, måtte de ut på betonggulvet og etterpå tilbake igjen. Det var ikke alltid like enkelt for en ørliten tass å manøvrere seg rundt det fjellmassivet av en mor som lå mellom kulda og varmen. Og hvis de var litt slappe fra før av, skulle det ikke mange minuttene til før de ble frosne og tiltaksløse, det ble en ond sirkel.

Men først måtte han ha kaffe. Han var ikke kar om noe uten kaffe.

Han fyrte skikkelig i vedkomfyren mens kaffen kokte opp, han fyrte inne i stua også. Faren stod aldri opp før senere og kunne dermed nyte det privilegium å komme ned til varme rom og lunken kaffeskvett. Da moren levde,

116

var det hun som fyrte opp, og han selv som kom ned i varmen. Og til kopper på bordet, sukkerbiter, en hjemmebakt havrekjeks med gudbrandsdalsost. Han orket aldri mye mat så tidlig, det visste hun, ikke før han kom fra fjøset etter morgenstellet og var sulten som en ulv.

Han stilte seg ved vinduet og drakk kaffen før gruten rakk å synke. Himmelen var lilla og stjerneklar, bare en ørliten stripe lysning lå i øst. Han kvidde seg for å krysse tunet i den bitende kulda, han hatet kulde som pesten. Ikke bare fordi den åt seg inn i husene, men fordi alt ble så plundrete, fingrene valne, traktoren vanskelig å få start på når han skulle til butikken, og det måtte han i dag. Det var nesten tomt i kjøleskapet. Han brukte aldri Volvoen til butikken, den stod tørt og godt inne på låven og ble bare startet når han skulle til byen, og det var ikke ofte. Diesel fikk han trekke fra på skatten, og da sa det seg selv at han ikke kastet bort dyrebar bensin på å kjøre Volvo til samvirkelaget som en annen storkar.

Men han var vel egentlig det nå. Storkar. Eide gården. Eller ... eide og eide, verken Margido eller Erlend hadde tatt ut arv, så den var ikke bare hans. Men den stod nå i hans navn. For første gang skulle han slippe å bære alle skjema til årsoppgjør og selvangivelse inn i stua til faren og se ham sitte der og knote ned navnet sitt.

I år skrev han sitt eget på alle stiplete linjer.

Kjente han glede den dagen alle papirer kom i posten og Margido ringte og gratulerte? Han visste ikke helt. Og det at Margido brukte ordet *gratulerer*, det forekom ham helt borti staur og vegger idiotisk. Gården var jo ansvar, ikke noen gavepakke lagt ham i fanget for å glede ham.

Snøen knirket under treskoene, han gikk forsiktig for ikke å falle. Han burde ikke bli overrasket over kulda, de

117

var midt i februar, det var bare januaren som hadde lurt dem trill rundt med mildvær langt over normalen. Til og med flokker av tjeld var blitt observert nede i Gaulosen, hadde han hørt på samvirkelaget.

Han fikk på seg kjeledress og støvler og gikk inn i fjøset, tente lysrørene i taket. Øyne myste nyvåkne mot ham fra alle binger, purkene reiste seg og gryntet ham velkommen, han satte seg på huk og kjente på gulvet. Det var kaldt, ja. Her måtte det hentes halm i mengder. Purkene som lå fulle av melk, hadde heller ikke godt av gulvkulda. Det ble et fryktelig merarbeid med så mye ekstra halm som måtte skiftes i ett kjør, men det var ikke bønn.

Han skyndte seg ned til de yngste kullene. Lyset hadde fått begge purkene til å kalle til mat, og han studerte ungene vaktsomt. Alle hadde fått hver sin spene, det tok noen dager før rangordningen mellom ungene var etablert og hver enkelt hadde sikret seg sin private spene. Tok en av dem deretter feil, var det fullt angrep fra den forurettete ungen. Purkene hadde nok spener til alle, det var unge purker, så kullene hadde ikke vært på mer enn elleve og tolv. Det var det yngste kullet han gransket nå, purka het Trulte og var ei rolig og fin purke han hadde store forhåpninger til. Sjelden hadde han sett så rolig og trygg adferd under grising før, det var vel bare Siri som overgikk henne i så måte, men til og med Siri hadde jo greid å ligge ihjel en unge. Han kikket bort i bingen hvor ungene til Siri og Sara gikk sammen, avvent for fjorten dager siden. De stod og nistirret på ham, side om side, mens de vippet trynene i lufta, som om selve lukta av ham kunne forklare dem hvorfor han stod der og kopte når de var skrubbsultne.

Sara selv ble hentet av slakterbilen fra Eidsmo noen dager etter at han tok henne fra ungene. Ett eneste kull rakk hun å få, og av ni unger drepte hun fire under fød-selen. Ei ful purke gikk det ikke an å satse videre på. Riktignok var hun blitt skremt midt under grisingen av et redningshelikopter som kom altfor lavt over husene med kurs over åsen til St. Olavs Hospital, men likevel. Hun var blitt salami og kjøttdeig. Nå ville han velge ut to pur-ker fra et av de nye kullene som kom, og la dem utvikle seg til avlspurker. De måtte fôres annerledes enn vanlig slaktegris, saktere, når det ikke var poenget å oppnå full slaktevekt innen tidsrammen, men derimot sunne og friske purker som vokste riktig. Hva skulle han kalle dem, tro? Kanskje Dolly og Diana. Ja, det var fine navn. Han likte å sette navn på dem og ikke bare bruke pro-duksjonsnummer.

To av ungene til Trulte virket slappe. De spiste ikke like energisk som de andre. Det var de to minste. Da de var ferdige med å die, tok han fatt i bakfoten på den ene og løftet den opp til seg. Den skalv.

– Er ikke mye kjøtt på deg ennå, nei. Fryser gjør du òg.

Han la den midt innunder varmelampa. Hvis ungene kranglet, kunne de like gjerne finne på å skyve en kon-kurrent litt vekk, også når de skulle sove. Hakkeloven gjaldt her som alle andre steder.

I Trines kull var de spreke og fine, han så ingen tegn på at noen av ungene hanglet. De var også åtte dager gamle og over den verste perioden. Til og med de minste virket våkne og sprelske og lot seg ikke merke med at verden utenfor gråsteinsveggene holdt tolv minus.

Han gjorde rent i alle binger og bar rundt fôr og torv-strø. Han rufset grisene bak ørene når de dyppet trynet ned i pelletsen, småpratet med purkene og kalte dem ved navn, smilte av smågrisene som klatret over hverandre for å komme i første rekke og bli konge på haugen.

– Trenger ikke være redd for at dere skal fryse, nei, med det kjøret dere holder. Men dere skal få ekstra halm lell, så har dere noe å herje rundt med.

Han trakk to store halmballer ut i midtgangen mellom bingene og rev dem opp, fant høygaffelen og bar rundt rause porsjoner med strittende halm. Smågrisene begynte straks å hive dotter av den opp i lufta og jage rundt etter hverandre. Purkene gryntet fornøyd og dyttet på halmen. Siri stod som vanlig og ventet på mer enn halm, og han stakk til henne en kokt potet fra middagen i går, som hun slafset i seg med høylytt nytelse.

– Og så får du ekstra halm i anledning kuldegradene.

Siri gikk med nytt kull i buken, han skulle gjerne ønske det ble et stort kull, og det var fra Siri han helst ville ha nye avlspurker. I fødekassene stappet han ekstra mye halm og hardklappet den. Det fikk holde.

Da pliktløypa var unnagjort og fjøset gjenlød av slafsing og romstering, gikk han ut i vaskerommet for å blande en lunken sukkeroppløsning i ei tåteflaske. Han var redd for de to veike småttingene til Trulte. Sukkerposen i skapet var blitt fuktig, han fant et skrujern og hakket løs, kokte opp vann på ei enkelt kokeplate som stod oppå benken, og blandet sammen. Da sukkeret var oppløst, fylte han etter med kaldt vann til blandingen var lunken og gikk tilbake til Trultes fødebinge.

Akkurat som han hadde tenkt; de to minste lå allerede presset ytterst i dungen av sovende kropper under det røde lyset. Han tok den ene opp i armene, den sov og lot seg nesten ikke vekke, han måtte streve lenge med å dytte smokken mot den vesle munnen før instinktene endelig slo inn og den hogg rundt smokken og suget i vei.

– Sånn ja, det var godt, tenker jeg. Men ikke alt, søstera di skal ha halvparten.

Ungen skalv fremdeles, også da han la den tilbake innunder varmelampa. Firogtredve grader var ideell temperatur for slike nesten nyfødte, og det trodde han de hadde, men hvis kulda først fikk sette seg i dem, brukte de voldsomt mye energi på å gjenopprette kroppsvarmen. Han plukket opp den andre og lot den få resten av sukkeroppløsningen. Plutselig husket han noe han leste i Nationen for en god stund siden, om en grisebonde som la nyfødtgrisen i bøtter med varmt vann, med påskegul flytevest rundt halsen på dem. Han hadde flirt godt da han så det bildet, og jammen kom det ikke på Dagsrevyen også. Det handlet nettopp om tapstall på nyfødtgris.

Gul flytevest eide han ikke, men bøtte og varmt vann hadde han da. Og to hender.

Han hentet en bøtte med varmtvann og noen tørre kluter og fisket til seg ungen etter den ene bakfoten. Han tok et godt grep oppe om skuldrene på den og senket den i vannet. Den sprellet som besatt og hylte som om en påle av glødende stål ble vridd gjennom den. I resten av fjøset ble det plutselig stille, lyttende og aktpågivende.

– Slapp nå av, jeg dreper deg ikke. Jeg lever av deg, din lille tulling.

Og det gikk ikke mange sekunder før protestene opphørte og grisungen fikk et salig uttrykk i det vesle fjeset. Etter like mange sekunder hang den slapt sovende fra hendene hans i det varme vannet.

Han stod vondt. Hvor lenge hadde den grisungen med gul flytevest ligget i vannet? Det husket han minsanten ikke, om de i det hele tatt hadde nevnt det.

Han burde ha sittet på en halmballe da han senket ungen i bøtten. Det var for sent nå. Han stod til ryggen brant og ungen forhåpentligvis var gjennomvarm, da løftet han den opp, slo en tørr klut rundt den og gned. Ungen våknet knapt, han la den ned sammen med de andre, midt i dungen, skjøv noen motstrebende grisunger til side. Han gikk ut i vaskerommet og spedde på med mer varmtvann og gjennomgikk samme prosedyre med den andre småttingen, før han dyttet den ned, midt i ungehaugen under lampa, ved siden av den første. Det fikk de bare godta, de velfødde og varme søsknene, at det var andre som bestemte.

Han sopte midtgangen ren for halm, slo bøtten med varmt vann bortover gulvet og kostet etter, ble stående og lene seg tankefullt på kosteskaftet. Hele fjøset burde vært spylt, både gulv, vegger og tak, fikk han en KSL-inspektør på besøk, ville det nok bli påtalt. Men i denne kulda var det bare å glemme. Likevel, den plutselige tanken på en inspektør som dukket opp, satte en liten redsel i ham. Han risikerte nedsatt slaktepris hvis han ikke innfridde alle krav til sunn kjøttproduksjon. Derfor hentet han flere vannbøtter og slo her og der, og kostet det brune vannet så grundig unna som han greide. Etterpå skylte han kosten godt og gikk oppunder taket med den og rev ned spindelvev, førte kosten langs lysrørene også, og syntes straks det så bedre ut. Ute i vaskerommet gikk han over benkene med den kluten han tørket grisungene med, ble stående og se på kokeplata, den var ikke fin, en gang var den hvit. Han åpnet et skap og romsterte med ei hånd inne i mørket helt bakerst på skaphylla. Som han trodde, ei eldgammel flaske Ata. Den blå og sølvfargete pappen var rynkete av fukt, og ikke et eneste Ata-korn kom ut av hullene øverst. Han skar av toppen og kikket ned på størknete kaker av hvitt pulver, før han på nytt gikk løs med skrujernet. Og utstyrt med klut, Ata og lunkent vann gnukket han i vei på kokeplata og kjente at han likte seg, var på høyde med situasjonen, fikk ting unna. Flaska med Ata minnet ham om gamle dager, de solgte ikke slikt nå. Det het Jif, det folk brukte, det var flytende. Moren holdt seg alltid til stålull og såpestykker med Sunlight, og rent ble det.

Da han satte såpa tilbake i skapet, ble han stående og se på nederste hylle. Der stod ei halvflaske akevitt med en ørliten skvett på bunnen, ei høy, mørk flaske dansk snaps med en tilsvarende skvett på bunnen, og noen ølflasker, det var restene etter jula han hadde flyttet ut hit for å ha for seg selv. Dessuten, den gamle der inne tålte ikke alkohol.

Han løftet opp den ene ølflaska. Akkurat som han fryktet, den var i ferd med å fryse, enkelte flak av is fløt allerede bak det brune glasset. Han plukket med seg alle ølflaskene og bar dem inn i fjøset, plasserte dem i midtgangen foran den ene fødekassen.

Før han forlot vaskerommet, satte han vannet til å renne i en tynn stråle. Da unngikk han at rørene frøs. Nå ville han inn og spise skikkelig frokost og høre på værmeldingen før han tok traktoren til butikken.

Dagen etter kom husmorvikaren. Det var steget til ti minus. Det første hun sa da hun kom inn på kjøkkenet var:

– Dette er den siste dagen min her.

– Men ...

– Ja, dere skal få hjemmehjelp, altså, men vi skal bytte litt om på rutene, så dere får en annen.

Han hadde vent seg til henne. Hun snoket ikke, gjorde bare det hun var kommet for, og dro. Og mens hun vasket, gikk hun med propper i ørene som spilte musikk, og nynnet med. Faren var misfornøyd over nettopp det, han ville prate. Han forstod ikke at et ungt menneske som henne ikke orket å høre en gammel kall mase om været og krigen og hvordan det var på Byneset før, og hvor forferdelig galt det var at de hadde anlagt golfbane på Spongdal, over god matjord.

– Da får vi heller kutte ut husmorvikar, sa Tor.

– For noe tull, dere må jo ha det rent her. I dag setter jeg på en maskin med fjøsklær, du får komme med det du vil ha vasket. Og forresten heter det hjemmehjelp, husmorvikar var i gamle dager. Ja, egentlig heter det ikke hjemmehjelp heller, men *rengjøringsenhet*. Men det høres så dumt ut at ikke engang *jeg* kaller det det, som faktisk *er* det.

– Da kutter vi heller ut. Samme hva det heter.

I det samme kom han på at det var Margido som betalte egenandelen og ville oppdage det hvis hele greia ble avviklet. Han bannet inni seg, det ville ikke nytte. For *Torunns* skyld ...

– Hvem blir det, da? sa han.

– Har ikke peiling. Det får du se når hun kommer, hent den derre fjøsdressen din nå, da. Og raggsokker og sånn, mens jeg hiver ut denne ekle plastfillerya.

Det var da han stod med fjøsdressen i hånda og så vidt stakk hodet inn av døra til grisene for å se at alt stod bra til, at han oppdaget dem. Tre feite rotter helt nederst i midtgangen, de stod og åt pellets som han hadde sølt etter morgenfôringen.

– FAEN HAKKE MEG!

Rottene pilte ned langs veggen og inn i fôrrommet, han sprang etter dem i lange byks, men de var vekk. Der inne var det sprekker i veggene i alle retninger, klar passasje både inn til låven og til den gamle utedoen og til silotrappa.

– ROTTER! Jeg vil da for faen ikke ha ROTTER inne hos grisene mine! ropte han og slo knyttneven i veggen. Bare tanken på hva en KSL-inspektør ville si til det ... Mus slapp man ikke unna på en bondegård, men *rotter*!

Han sprang inn til husmorvikaren med fjøsdressen og ut igjen og var på vei opp på traktoren før han sanset seg. Han kunne ikke handle rottefeller og gift på samvirkelaget, ryktet ville spre seg. Han ble nødt til å dra inn til byen, til Østerlies Farvehandel, der han fikk parkert rett foran butikken. Med tunge skritt gikk han tilbake til huset og opp på badet for å stelle seg litt. Bare nå Volvoen startet i denne fordømte kulda.

– Jeg drar en tur til byen, du er vel ferdig her når jeg kommer tilbake. Du får ha takk for hjelpa, sa han da han kom ned og hadde fått på seg parkasen. Hun drev og vasket kjøkkengulvet og reagerte ikke da han snakket. Han måtte dytte henne i skulderen med en finger før hun trakk ut den ene øreproppen. Den var bitte liten og ble hengende etter en svart ledning. Utrolig at noe så smått laget lyd.

– Sa du noe? sa hun.

– Jeg drar en tur til byen, du er vel ferdig før jeg kommer hjem, du får ha takk.

– Ikke noe å takke for. Det er bare jobben min. Take care, da!

Han nikket og gikk. Faren satt inne i stua og hadde vel hørt hva han hadde sagt, han trengte ikke å varsle dobbelt opp at han dro.

Fjorden lå iskald og paddeflat, ikke en krusning, Stadsbygda på den andre siden dirret bak en blå frostdis, Hurtigruta var på vei inn Flakkfjorden, hvit og langstrakt med prikkete render av vinduer. Sola lå vinterhvit og høyere på himmelen for hver dag, men varmet ikke stort ennå. Han lurte på hvordan det gikk med tjelden, den var vel frosset i hjel, han så for seg de tynne røde beina vasse i isvann i tolv minus. Stemplene i motoren gikk ujevnt, den var ikke varm ennå, han måtte skrape innsiden av frontruta til han var langt forbi Rye.

Ny husmorvikar. Og rotter i fjøset.

Det var ikke lenger siden enn i går at han gjenkjente den gamle gleden ved å mestre dagen, føle at ting gikk på skinner. For en tosk han var. Ingen kjente vel dagen før sola gikk ned, det var ikke mening skapt i at ting skulle gå glatt.

ERLEND STOD FORAN GLASSKAPET og betraktet Swarovski-figurene sine, ett hundre og tre miniatyrer i fasettslipt krystall, små underverker av skjønnhet, opplyst av spots og plassert på speil og glass. Miniatyrer av dyr og blomster, champagneglass ikke høyere enn noen centimeter, insekter med bein og ørsmå følehorn i sølv, perfekte kopier av hverdagens objekter helt ned til minste detalj, blant annet en mobiltelefon i krystall og gull, bare fire centimeter lang, hvor man ved hjelp av forstørrelsesglass kunne lese tallene og se Swarovski-svanen gjengitt i displayvinduet.

Skapet stod som symbol på hans store, lidenskapelige samlemani, og sjakkbrettet i klart krystall og svart jetkrystall hadde fått plassen på midterste hylle. På bakgrunn av en sjakkoppgave i BT hadde han plassert brikkene slik at svart ville bli matt i to trekk. Krumme hadde selvsagt løst oppgaven øyeblikkelig, det fantes ikke den ting den mannen ikke var flink til. Men da Krumme første nyttårsdag foreslo at de skulle spille et krystall-parti, hadde Erlend kontant informert ham om at det aldri ville skje. Da fikk de bruke det gamle sjakkbrettet i tre, med trebrikker. Krystallbrettet kunne få riper, og hva om en brikke gikk i gulvet, og dessuten ville han tape, det gjorde han alltid. Men foran dette sjakkbrettet, som stod og tindret og funklet, ville han alltid være vinneren, fordi det var hans.

Han var alene hjemme og ville være det i mange timer. Krumme jobbet sent, de var allerede i gang med bilagene til påskeavisene, alt fra reportasjer om tradisjoner rundt påskeharen og dekorerte egg, til hjemme-hos-intervju med trendsettende kjendiser som påskepyntet huset i slutten av februar for å få fjeset sitt i avisa.

Han hadde spist et stykke quiche han fant i kjøleskapet, og drukket rødvin til og laget seg en kopp espresso. Koppen stod han med i hånda og drakk ørsmå slurker fra, mens han betraktet all den unyttige skjønnheten som ga ham slik glede. *Pleide* å gi ham slik glede, mye større glede enn akkurat nå.

Piffen var liksom gått ut av alt, etter at Krumme flommet over med disse foreldredrømmene sine. Et menneske måtte da kunne bli påkjørt av en bil uten å plutselig få trang til å forplante seg, tenkte han. Nå ja, skulle han være ærlig, var det ikke Krumme som ville forplante seg, han ville faktisk at Erlend skulle være faren, han påstod at Erlend bar på bedre gener, det var bare å stille seg foran et speil, så var valget av far ganske opplagt, hadde han sagt.

Barn. Han kjente ingen barn, så aldri barn, hadde ikke noe forhold til barn utover stive og kalde utstillingsdukker hos Benetton. Og Swarovski-samlingen han stod og betraktet – han ville bli nødt til å bygge en vanngrav rundt skapet og plassere levende alligatorunger i vannet. Barn og alligatorer burde få vokse opp sammen, barn hadde jo så godt av å vokse opp med dyr, hadde han hørt.

Det var ikke det i seg selv at Krumme ønsket barn som vippet ham av pinnen. Men det at Krumme i skjul hadde gått rundt og følt at livet ikke var fullkomment. I all hemmelighet hadde han følt at noe manglet, at dette ikke var alt.

Det var det som var det forferdelige.

Og det som var enda mer forferdelig, var at Krumme sikkert ville gå sin vei, kanskje for å finne en kvinne som ville gi ham barn, Krumme hadde hatt to forhold til kvinner før de møttes. Forhold til menn også, men altså to kvinner, tanken var ham ikke fremmed hvis dette barnehysteriet tok aldeles overhånd.

Men de snakket ikke mer om det. Erlend mistenkte Krumme for å ville gi ham tid til å tenke, men alt Erlend tenkte på, var at noe var forrykket eller ødelagt i forholdet mellom dem. Før buste han alltid ut med det som rørte seg i hodet, han slappet fullkomment av sammen med Krumme, men disse siste ukene var han begynt å veie ordene først. Han passet på at setningen ikke inneholdt uttrykk eller emner som ville lede samtalen over på barn.

Han tok kaffekoppen med bort til peisen, satte seg uten å tenne for gassblusset rundt de kunstige kubbene. Han var ikke glad, og det hatet han. Han ville være glad! Han tenkte på den grusomme kvelden da Krumme ble påkjørt. Kunne man bare ha nappet noen timer rett ut av fortiden og vært vips ferdig med dem, ville han ha nappet vekk akkurat de timene. Han ville betalt mye for det også, kanskje til og med sjåkkbrettet. Og hologrampeis ville han ikke engang *tenke* på mer. Hadde han bare ikke gått der og drømt om den, ville ikke Krumme blitt overkjørt. Det straffet seg. Mye vil ha mer, Fanden vil ha fler.

Ikke jobbet han godt heller. Han kjørte stort sett på autopilot. Vinduet med tyvene hos gullsmeden var ikke å tenke på slik han følte det nå. Butikkeieren maste om nytt vindu, men Erlend insisterte på at det nåværende vinduet hadde nyhetens interesse minst et par uker til, noe som selvsagt var blank løgn. Han hadde overlatt en god del til Agnete og Oscar, men på Illums i forrige uke greide han å konsentrere seg og fikk en super idé. Illums' gaveavdeling ville signalisere spennvidde innen alle prisklasser, kostbare ting og billige småtterier som satte prikken over i-en, og derfor laget han nettopp et slikt vindu. Han hengte opp et bakteppe av svart fløyel og bygget to små podier under stoffet. På det ene podiet stilte han et håndlaget fat fra Steninge slott til syvogtredve tusen, på det andre podiet la han en serviettring av bast, kranset av små, blå tøyhjerter til fjorten kroner. Fatet og serviettringen fikk hver sin store prislapp satt ved siden av seg. Han lyssatte fatet og serviettringen som om de var popstjerner, og ferdig med det. Effekten var slående, selv om Illums etter tre dager var utsolgt for serviettringer med blå hjerter og måtte bytte den ut med en serviettring av mørkt treverk med gullprikker til treogtyve kroner.

De var altså fornøyde med løsningen hans. Men noen feit faktura kunne han naturligvis ikke sende dem for akkurat *det* vinduet.

Plutselig syntes han at han hørte den susende lyden av en heis som stanset, og så på klokka, var Krumme hjemme allerede? Han lyttet. Det var helt stille. Det måtte ha vært naboene under. Og i det samme hogg erkjennelsen i ham: Han ble *lettet* over at det ikke var Krumme som kom! Han begynte å gråte.

Han skjenket seg febrilsk en raus konjakk, droppet mer espresso og tok med sigaretter og rent askebeger inn på det gjesterommet de brukte som kontor. Han satte alt fra seg ved siden av data-tastaturet, gned øynene tørre med begge hender uten å bry seg om at kajalen ville smitte, drakk konjakkglasset tomt og hentet påfyll, satte med det samme på Donna Summer og koblet høyttalerne til kontoret, før han sank ned i stolen foran skjermen. De ville bli nødt til å snakke sammen. Alt lå feid under teppet. Det gikk ikke an å *gå* på et teppe med så mange bulker og hauger. Han ville bli nødt til å se dette i øynene, og tanken skremte vettet av ham.

– Pokker òg, hvisket han og koblet seg inn på Swarovskis nettbutikk. Websidene fylte skjermen. Som medlem i Swarovskis samlerklubb fikk han spesialtilbud på figurer produsert i begrenset opplag, han logget seg inn og fikk straks opp *The Eagle* fra 1995, som han allerede hadde, *Peacock* fra 1998, som han også hadde, og *The Bull* fra 2004. Den hadde han ikke. Han trykker på *Add to shopping cart* og gikk videre. Han kom til årsfiguren hvert medlem bare fikk kjøpe ett eksemplar av, to klovnefisker som levde i symbiose med en sjøanemone. Han lente seg frem mot skjermen og nippet til konjakkglasset, figuren var aldeles utsøkt, den var laget i to utgaver, én farget og én klar, han valgte den klare, *Add to shopping cart*, han begynte å føle seg bitte litt glad igjen, han ville bli nødt til å kjøpe et nytt glasskap snart, noe som ville innebære en vanngrav til, og flere alligatorer.

Han trykket på rammen for nyheter. En eremittkreps. Kravlende av gårde med sitt stjålne sneglehus, vist fra tre vinkler på skjermen, *Add to shopping cart*. Kanskje *Go to check out* nå? Nei da, slett ikke, hvorfor det, han satt jo her og ble i bedre humør. Hva med en enhjørning? Krumme ga ham en Swarovski-enhjørning som han greide å knuse da han rengjorde skapet for støv før jul, han ville kjøpe en ny. Jaggu ville han det, Krumme kunne bare ha det så godt, han kunne godt ha kjøpt en ny for å glede og overraske ham. Donna Summer tøyde stemmebåndene til bristepunktet mens han satte søk på *unicorn* og sprang inn i stua og hentet seg mer konjakk. Da han kom tilbake, stod den på skjermen, med tvinnet horn og løftet fremfot. Bare nitten hundre kroner, et kupp, *Add to shopping cart* og *Go to check out*.

Kunne ikke Krumme komme snart. De måtte snakke, slik orket han ikke å ha det. Krumme påstod at det ikke gikk an å snakke med ham, at han bare reagerte følelsesmessig, men hvilken annen måte gikk det an å reagere på, da, når hele livet ble snudd opp ned og ristet ut på gulvet? Hadde han bare fått tak i den fyren som kjørte på Krumme! Han ville ha slått ham helseløs og klippet kulene av ham. Men nå ville han snart få en okse, to klovnefisker med en anemone, en eremittkreps og en enhjørning, de var på vei i posten, tanken varmet en smule. Han husket eremittkrepsene på langgrunna på Øysand i Gaulosen, pilende av gårde ved lavvann. Han og bestefar Tallak lo av hvor frekke de var når de kastet de gamle, stjålne sneglehusene fordi de var blitt for små, og stjal nye og større. Bestefar Tallak hjalp ham å fange dem i en bøtte. De puttet oppi mange tomme sneglehus og lo ved synet av krepsene som pilte kliss nakne rundt og prøvebodde nye hus for å sjekke ut fasong og romslighet. De strever med å finne det rette og blir urolige fordi de har for mange hus å velge mellom, sa bestefar Tallak, de innbiller seg at de vantrivdes i det gamle når de oppdager et nytt. Erlend lot seg fascinere av det faktum at de var født til det, født til å stjele andres hus for å overleve.

At de var født helt uten beskyttelse.

Der gikk de, han og bestefaren, vasset utover og ble våte langt oppetter buksebeina. *Bestefar*. Ja, det var det jeg kalte deg, tenkte han og lukket øynene, husket bølgene som spiste seg inn i øysanden, tærne som ble rynkehvite i saltvannet.

Han sov i den ene lenestolen foran peisen da Krumme vekket ham ved å stryke ham fort over kinnet og kysse ham på panna og si: – Jeg har med pizza. Vi bestilte på jobben og det ble altfor mye, er du sulten, lille mus?

– Jeg sovnet visst ...

Han hadde sovet seg edru og kjente straks et stikk av dårlig samvittighet for at han hadde bestilt den enhjørningen. Han ville bli nødt til å holde den litt gjemt, sette den helt bakerst på ei av hyllene. Krumme stod aldri og betraktet innholdet i skapet hvis ikke Erlend skjøv ham mot skapet for å dele på entusiasmen.

Krumme luktet av sigar og hvitløk og øl. Matrix-frakken lå slengt over armlenet på den ene empirestolen ute i hallen. Krumme og frakken var blitt uadskillelige.

– Hva har du holdt på med i dag, da? spurte Krumme.

– Ikke mye. Jobbet på byrået, bestilt opp nye kataloger på rekvisitter, satt opp en plan for hvilke loppemarkeder vi skal sende assistentene på, den slags. Man vet aldri hva de kan finne av spesielle og rare ting vi kan bruke i vinduene, vet du. Siste lørdag fant Sally, hun nye, et helt utrolig lekkert eldgammelt svart badekar i Ludvig den 16.-stil, med føtter av ekte havskilpadder. Det kan vi nok sikkert bruke hvis vi skal gjøre noe på baderomsinnredning eller baderomsutstyr. Eller sexy undertøy for den saks skyld, hvor dukkene plasseres i et bademiljø, hvor de liksom står og gjør seg klar for fest, for eksempel. Mulighetene er mange ...

Han bablet og hørte det selv, merket Krummes blikk på seg.

– Hva skal vi drikke til pizzaen? sa han, gikk til kjøleskapet og fikk ryggen mot Krumme. Pizza hadde de aldri. Hvis de kjøpte take away, var det afrikansk eller kinesisk eller thai eller sushi.

– Rødvin, kanskje, sa Krumme og skjøv pizzaen over på en rist fra den ene stekeovnen. – Jeg varmer den litt under grillen.

Erlend drakk ei flaske Danskvand, løftet ned ei flaske rødvin fra stativet uten engang å se hva slags vin det var og åpnet den.

– Og hva drikker vi? sa Krumme.

– Aner ikke, sa han og satte seg tungt. – Jeg så ikke etter, bare åpnet den.

– Ikke akkurat i form?

– Nei. Jeg blir helt … ødelagt av dette.

Han begynte å gråte, han var nok ikke helt edru likevel. Han sov ikke mer enn en time, og leveren behøvde vel lengre tid enn som så på fire konjakk, som han til slutt endte opp med.

– Men Erlend min …

– HVORDAN TROR DU DET FØLES, DA! Å PLUTSELIG IKKE VÆRE BRA NOK!

– Bra nok? Men du misforstår jo helt, stiller alt på hodet! Det er jo motsatt! Jeg sa bare at jeg gjerne ville at vi fikk et barn. Og når jeg i tillegg ønsker at du skal være faren, hvordan kan du da si at du ikke er bra nok? sa Krumme og satte seg på den andre siden av bordet.

Hvorfor satte han seg der, hvorfor kom han ikke og tok omkring ham og trøstet, fikk alt dette dumme til å gå bort.

– Livet vårt er ikke bra nok, det er det du mener å si. Livet vårt! DETTE! sa Erlend og slo ut med armene. – Jeg trodde vi levde for hverandre! Jobbene våre, kjærligheten vår, reisene våre, vennene våre. LIVET vårt!

– Jeg er treogførti år, sa Krumme lavt. – Du blir førti om et par måneder. Jeg tenkte bare at … at det ville løfte oss opp på et nytt plan. Jeg beklager at jeg har såret deg så fryktelig. Det er ikke noe *jeg* vil, det er noe jeg skulle ønske at *vi* ville.

– Men jeg ville ikke på noe annet plan, Krumme! Og nå er dette planet liksom ... spolert.

– Hør her. Når du ikke vil ha barn, så blir det ikke noe barn. Så enkelt er det.

– Det er det IKKE! Du kommer til å gå fra meg.

– Hvorfor det?

– For å få et barn.

– Tullebukk, sa Krumme.

– Hvordan hadde du liksom tenkt det, da? Dette barnet?

– Det har jeg jo sagt at jeg ikke vet ennå. Det måtte vi finne ut sammen, hvis du også ville. Jytte og Lizzi har jo sagt at de ønsker seg et barn, men at de ikke helt orker tanken på å gi opp all sin frihet. De tenker vel litt likt deg. Fikk vi et barn med en av dem, var vi alle fire sammen om ansvaret og kunne fremdeles ha masse frihet. Vi kunne også bruke surrogatmor, men da måtte vi til utlandet. Vi kunne selvfølgelig gjøre noe helt annet, nemlig adoptere.

– Alt dette har du sagt før.

– Hvorfor spør du da? sa Krumme.

– Det lukter brent pizza.

Krumme reiste seg og hentet den fra ovnen. – Den er bare litt mørk på kantene.

– Jeg er screwed uansett, sa Erlend. – Hvis jeg sier nei, vil du hate meg. Hvis jeg sier ja, vil *jeg* hate meg, fordi jeg egentlig ikke vil.

– Men hva er det du er redd for? Kan jeg spørre om det? Hva skremmer deg ved tanken på å bli far?

Han kunne ikke svare: glasskapet, striper i parketten, søl og griseri og atten års arbeid, for de flyttet vel ikke hjemmefra før de var atten?

– Ansvaret, sa han. – Og det at jeg ikke vet noe om barn. Jeg kjenner dem ikke, ser dem ikke, tenker ikke på dem. De interesserer meg ikke.

135

– Du ville få noen å leke med. Du elsker å leke, Erlend.

– Jeg vil leke med deg. Jeg ville leke med deg.

– Ta deg et stykke pizza nå.

De satt der og tygget på pizzabiter, og han tenkte at små-barnsforeldre sikkert spiste slikt til hverdags. I Norge var Grandiosa frossenpizza den mest solgte middagsretten, hadde Torunn fortalt, fordi mødre og fedre aldri gadd å koke poteter. Han møtte ikke Krummes blikk, de var ikke kommet lenger enn før, hele samtalen hadde vært en ringdans, bekreftelse og atter bekreftelse på at Krumme *savnet* noe. Han la den brente pizzaskorpen fra seg og drakk rødvinsglasset tomt.

– Jeg tenker på *La cage aux folles*, sa han. – Albin som springer rundt og skal bevise at han kan være en mors-figur. En jævla skrulle, det er det jeg er! Jeg er sikker på at du ser meg i dameklær, trillende på barnevogn mens jeg snakker med pipestemme!

– Hadde vært morsomt, det, sa Krumme. – Da er jeg Pierre. Kjekk og maskulin.

– Jeg tuller ikke nå, Krumme! Vil du at jeg skal kjønns-operere meg, kanskje? Og gå med pute på magen helt til et eller annet kvinnfolk har ruget ferdig, og så kan vi lik-som leke at barnet har ploppet ut av *meg*?

– Nå er du stygg. Vil du krangle?

– JEG ER LEI AV Å IKKE VÆRE GLAD!

– Hadde jeg visst at det ville bli slik ..., sa Krumme og la pizzaen fra seg. Rødvinen hadde han knapt rørt, hvor-for drakk han ikke? For en idiot Krumme egentlig var.

– Resten av ditt liv, du liksom! Plutselig var ikke noe av dette nok, bare fordi en bil holdt på å kjøre deg ned! Hva med resten av *mitt* liv, da? Hva? Vet du at unger tisser i bleier til de blir fire år nå for tiden? I FIRE ÅR, Krumme!

Det stod i din egen avis! Og det får du lyst til å holde på med i fire år bare fordi du havner med kinnet mot brosteinene. Jeg tror virkelig du slo hodet ditt skikkelig.

– Vi snakker ikke mer om det. Vi skal ikke ha noe barn. Du vil ikke ha, og da skal vi ikke ha, sa Krumme.

– Slapp av, jeg skal ikke stoppe dine faderlige instinkter! Sprut litt i en kaffekopp og gi den til Jytte og Lizzi! Når du får besøk av tissemaskinen, kan jeg reise bort, for eksempel annenhver helg. Hvorfor drikker du ikke vinen din?

Erlend skjenket et nytt glass til seg selv, det skvulpet over.

– Har du drukket mye? sa Krumme. – Før jeg kom?

– Ikke en dråpe. Men jeg har nettopp bestilt Swarovski-figurer for over seks tusen kroner. Det er kanskje det som har gått til hodet på meg.

– Jeg tror jeg går og legger meg, sa Krumme.

Etter å ha sittet alene på kjøkkenet og tømt hele rødvinsflaska pluss Krummes nesten urørte glass, gikk han i stua og la seg på sofaen med to ullpledd over seg.

– Faen, hvisket han. – Faen faen faen.

Han tenkte på det Krumme spurte ham om, hva det var han var redd for, hva som skremte ham ved tanken på å bli far. Han visste svaret: Han hadde ingen barndom å gi videre, barndommen hans hadde vært bygd på en løgn. Han hadde ingenting å *gi*, han var ingen, og nå ville han og Krumme også bli ødelagt. Det de var, *sammen*.

HAN KJØRTE INNOM KIRKETJENEREN og fikk låne nøklene, låste seg inn i den bitende kalde kirka og sank ned på bakerste benk, rett under fattigtavla.

Dette skulle han ha gjort for lenge siden, kommet hit og falt inn i gudshusets fred alene, uten å ha kirka full av sørgende som krevde ham, navnebånd som skulle leses høyt, buketter med kort og navn som skulle noteres ned, ei kiste som stod på katafalken og var hans ansvar. Selv om det ikke var ofte han hadde begravelse her.

Byneset kirke var den kirka han elsket høyest, han visste alt om den. Til og med Nidarosdomen kom på annen plass i hans øyne. Nidarosdomen var for stor og majestetisk og egnet seg bedre til hyllest og prisende lovsang enn til sorg. Sorg behøvde lunhet og trangere kirkerom, slike som dette, med snart tusen års historie i veggene, vegger som beskyttet og ikke pranget av pompøse utsmykninger.

Han trakk hendene sammen så frakkeermene dannet en slags muffe, hanskene var blitt liggende igjen i bilen. Det var syv minus ute, dagslyset stod som støvhvite søyler inn gjennom vinduene høyt på veggen, alle kroker i kirka var mørke og iskalde. En tomhet, men likevel Guds tydelige tilstedeværelse. Han slapp luft fra lungene og betraktet dampen fra munnen, kikket på den slitte, skråstilte karmen foran seg til å legge salmeboka på. Han løftet blikket og betraktet kalkmaleriet på nordveggen som forestilte Syndemannen, med de syv dødssynder i form av feite slanger som veltet ut av mannens kropp, hver slange med en bunt vettskremte mennesker i kjeften. Hvilke av disse dødssyndene hadde han selv gjort seg skyldig i, i løpet av én enkelt kveld? Fråtseri, i hvert fall. Og utukt. Først og fremst utukt. Og i de lange årene da han mistet troen av syne og innbilte seg at han greide å leve uten Gud: hovmod.

Han trakk Bibelen opp av frakkelomma og åpnet den der silkesnoren lå klemt mellom sidene, på Paulus' brev til romerne.

– For synden skal ikke få herske over dere, for dere er ikke under loven, men under nåden, leste han høyt. Men Gud være takk for at dere som var syndens tjenere, av hjertet er blitt lydige mot den læreform dere er overgitt til. Og når dere nå er frigjort fra synden, er dere blitt tjenere for rettferdigheten ... For syndens lønn er døden, men Guds nådegave er evig liv i Kristus Jesus, vår Herre.

Han lukket øynene og lyttet til sine egne ord, ekkoet av dem mellom steinveggene, den enkle logikken i dem, og kjærligheten. Han tenkte på siste gang han var her, travel rundt morens kiste før alle kom, deretter i fremste benk sammen med Tor og Erlend, Torunn og Krumme og den gamle. Det underlige i at de satt der sammen, og hvor ulik hver enkelts sorg hadde vært. Nærmest fraværende hos noen av dem, visste han. Han var her også julaften, og før det: en begravelse av den syttenårige sønnen til Lars Kotum, som begikk selvmord i sin egen seng rett før jul. Nå visste alle hvorfor. Ryktet ville først ha det til at det var ei jente han var forelsket i som ikke ville ha ham, men så var det altså en gutt som hadde avvist ham.

Han hadde tenkt mye på Erlend de siste ukene, hvilken urett som var begått mot ham. Han var uendelig takknemlig for at han ikke var prest, en prest måtte mene på vegne av alle om dette og i tillegg bli formant av en biskop, selv slapp han det. For hvem kunne med rette anklage Erlend for synd? Var han ikke Guds skaperverk, han også? Hadde ikke Gud skapt ham med en mening bak, ment at han skulle være slik? Ingen med vettet i behold kunne påstå at Erlend hadde valgt sin legning for å dyrke utukten. Alt som liten gutt var det lett å se at Erlend var annerledes, jentete. Og så ble det trassen i ham og styrken til å stå opp for seg selv som tvang ham til å forlate et sted hvor han ble dømt.

Ja, *dømt*, tenkte han. Fordi de trodde han gjorde seg til med vilje, for å provosere. Slik var det jo ikke. Han var Erlend.

Og unggutten til Lars Kotum ... Hvis han hadde fått velge, mellom døden og det å forelske seg på trygt og akseptabelt vis i ei hvilken som helst jente ... Men han hadde ikke vært i en posisjon hvor han kunne velge. Han var bare seg selv. I all hemmelighet og ydmykhet og skam. Og det tok livet av ham.

Ja. Det var gjort stor urett mot Erlend.

Han visste heller ikke om juledagene hadde mildnet den bitterheten Erlend måtte føle, enda det hadde vist seg at Erlends historie stod i en større sammenheng. Han skulle så gjerne ha sagt ham det, at ingen dømte ham for noe, men det var vel umulig etter den telefonen da han satt som en villfaren idiot på en murkant og i sin deliriske rus trodde han var blitt en annen, uten ansvar for egne handlinger.

Han la hendene foran ansiktet, klemte fingrene hardt inn i øyehulene, klemte til det verket og han så røde og grønne ringer pulsere ut fra et svart sentrum. Det rare var at han stilte høyere krav til seg selv enn til Erlend. Han ble sittende lenge med hendene foran ansiktet og grunne på hvorfor, før han kom til at det måtte være fordi han selv var sterk, og det var Erlend ikke. Men nå hadde han også lært at styrken kom fra troen. Han stod med ryggen til Gud da han ga seg hen til fråtseri og kjødets lyst, og Gud ble nødt til å gå langt for å vise ham veien.

Det var først da han kjente at føttene nesten var dovnet bort av kulde, at han reiste seg stivt, forlot kirka og låste etter seg med den digre, håndsmidde jernnøkkelen.

Tor satt ved kjøkkenbordet og leste Nationen, den gamle satt i stua og leste i ei bok, radioen stod lavt på. Begge hadde en tom kaffekopp foran seg.

– Er det deg, sa Tor.

– Ja. Er kaffen varm?

– Har det vært begravelse her ute? Hørte ikke at klokkene ringte.

– Nei, jeg ville bare sitte i kirka litt, for meg selv.

– Hvorfor det? Har du trådd feil igjen?

– Tor ...

– Om ikke varm, så i alle fall lunken.

Det var vann kokt på grut mange ganger, kunne han smake.

– Så du har Nationen ennå, sa han i stedet og satte seg ved kjøkkenbordet.

– Er blitt vant til den. Kommer jo hver dag. Bonde-bladet er bare fredager.

– Du ville ikke heller hatt en lokalavis, da, sa Margido.

– Nei. Alt sånt hører jeg på radioen.

– Og i fjøset? Grisene vokser seg feite og fine?

– Ja da. Men de skal ikke bli feite. Blir dårlig pris da. Må være riktig kjøttprosent på dem.

– Hvordan sjekker du sånt?

– Fôrtype og fôrmengden som regulerer det, sa Tor.

– Jeg har ... Jeg ordner med stein til mor nå. I hvit granitt.

– Var det derfor du kom?

– Men vi setter den ikke på plass før til våren. Den har en bronserose på venstre side, og navn nedsenket med svart lakk.

Han snakket høyere enn om han bare satt her alene med Tor, så den gamle i stua skulle få det med seg.

– Høres dyrt ut, sa Tor.

– Den koster en del, ja. Men den må se skikkelig ut.

– Plass til flere navn også der, da, sa Tor.

Margido nikket. Tor la avisa sammen og gikk inn til den gamle, som straks tok imot den, la forstørrelsesglasset fra seg og satte på et par briller i stedet. Margido lurte på hvor lenge det var siden de brillene ble laget til ham, om han kanskje burde bestille en time hos optiker, komme hit og hente ham med seg, få ham til å vaske seg og skifte klær først.

Tor helte i koppen sin, mot slutten kom det ren grut, men det lot han seg visst ikke merke med. – Har fått rotter, sa han og sukket dypt.

– Rotter?

– I fjøset. En helvetes dritt. Ja, jeg sier det som det er, også for dine tandre ører. En helvetes dritt. De går faen ikke i fellene heller, er altfor kloke. Men de eter giften og ligger inne i veggene og dauer. Men ikke fort nok, det kommer stadig flere, har sett spor etter dem langt ute på tunet.

– Du må jo ta kontakt med et skadedyrfirma.

– Må tegne en *avtale*, da. Har ringt og spurt. Tusenvis av kroner. Aldri i livet, sa Tor og ristet på hodet.

– Kan de ikke bite grisene? Eller smitte dem med noe?

– Var det første jeg tenkte på. Så dem for meg foran pattene på purkene, fyttirakkern. Men nå er det spikret igjen og stengt inn til grisefjøset, og i fôrrommet får de bare tak i det som søles på gulvet, men jeg er forbaska nøye nå, koster sammen og holder det rent der. Likevel er det varmen, vet du, varmen fra dyrene. Og de formerer seg så fort ...

– Jeg hørte en gang om en fæl måte å bli kvitt rotter på, sa Margido.

– Jaha?

– Du fanger en av dem levende ...

– Ellers takk.

– Du fanger en av dem levende, sa Margido, – så brenner du ut øynene på den og slipper den løs. Skrikene fra denne ene skal visstnok skremme vekk alle andre.

– Fy faen. Det hørtes ikke mye nestekjærlig ut.

– Det er jo rotter, sa Margido.

– En Guds skapning det òg, vel, sa Tor og smilte skrått.

Margido måtte smile tilbake og kjente på seg at nå gikk det an å si noe, i ly av disse smilene. Han senket stemmen, gløttet i det samme inn i stua, den gamle satt fremlut over avisa, for sikkerhets skyld var Margido borte og skrudde opp lyden på radioen. – Jeg har tenkt på Erlend, sa han.

– Hvordan da?

– At vi ikke har vært snille med ham. Ikke han ... heller.

– De fikk nå være her i jula, begge to, sa Tor. – Og da de dro, tok jeg dansken i hånda og ønsket ham velkommen tilbake til sommeren. Jeg sa det var fint her da.

– Sa du virkelig det?

– Det er da fint her om sommeren.

– Ikke det. Men at du ønsket ham velkommen tilbake.

– Jeg gjorde det.

– Det var stort av deg, Tor.

– Men du som er kristen og alt. Hvordan kan du … Det henger jo ikke helt sammen. Du er jo liksom *nødt*, du, til å si at det er feil. Og syndig og sånn, sa Tor lavt.

– Nei, det er jeg ikke nødt til. Derfor har jeg valgt å si det samme som Jesus sa i den sakens anledning.

– Og hva sa han?

– Ingen verdens ting, sa Margido.

De satt stille en stund, glante i kor ut på det tomme fuglebrettet, hvor slunkne, grønne nettingposer hang ved siden av.

– Ja, her sitter vi, sa Tor. – Vi har ingen, men det har jaggu Erlend. Snåle greier.

– Og sånn blir det.

– *Du* må da treffe kvinnfolk, Margido.

De fortsatte å se på fuglebrettet mens de snakket.

– Ja. Men jeg vil ikke ha noen. Jeg vil leve alene. I fred.

– Resten av livet?

– Ja. Selvsagt. Når jeg har kommet så langt uten, greier jeg nok resten også.

– Det er sant. Men det er nå rart med det. Jeg hadde jo mor.

– Ja, sa Margido.

– Skal jeg … lage mer kaffe, kanskje?

– Ikke for min del.

– Vi får ny husmorvikar, det er nye ruter, har du hørt på maken til toskeskap! sa Tor, og snakket ikke med senket stemme lenger.

– Var den forrige bedre?

– Vet ikke, den nye har ikke vært her ennå. Den forrige var grei nok, hun bare vasket og dro sin vei.

– Og nå må jeg også dra, sa Margido og reiste seg.

– Takk for kaffen.

– Rart at du hadde tid til å komme. En helt vanlig hverdag.

– Lite å gjøre på denne tiden. Det er mest før jul og like etter. Har bare to begravelser denne uka. En i forgårs og en i morgen.

– Pussig, sa Tor, – at det er *sesong* for sånt. Mor også ... Men hun lå jo syk først.

– De fleste er syke først. Ulykker er sjeldnere.

Han sa ikke til Tor at han måtte dra fordi han ventet takstmann hjemme. Tor ville ikke forstå dette med ei badstue, han hadde vel aldri sittet i ei slik og ville aldri forstå denne trangen han hadde til å svette ut etter begravelser, svette ut luktene av avskårne blomster og dryppende, osende talglys.

Leiligheten var ryddet og prikkfritt rengjort. Den komisk unge mannen i mørkeblå dress gikk sakte gjennom rommene og noterte på en stiv konferanseblokk med metallklype øverst.

Vi må pynte litt, til en eventuell visning. Sprite opp rommene.

– Sprite opp rommene? sa Margido og følte seg svært ubekvem med å ha ham her inne, iskaldt vurderende, midt i alt sitt. Hit inn kom aldri noen. Og så ung som han var, altfor ung for denne skråsikkerheten han la for dagen.

– Vi ordner med det. Ikke mye som skal til.

– Men hva mener du? sa Margido.

– Noen store krukker med blomster, fruktfat på bordene, noen duker og levende lys, et par bilder vi kan henge opp, veggene her ligner jo veggene i ei fengselscelle. Vi må få det til å se koselig ut.

– Det er faktisk hjemmet mitt du snakker om her. Og jeg trives med å ha det slik.

– Ja da. Men vi er på samme parti, ikke sant, herr Neshov. Folk skal komme inn og umiddelbart få lyst til å bo her, begynne i tankene å flytte inn. Slik får vi en best mulig pris. Og utgangspunktet her er glimrende, man kan jo praktisk talt ikke se slitasje. Kanskje også noen tepper på gulvene.

– Tepper? Men gulvene er fine, de.

– Altfor kaldt og ukoselig. Og vi kommer med alt dette og ordner det før visningen, det inngår i prisen, vi fjerner det selvsagt etterpå. Men hva har du tenkt å kjøpe i stedet? Vi har en god del leiligheter jeg kunne vise deg hvis du vil nærmere byen.

– Den må ha badstue, sa Margido.

– Det er notert. Og hva mer?

– Ikke noe annet. Ellers likedan. Det er derfor jeg vil flytte.

– Er det *bare* derfor?

Mannen ble stående og se på ham, med en slags forbløffelse Margido ikke ville akseptere, det var da virkelig ikke så uvanlig å være glad i å ta badstue.

– Ja! sa Margido.

– Unnskyld meg, men ... Dette skjønner jeg ikke helt. Det må da være en annen grunn i tillegg. Og hvis jeg skal finne en ny leilighet til deg, er det viktig at jeg ... Er det kanskje veldig lytt her? Og mange barnefamilier?

– Nei! At jeg vil ha badstue, er den eneste grunnen til at jeg vil flytte!

– Men ... Mannen virket rådvill og begynte å pirke seg ukledelig på kanten av det ene neseboret. Det var plutselig umulig for Margido å huske hva han het. Christian eller Thomas eller Magnus, alle unge menn het det for tiden.

Han skulle gjerne, her og nå, ha husket navnet hans, og greid å irettesette ham litt, ved hjelp av fullt navn.

– Men jeg forstår ikke helt. Hvorfor har du ikke ordnet deg med ei badstue, da? Eller er det slik at du vil gå *ned* i pris når du skal kjøpe? At du ikke har hatt råd til å ...

– Ordne meg med ei badstue? Selvsagt har jeg råd! Men du har selv sett hvor lite kjøkkenet er, og at det ligger vegg i vegg med badet. Fins ikke areal å ta av der! sa Margido og måtte bruke alle krefter på å beherske sinnet. Ei barnerumpe som kom anstigende og innbilte seg at det bare var å trylle frem mangfoldige kvadratmeter ...

– Men selve badet, sa mannen sakte.

– Det er da ikke plass til noen badstue der. Du har jo nettopp vært der inne!

Var fyren blind?

– Visst er det plass der, sa mannen. – Du har jo badekar.

– Og så?

Mannen så ham inn i ansiktet, skakket på hodet, smilte litt fårete.

– Si meg, har du i det hele tatt sjekket muligheten for å få ei badstue på badet? Du kan få kombinert badstue og steamdusj.

Margido bare stirret på ham. Ei badstue for ham var å åpne ei tung dør og komme inn i et rom med benker til oppunder taket, en stor ovn på gulvet foran hvor man skvettet vann på steiner, slik det hadde vært i badstua på det gamle sentralbadet nederst i Prinsens gate som nå var nedlagt. Selvsagt skjønte han at han ikke trengte en så stor badstue, men fra *det*, til å tro at den fikk plass på badet hans ...

– Hør her, sa mannen. – Jeg selger gjerne leiligheten din, men hvis dette er eneste grunn til å selge, så lurer jeg deg hvis jeg ikke sier dette. Badet ditt er på over åtte kvadrat,

147

det er ikkeno' problem. Hør med Baderomsbutikken i Fjordgata, du. Hvis du ikke liker det du ser, ringer du meg igjen. Hører jeg ikke fra deg, kan jeg sparke meg selv bak for å ha mistet et godt salg. Men jeg fikk meg liksom ikke til å tro at denne badstua var eneste grunn. Og det ville ha tatt seg temmelig dårlig ut hvis den nye leiligheten jeg fant til deg, hadde nøyaktig like stort bad. Men med badstue.

– Ærlighet varer lengst, sa Margido spakt.

– Jeg har hørt rykter om det, ja, sa mannen.

Han gikk til Baderomsbutikken i lunsjen neste dag og fikk en mengde brosjyrer lagt foran seg. Han trodde knapt det han så. Her hadde han gått i årevis og bare drømt, uten å undersøke mulighetene.

Compactsauna. Den var den minste og behøvde bare full takhøyde og gulvareal tilsvarende et badekar. En dampgenerator montert i taket fylte rommet med damp, og man satt på en trebenk og hvilte føttene på en trebenk, pluss at man hadde treverk i ryggen. Når man var ferdig, slo man benken opp mot veggen og stod plutselig i et stort dusjrom. Fliser i gulvet og på veggene, delikat dusjarmatur. Hvis han i tillegg fikk flyttet litt på håndvasken, ville han få plass til hjørnevarianten som var enda romsligere.

Da han forlot butikken, kjente han en kolossal lettelse, blandet med barnslig forventning, han kjente at han ikke greide å la være å smile, det var et mirakel.

Nå slapp han å flytte.

De ville komme og ta nøyaktige mål, det var bare et tidsspørsmål før drømmen var blitt til virkelighet og han ville ha alt han behøvde her i verden.

– Takk, gode Gud, hvisket han.

Han hadde så mye å være glad for, samtalen med Tor i går da de smilte til hverandre, det at Tor hadde ønsket Krumme velkommen tilbake, at det kanskje var håp for dem. I et blaff husket han nyttårsaften, og det mørknet litt i ham, men Erlend hadde vel glemt det, eller kanskje ikke hørt hva han sa over all støyen rundt seg.

Han ville kjøpe wienerbrød med tilbake til kontoret til ettermiddagskaffen. Damene ville bli glade, de jobbet hardt, han burde gi dem et lønnspålegg, ikke mye, men nok til at de forstod at han satte pris på dem. Han gikk inn på bakeriet i Byhaven.

– Jeg tar tre av de der med nøtter og sjokolade på. Og kanskje tre berlinerboller også. Med fyll.

HUN TENTE BARE HAN SÅ PÅ HENNE på den spesielle måten hun hadde lært seg å gjenkjenne nå, det var noe med øynene, de ble smalere og mørkere, som øynene til Styrk, den av unghannene som mest lignet en ulv. Etter den natta for fjorten dager siden da hun lå hjemme i mørket og trodde det var slutt fordi han ikke besvarte sms-en hennes, og hun følte seg som et klamrende og masete kvinnfolk enhver mann ville være foruten, var noe blitt forskjøvet.

Han fortalte senere at han tjente over to hundre tusen kroner den natta. Hun skjønte ikke at det gikk an, det var slikt man visste foregikk, men ikke helt trodde på. Da han ringte henne på jobb en dag hun stod og assisterte under en øyeoperasjon på ei boxertispe med sår på hornhinna, var det så vidt hun greide å holde pinsetten stødig da Anja skulle sy opp blinkhinna. Hun hadde lagt inn egen anropsmelodi på ham og hadde mobilen i bukselomma.

– Spesiell ringelyd, sa Anja og justerte operasjonslampa, før hun plukket frem den første knappen som skulle fungere som stoppskive for stingene mellom blinkhinne og øyelokk.

– Det er fra en film, sa Torunn.

– Jeg har hørt den før, men kommer ikke på hva det er.

– *Den gode, den onde og den grusomme.*

Men han var alltid bare det første. Han laget mat til henne og regnet med at hun kom når han ringte og ba henne komme, og det gjorde hun. Når han sa han skulle jobbe, lot hun ham være i fred, han skulle jo tjene hundretusener.

Nå kjørte hun opp de siste svingene mellom tårnhøye grantrær, nydusjet, ren dongeri og genser, og med splitter ny The North Face fleecejakke, den var litt røffere enn de andre friluftsklærne hennes, hun var sikker på at han ville like den. Hun var litt forsinket, etter å ha hatt en konsulenttime med hele familien til Nero. Valpen hadde bitt jenta i familien og knurret skikkelig til dem alle etter tur. Hun rådet dem til å levere hunden tilbake til oppdretteren, men de var blitt altfor knyttet til den allerede, derfor ville de ta tyren ved hornene. Egentlig hadde hun god lyst til å ringe oppdretteren og skjelle ham ut etter noter, han måtte ha sett allerede i valpeperioden at Nero var et dominerende alfa-individ, og skulle aldri i livet ha solgt ham til en småbarnsfamilie som kjøpte hund for første gang.

Plutselig hoppet en hare ut i veien, det stod om centimeter da hun bråsvingte rundt den, men i speilet så hun at den hoppet videre, like hel og fin. Heldigvis kjørte hun med piggdekk og hadde vasket lykteglassene foran, her fantes ikke veibelysning.

Hun trodde hun skulle ligge over, men hvis han måtte jobbe om natta ...

Det hadde skjedd, det også, at det var kommet e-post til ham utpå kvelden og han fikk dette fjerne blikket. Pengeblikket, kalte hun det for seg selv. Når han fikk viktig e-post, fikk han melding på mobilen om det, og den skrudde han kun av når han kjørte med hundene.

Akkurat det skjønte hun ikke. Han hadde hoppet av rotteracet for å drive med hunder, men var tilgjengelig for datamaskinene i det øyeblikk hundene stod plassert i hundegården og var fôret. Var *det* frihet? Når det alltid var full arbeidsdag et eller annet sted på kloden, og han alltid visste hvor mye klokka var der? Men de siste fjorten dagene hadde hun bare ligget hjemme i sin egen seng tre netter, og hun bar ham med seg hele dagen når de ikke var sammen. Hun tok imidlertid sine plikttelefoner til moren uten å nevne Christer, og gjentok til det kjedsommelige at Cissi ville få det bedre om hun og Gunnar solgte huset og delte utbyttet. At det var hennes eget barndomshjem, skjenket hun ikke en tanke. Hun var for gammel til å hyle opp om barnlig affeksjonsverdi, selv om det skulle bli rart å tømme loftet, hvor hun visste at det stod kasse på kasse med barndom. Kosedyr og barnebøker, skrive- og tegnebøker fra hele skoletiden. Klær også, og ski og kunstløpskøyter, akebrett og den første sparken hennes som Gunnar malte knallrød så ingen skulle stjele den.

Hun hadde ikke snakket med Gunnar siden den dagen på kaféen da han holdt forsvarstalen sin. Hun orket ikke, selv om han hadde lagt igjen flere beskjeder på svareren. Hun skjønte intuitivt at han ville ha henne til å gå hans ærend i forhold til hussalg. Han skulle bare visst at det gjorde hun uansett. Moren var en flott kvinne, når hun bare fikk lagt forsmedelsen bak seg, ville hun blomstre, akkurat som Gunnar sa. Antagelig få seg en jobb også, hun hadde velstående venninner som lekepuslet med jobber på kunstgallerier og i små bijouteributikker, i tillegg til at de jobbet veldedig gjennom Rotary og Inner Wheel. Hun ville ikke bli sittende med hendene i fanget, hun var ikke typen. I alle de årene hun såkalt «gikk hjemme» hadde hun hatt tusen jern i ilden, blant annet som Oslo-guide for tilreisende kvinnelosjer og andre pene grupperinger. Men hun tok seg knapt betalt for det, siden hun var godt forsørget. Nå ville hun bli nødt til å ta seg betalt. Det er ikke synd på henne, trøstet Torunn seg med for n-te gang. Men den erkjennelsen måtte Cissi komme til selv.

Plikttelefonene til faren var hun også påpasselig med. De skulle få ny hjemmehjelp og var misfornøyd med det, det var visst den eneste skyen på himmelen der i gården. Men såpass kjapt som faren hadde tilpasset seg den første, ville det nok gå greit med den neste også.

Hundene varslet ankomsten hennes med bjeff og lang-trukne hyl, mens de kimset seg mot hundeinnretningen. Fem av dem sprang ute, blant dem Luna, de andre stod i burene sine og bjeffet opphisset i kor der inne fra, også de som ikke greide å få øye på henne.

– Hallo! Det er bare meg!

Hun sprang bort til nettingen og stakk fingrene gjennom hullene og ansiktet tett inntil, og fikk slikk overalt hvor hundene kom til. Alle forsøkte å hoppe høyere enn de andre.

– Lunamor, så fin du er ...

Det var synd de ikke kunne ha dem inne lenge om gangen, men da peste de nesten vettet av seg. Pelsen var innstilt på kuldegrader på denne tiden av året. Også på nyttårsaften, da Luna kom og skulle være politi, ble hun bundet ute etter kort tid og fikk krølle seg henrykt sammen i kald snø.

Han møtte henne i døra, foldet armene om henne og kysset henne fort på panna, på kinnene og munnen.

– Ligger du over? hvisket han inn i håret hennes.

– Gjerne. Hvis du vil.

– Det vil jeg. Fin jakke. Ny?

– Nei. Kjøpte den i høst en gang.

Han laget gryterett med poseblanding og stekt kjøttdeig og ris, veivet alt sammen i en kasserolle. Det smakte ikke noe særlig, men det var han som hadde laget det. Han skjenket rødvin i glassene, og det brant på peisen. Mobilen hadde hun skrudd av da hun parkerte. Hun satt her og kjente seg lykkelig og til stede, midt i øyeblikket, *sammen*. Mer sammen enn med noen annen mann tidligere. Vinen fikk henne til å spørre dumt: – Hvorfor liker du meg, egentlig? Meg, liksom?

Han trakk på skuldrene, flirte litt, drakk.

– Fordi du liker *meg*, kanskje? Og bikkjene mine?

De snakket aldri om fremtid, tok hver dag om gangen, gjorde aldri noe som par, utover å være sammen i denne hytta. Hun savnet det ikke heller, ville ikke dele ham med noen, selv om det nok ville vært moro å vise ham frem, smykke seg litt med denne maskuline bamsen, se misunnelsen hos andre kvinner.

– Når må du stå opp? sa han.

– Syv.

– Da kan vi vel likså godt legge oss.

– Den er ikke mer enn halv ni, sa hun og smilte.

– Nemlig.

Og så var det der, ulveblikket.

Da han mye senere var oppe og hentet resten av rødvinsflaska og glassene og tok det med inn i senga, begynte hun å prate om Erlend.

Hun fikk nesten aldri tak i ham lenger, det var fjorten dager siden han sa at det var *surt* mellom ham og Krumme. De få gangene hun fikk stemmen hans *live* og ikke på svareren, var han travel og kunne ikke snakke, og alt var bra, ikke noe å bekymre seg for, han var i gang med nye vinduer, påske og vår var ikke langt unna, han hadde en zillion oppdrag, sa han. Men han maste ikke om at hun skulle komme til København lenger, og det slo henne som underlig.

Hun hadde ikke snakket med Christer om Erlend før. Det eneste han visste om familien hennes, var at moren nylig var forlatt av mannen sin, og at faren hennes drev en gård på Byneset utenfor Trondheim. Han hadde ikke engang spurt henne hva slags gård faren drev; ku, gris, sau, korn, potet eller jordbær eller alt på en gang.

Men nå lå hun her så full av erotisk velvære og kjærlighet at hun unte alle i hele verden å ha det slik, og da ble det vondt å tenke på Erlend og Krumme, derfor rant ordene ut av henne.

– Han er homse, altså, sa Christer, etter at hun hadde fortalt litt.

– Ja. Og så er vi så nær i alder, vet du, han er bare så vidt tre år eldre enn meg, derfor er han liksom ikke onkel. Det er nesten som en bror. Jeg har aldri hatt søsken.

– Og han og samboeren krangler?

– Ja, noe har skjedd, og jeg liker det ikke. Jeg tenker ganske mye på det. Når jeg ikke tenker på deg, tenker jeg på dem. De passer så godt sammen.

Hun lå på armen hans, svett nakke mot svett overarm, hun kjente lukta fra armhulen hans, lakenet var fuktig under dem, klokka var ikke mer enn halv tolv og natta var lang. Hun løftet seg opp på albuen og tok en slurk vin fra glasset på nattbordet, måtte lene seg over ham, han strøk brystet hennes.

– Verden er da full av homser, sa han.

– Hva mener du?

– Denne Erlend ... onkelen din. Han sjekker seg da bare en ny. Det gjør sånne i ett kjør, i saunaer og på utesteder. De gutta der går ikke rundt grøten. George Michael brukte pissoarer som sjekkested. Tenk det, millionær, og så sjekker du deg en type på et pissoar. Men det ble jo et helvetes leven av det også, da! Avtalen hans med plateselskapet gikk til helvete, det ble en kostbar sugejobb.

– Det blir ikke akkurat det samme. Erlend og Krumme har vært samboere i tolv år, sa hun.

– Nå ja, de har sikkert andre på si. Homsepar har åpne forhold.

– Vet visst alt om dette, du, sa hun. – Men jeg tror faktisk de er svært trofaste mot hverandre.

– Ja ja. Hvis du sier det.

– Derfor er det trist. Hvis noe skjærer seg mellom dem.

– Det er det sikkert, sa han.

Hun ble liggende og se i taket. Døra inn til stua stod åpen, hun hørte at han hadde lagt flere kubber på peisen med det samme han hentet vinen. Hun visste at hun ikke burde si mer nå.

– Ville du synes at det var tristere hvis de var et heteropar med trøbbel etter tolv år? sa hun.

– Hadde vært mer naturlig, i hvert fall.

Hun laget en liten latter og sa: – Er du homofob, eller? før hun skyndte seg å kysse ham.

– Syns bare ikke det er helt normalt. Spesielt når jeg tenker på hvordan de *gjør* det.

– Ikke tenk på akkurat det, da.

– Men det er ekkelt. Jeg syns det er ekkelt.

– Ingen har jo bedt *deg* om å gjøre det, sa hun.

– Nei. Men jeg ville ha følt meg uvel sammen med sånne.

– Sånne?

– Homser, sa han.

– Tror du Erlend ville ha voldtatt deg, eller? sa hun og lo, hun kjente hvordan hjertet hamret, han måtte vel

156

kjenne det han også, hvordan hjertet slo som et stempel i kroppen på henne.

– Nei. Men kanskje flørtet litt. Da ville jeg ha spydd.

– Men herregud da, Christer ...

– Jeg sier det bare sånn som jeg føler det. Jeg ville spydd.

De elsket ikke mer. Hun gikk på do og satt der lenge og telte kvisthull i panelet, og da hun kom tilbake, var han sovnet. Hun tenkte på de fem hundene i hundegården som ennå ikke var lukket inn i burene sine, og kledde på seg og gikk ut til dem.

De visste selv hvem som skulle hvor, og krøp tilfredse og trøtte inn på halmen sin. Hun satte seg på huk ved Luna og strøk henne lenge.

– Fine, vesle jenta ... Det er en skikkelig machofyr du har der inne. Skulle nesten tro han var litt homo selv.

Luna logret og slikket henne på håndleddet.

Hun lukket buret og ble stående og se på himmelen. Et svakt slør av nordlys gled over åsene. Det er ikke farlig, tenkte hun, man kan jo være uenige om alt mulig når man er glad i hverandre. Hun skulle bare ønske at det ikke hadde vært nettopp dette. Da heller politikk og religion og om det var riktig å bruke ti tusen til cellegiftkur på en katt. Alt annet enn akkurat dette.

Hun stod i fulle klær. Og der stod bilen. Hun ble stående litt til, så gikk hun inn, kledde av seg og krøp ned under dyna til ham. Han våknet ikke. Pusten hans var slik den pleide, alt var egentlig slik det pleide.

I DAG SKULLE DEN NYE HUSMORVIKAREN komme. Han syntes det var som i går at han gikk her og kvidde seg for å få fremmede i huset, og så var det på'n igjen. Han formante seg selv hvor fint det egentlig gikk sist, tross alt, og at Electroluxen var brukbar. Men likevel. Hvem som helst kunne komme. Nå fantes det til og med mannlige husmorvikarer, hadde han hørt på radioen. Bra han hadde hatt Erlend rundt seg i jula da, så han ikke fikk helt sjokk hvis han skulle bli nødt til å se et mannfolk spankulere rundt med forkle på seg.

Etter morgenstellet i fjøset gikk han i gang med rottesjauen, med kvalmen i halsen. Alt tålte han ellers, grisemøkk og etterbyrd og råtten mat i kjøleskapet, han drakk til og med surnet melk uten å mukke, heller det enn å slå den i vasken, og han stappet farens sjeldne underbukser i vaskemaskinen uten å lee på et nesebor. Men dette. Rottelik i veggene. En søtlig eim som minnet litt om nybakt brød hvis man ikke visste bedre.

De begynte å komme frem på låvegulvet også nå, slepte seg frem til de stupte, med blod ut av kjeften. Det var visst knust glass i den giften, de ble skåret opp innvendig. Til pass for dem. Komme her og invadere livsverket hans. Om Mattilsynet eller en KSL-inspektør fikk snusen i dette, kunne han risikere å få leveringsnekt til slakteriet.

Han fant to inne ved traktoren og skjøv en spade inn-under dem. Fellene stod som vanlig tomme, med havre-gryn i. Han fant en til borte ved inngangen til fjøset som nå var spikret igjen, og en siste ved Volvoen. Han bar spaden med dinglende haler ut og rundt på baksiden av låven, hvor han hev dem utpå der han brente søppel. Der havnet i sin tid madrassen etter moren, der havnet alle grisunger som døde. Heldigvis fikk han berget de to små til Trulte ved hjelp av varme bad, det hadde han minsanten ikke trodd, at noe så enkelt som en bøtte med varmtvann mor-gen og kveld i noen dager var alt som skulle til.

Han slo godt med parafin på rottelikene og tente på, før han gikk inn på låven igjen og ga seg til å snuse. Den søte likeimen skar vammelt gjennom grisehuslukta. Var-men fra fjøset fikk dem til å råtne fort når de la seg til å dø langs bjelkene utenfor fjøset. Han kom til ved å stå på en krakk og skyve spaden inn, for deretter å grave til seg det spaden greide å fange, slimete, råtten dritt med flak av pels. Og når våren kom med varmen – gudene visste hvor mange flere som dukket opp bak veggplankene. Hvis ikke de frysetørket, da, tenkte han håpefullt.

Innimellom slo det ham at dette slaget var tapt, han greide ikke å forgifte dem fort nok, han måtte ha hjelp. Men like fort slo han tanken fra seg. Det var nederlaget i det, ingen måtte vite det. Det hadde forundret ham selv etterpå, at han fortalte det til Margido. Og han var like forundret over det Margido hadde sagt om Erlend. Selv hadde han gått her og trodd at det var Jesus i egen høye person som sa at menn ikke skulle ligge med menn.

Han spadde opp sølet på gulvet, det måtte ha vært en to–tre rotter, han ville bli nødt til å sjekke den bjelken dag-lig fra nå av, få tatt dem før de råtnet. Han bar svineriet rundt til flammene og hev det innpå, slo litt mer parafin på også. Etterpå stappet han spaden hardt i snøen mange ganger, til den var ren. I vaskerommet vasket han hendene i kaldt vann og Sunlightsåpe til de ble knallrøde. Han tok av den gamle fjøsdressen han brukte til denne jobben, og hengte den ute sammen redskapen. Det måtte ikke være en eneste forbindelse mellom rottene og grisene hans. Unntatt fluene, da. Fluer greide ingen grisebonde på Guds grønne jord å få bukt med.

En katt. Han burde få låne en katt eller fem. Låse dem inn på låven om natta. En kattunge var bare å glemme, den ville vel rottene gå i strupen på. Nei, dette måtte være en fullvoksen morderkatt, men hvor fikk man tak i slike. Kanskje han fikk ringe Røstad og spørre, en dyrlege burde vite det.

De satt som før da bilen rullet inn på tunet, han ved kjøkkenbordet, faren inne i stua. Faren var absolutt ikke like utålmodig og forventningsfull som forrige gang.

– Det er ei godt voksen dame, sa Tor, og betraktet hvordan hun på samme måte som jusstudenten plukket med seg utstyr fra bak i bilen.

– Jaha, sa faren.

– Tjukk.

– Jaha.

– Ser ut som en husmorvikar. En gammeldags en.

– Huff, sa faren.

– Ja, det er din skyld.

– Marit Bonseth, sa hun etter å ha satt fra seg vaskesakene ute i gangen.

– Tor Neshov.

Hun svettet allerede, så han, bare av å bære sakene inn fra bilen. Mørkebrune krøller, litt bart på hver side over munnvikene, sammenvokste øyenbryn som på et mannfolk, rundt femti hvis han skulle tippe, svære bryster inne bak ei strikkejakke med glipende knepping.

– Gammeldags utslagsvask. Det er det lenge siden jeg har sett! Vokste opp på gård på Fosen, jeg, nemlig. Men nå har de pusset opp der ute etter at broren min tok over, til og med rødvinsstativ over kjøkkenvifta ved komfyren. Dere har ikke kjøkkenvifte, dere.

– Nei. Vi har vinduer.

Hun oppdaget faren gjennom den åpne stuedøra.

Marit Bønsvik, sa hun og gikk energisk mot ham med fremstrakt hånd, faren lettet så vidt på rumpa og presenterte seg, kastet i det samme et skremt blikk ut mot Tor.

– Vil du ha kaffe? sa Tor.

– Ja, det hadde vært godt før jeg setter i gang.

Kjøkkenstolen i stålrør og plasttrekk skrek da hun satte seg.

– Jeg har noen Mariekjeks, sa han.

– Det hadde vært godt, ja takk.

– Og sukkerbit?

– Ja takk. Og det er skikkelig kokekaffe, ser jeg.

– Vi har ikke trakter, sa Tor.

– Det skal du bare være glad for. Det må være ordentlig kaffe.

Hun så seg rundt, stakk en Mariekjeks i munnen alt før han fikk fylt kaffekoppen hennes. – Her føler jeg meg hjemme. Akkurat et sånt kjøkken vokste jeg opp med. Ordentlig vedkomfyr også. Husker ennå da mamma fikk elektrisk komfyr, jeg. Alt kokte over.

Han burde bli glad for skrytet, men han ble det ikke og visste ikke helt hvorfor. Hun fylte liksom kjøkkenet til randen, og det var jo ikke derfor hun var her.

– Jeg pleier å gå i fjøset når … hjemmehjelpen er her, sa han. – Og oppe behøver du bare ta badet. Soverommene ordner vi selv.

– Jaha? Hvorfor det? Jeg kan da vel ta av sengetøy og vaske over gulvene der inne?

– Nei, du behøver ikke det.

– Jeg er her for å vaske, det er jobben min, det handler ikke om hva jeg behøver, sa hun og smilte.

– Men du trenger ikke det, sa han.

– Hva har dere der inne da? Som dere er så redd for? sa hun og brøt ut i gapskratt, det glitret i sølvfyllingene som delvis var dekket av Mariekjeks.

– Vi ordner oss selv der inne, sa Tor og reiste seg. – Og nå går jeg i fjøset.

Da han fikk lukket fjøsdøra bak seg, stod han lenge og hatet faren, som avstedkom alt dette med maset sitt om å komme på hjem. Men hit ut kunne *han* gå, det kunne ikke faren. Alt han gjorde, var å ordne med veden, og i det siste var det blitt sjeldnere at han gjorde den slags arbeid også. Det var vel forståelig på et vis, vedhogst var hardt arbeid. Selv om den var kappet, så måtte den kløyves, egentlig var han forbløffet over at faren hadde greid det så lenge. Han syntes han så ham stå der, med kubben høyt løftet over hodet, for så å delje den mot hoggestabben, la den splintres i alle retninger. Kanskje hadde han undervurdert gamlingen. Eller overvurdert ham, lagt altfor mye på skuldrene til en gamling som han. Han fikk hjelpe til litt med veden heretter.

Han gikk bort til gluggen og kikket over mot huset. Kjøkkenvinduene var dugget igjen allerede, og der kom jammen faren ut av døra, stavrende i retning vedskjulet med sinkbaljen i neven, i filttøflene sine. Han hadde det visst syndig travelt. Dette var noe ganske annet enn ei byjente med ørepropper. Og at hun kom fra Fosen. Av bondeslekt. Verre fremmede kunne man nesten ikke tenke seg.

Blikket hans falt på skapet, han åpnet det, løftet ut akevittskvetten, skrudde av korken og satte flaska for munnen, drakk den tom, det var ikke mye igjen, men en god slurk ble det. Han holdt munnen innunder springen og lot kaldt vann skylle etter. Han ble stående og vente på varmen, og der kom den, sammen med lettheten. Og en en liten latter over hva de hadde fått i hus, han fikk lyst til å ringe Margido og fortelle det, kanskje han burde skaffe seg en slik mobiltelefon, det var ikke verre enn vanlig telefon, sa Torunn. I stedet for å legge på røret trykket man rød knapp, og i stedet for å ta av røret trykket man grønn. Han kunne stå i fjøset og snakke med henne. Men plutselig kom han på at han holdt det skjult for henne, dette med rottene. Hva om ei rotte plutselig kom byksende, og han skrek opp og ble avslørt.

Han kikket ut av gluggen igjen. Døra til vedskjulet stod på gløtt, faren var der inne ennå. Skulle de bli nødt til å gjemme seg i fjøs og vedskjul en gang i uka? Han begynte å flire, og flirte enda mer over at han stod her og flirte, han hentet skvetten med den danske snapsen og tømte den flaska i samme slengen også. Godt med alt som var gjort, og vannet smakte fortreffelig som forsinket blandevann. De hadde godt vann her på Neshov, ingen skulle si noe annet. Han kikket ut av gluggen igjen og hikstet til. Det var henne, på vei hitover. Hitover! Hit inn kom ingen, unntatt dyrlegen og Torunn. I ett byks var han borte ved døra og rev den opp.

– Ja?
– Men kjære vene, hva er det med deg?

– Hva var det ... hva er det du vil?

– Det er telefon til deg. En Torunn.

– Si at jeg ringer senere.

– Greit det. Men du behøver ikke være så ufin når jeg tar meg bryet med å varsle.

– Unnskyld, det var ikke meningen å ... Jeg bare skvatt litt.

– Ja vel, sa hun og snurpet leppene sammen, før hun snudde seg og gikk tilbake. Hun hadde skiftet til et blått kjoleforkle med sløyfe bak nakken og i korsryggen. Overarmene hennes stod tykke ut av en kortermet genser. Halvveis over tunet ropte hun bakover mot ham: – Du bruker vel ikke de samme klærne i fjøset som inne?

– Det er ikke lov, det! ropte han. – Det er smittevernregler for sånt!

– Du skjønner godt hva jeg mener, sa hun. – Ikke gjør deg til.

Han hentet ei av ølflaskene inne ved fødekassen hvor han satte dem til tining, og åpnet den. Hun hadde ikke vært her en time ennå, og allerede hadde hun fått ham til å si unnskyld og kjeftet på ham for fjøsklærne. Han gikk da aldri med fjøsdress inne, men resten var han jo ikke så nøye med, og lukta satte seg jo helt inn til undertøyet.

På Fosen skifter de vel underbukser etter å ha stelt med dyrene, tenkte han, jeg syns jeg *ser* det. For et kvinnfolk. Moren hadde også mast med den fjøslukta.

– Faen meg den lukta jeg lever av! sa han og slo flathånda i benken. Han tømte ølflaska i et eneste langt hiv og rapte godt og grundig, var borte i gluggen igjen. Døra til skjulet stod på gløtt, faren hadde vel hørt hele ordvekslingen og godtet seg, stod der inne og beinfrøs uten engang noe å drikke på.

– Hjem. Jeg skal gi deg *hjem*, jeg. Nå skal vi faen hakke meg ha en slik furie gående her ...

Han rev opp fjøsdøra og marsjerte over til vedskjulet, trampet inn, kjente rusen ligge som glatt stål i tunga. Faren satt på hoggestabben, og ansiktet hans lyste av naken angst idet Tor trådde inn i halvmørket.

– Bare meg, sa Tor.

– Takk og lov.

– Vi vet hvem sin skyld det er.

– Ja.

Hvorfor sitter du her og gjemmer deg, da?

– Hun sa jeg skulle gå og dusje, hvisket faren.

– Var det ikke det du ville? Komme på hjem, så noen kunne si akkurat det?

– Nei, jeg vil ikke.

– Vil ikke hva da?

– Jeg ... jeg vet ikke.

Plutselig begynte Tor å le, faren smilte skrått og forbauset og bare så på ham, blåste på fingrene sine. Han fortsatte å le, måtte holde seg i siden, han kunne ikke for sitt bare liv huske når han sist hadde ledd så godt, om han noensinne hadde gjort det. Men alt var bare latterlig, faren på hoggestabben, han selv ute i fjøset, kvinnfolket fra Fosen der inne som akket og ojet seg over en skarve utslagsvask.

– Vi går inn, sa han til slutt og tørket seg i øynene. – Vi går inn og sier hvem som bestemmer hvor skapet skal stå og at hun derre ... hun derre ...

– Marit Bonseth, sa faren.

– At Marit Bonseth bare kan la skapet vårt stå i fred.

– Har du tatt deg en dram?

– Nei. Kom. Vi går inn.

– Vi må ha ved.

– Det ordner jeg, sa Tor. – Flytt deg.

165

Det var på den tredje kubben at øksa glapp, skar skrått løs fra kubben idet den traff hoggestabben og plantet seg dypt i låret hans, hvor den ble stående noen seige sekunder før den falt ned på flisgulvet med blodig økseblad.

Han bøyde nakken og glante på blodet som veltet frem fra buksestoffet. Faren stod med ryggen til og plukket vedskier fra den forrige kubben og puttet i sinkbaljen.

– Jeg ... jeg ...

Faren snudde seg og nistirret på låret hans, deretter opp i ansiktet på ham, blikkene deres møttes.

– Fjøset, sa Tor. Det var det eneste han tenkte på. Fjøset. Ikke låret.

– Jeg henter henne! sa faren med skingrende stemme og kavet seg ut av vedskjulet med lange og skjelvende skritt. – Hallo! ropte han, før han var kommet ut døra engang. – Hallo! Hjelp! Marit Bonseth!

Han ség sammen på gulvet, forsøkte å rive opp buksestoffet, greide det ikke, forsvant litt. Da han kom til seg selv igjen, var de der begge to, de raget over ham, hun med håndklær fra kjøkkenet.

Han lå og stirret opp på henne uten å snakke mens han betraktet hvordan hun rev håndklær i strimler som om de var laget av papir. Deretter flerret hun buksebeinet opp og knyttet stramt over og under såret; han lot være å se på. Til slutt knyttet hun et nytt håndkle rundt hele låret.

– Da drar vi, sa hun og rettet seg opp.

– Drar? Hvor da?

– Til sykehuset.

– Men kan vi ikke bare ... *Du* kan da vel ...

– Det er altfor dypt. Kom deg på beina nå. Jeg kjører deg inn, kan du skjønne.

– Nei! Jeg kan ikke reise fra fjøset!

Hun grep armen hans og begynte å hale i den.

– NEI, har jeg sagt!

– Du må dra, Tor, sa faren.

– *Du* holder deg her, sa han.

– Ja.

– Og så må du … Ring Margido. Nei … ring …

– Kom deg opp nå, da! sa hun. – Du kan ikke ligge her! Du blør som en gris! Det er helt inn til beinet!

Han lot henne trekke seg opp, alt seilte, han grep faren i skulderen. – Du må ringe Røstad, be ham få tak i avløser til i kveld. Deretter ordner jeg alt selv. Hører du?

– Ja, sa faren.

– Har aldri hatt avløser, sa han og så rett på Marit Bonseth, ansiktet hennes var bare noen centimeter fra hans, hun delvis støttet og dro ham mot bilen. – Aldri i mitt liv har jeg hatt det! Jeg har alltid klart alt selv.

– Det lukter sprit av deg.

Hun åpnet bildøra, stappet ham inn og smalt døra igjen, han rullet straks ned vinduet, panikken var i ferd med å overmanne ham, overgå både smerten og sjokket. Mens Marit Bonseth sprang inn etter veska si, vinket han på faren, som fremdeles stod tafatt med nakent ansikt foran vedskjuldøra.

– Kom hit! Kom *hit*, nå da! *Skynd* deg!

Faren kom brått stavrende, som om han var blitt vekket fra de døde.

– Ja?

Han hvisket mens han kastet blikk mot bislaget: – Gå inn i fjøset og inn på vaskerommet. Ta bort de tomflaskene som står der! To tomme spritflasker og ei ølflaske. Sett dem …

Han kunne ikke be faren om å slippe dem i den gamle utedoen, da ville han høre glass treffe glass.

167

– Sett dem langt inn i underskapet der!

– Du sa at du ikke hadde …

– Gjør som jeg sier! I midtgangen i fjøset står det noen uåpnete ølflasker også, sett dem i skapet på samme plass. Og ikke et ord til Røstad eller avløseren om rottene. Skjønner du?

Faren nikket.

– Og du ringer *ikke* Margido.

– Nei.

– I morgen er jeg helt fin igjen. Vi trenger ikke å plage ham med dette.

– Nei.

Da var hun der, Marit Bonseth, satte seg inn i bilen, måtte åpne døra igjen fordi kåpa hennes var kommet i klem.

– Lukk igjen vinduet, sa hun. – Det blir altfor kaldt når vi kjører. Svetter du? Eller fryser? Da kan det være at du har fått sjokk, nemlig.

– Er helt fin, jeg. Bare kjør, sa han og rullet opp vinduet.

Hun kjørte. Kjapt og besluttsomt i svingene. Han stirret rett frem en stund, deretter ned på det rutete kjøkkenhåndkleet rundt låret. Det piplet blod gjennom stoffet midt på, det rant ned på setetrekket under. Setetrekket var av plast, men plasten hadde små hull tett i tett, blodet ville trekke gjennom og inn i stoppen. Han kikket over på henne, hun besvarte fort blikket hans.

– Går det bra? sa hun.

– Har aldri hatt avløser før, sa han. – Det er sant, ikke bare noe jeg sa.

– En gang må være den første, sa hun.

Hendene hennes på rattet var blodige, langt innunder neglene.

– Unnskyld bryet, sa han. – Det blir søl på setet her.

– Det ordner seg nå, slapp helt av.

– Og jeg har ikke drukket, sa han.

– Jeg er av bondeslekt fra Fosen, og jeg er ikke født i går. Men jeg har ikke tenkt å snakke med noen om akkurat det. Når jeg *jobber* for dere og alt mulig. Det kunne vært verre.

Det kunne han ha innvendt en hel del til, men han valgte å la være, lukket i stedet øynene og forsøkte å unngå å tenke på rotter og tomflasker.

HAN FANT NÆRMESTE VANNHULL, bestilte en dobbel espresso, ei flaske Danskvand, og en ciabatta med salami, feta og svarte oliven. Mannen bak disken var ung og farget, med sixpack-mage under tettsittende, svart т-skjorte uten dekor på brystet, bare med et Levis'-merke på kanten av skjorteermet. Trang dongeri, smale og lange fingre. De så sterke ut, som på en pianist. Ikke en ring, verken på fingre eller i ørene, hele mannen virket *ren* og ubesudlet. Erlend følte seg straks litt bedre av å se på ham, men sukket likevel tilsiktet tungt da deiligheten kom spaserende med mat og drikke på et rundt, svart brett og plasserte alt foran ham, inkludert kassalappen. Han elsket disse knelange forklærne som hippe kaféansatte brukte, hvor stjerten stakk ut bak, som en liten nyhevet kanelbolle.

– Det var litt av et sukk. Er verden i ferd med å gå under? Uten at jeg har registrert det, her inne bak persiennene?

– Ja. Det er den, sa Erlend og løftet opp kassalappen, lot som om han studerte den. – Hvordan ville *du* føle deg hvis du på en helt hverdagslig fireogtyvende februars drittdag får vite at din tomsing av en storebror langt oppe på en nitrist gård i Norge kapper av seg beinet og i tillegg har fått gården invadert av rotter? Og muligens, på toppen av det hele, er blitt alkoholiker fordi du ga ham en Gammel Dansk på julaften?

– Det var *s'gu* en munnfull, du.

Erlend så fort opp på ham. Flørtet han? Mannen møtte smilet hans. Nei, dessverre, det var et superstraight smil. Nok en ting å notere på listen over årsaker til dyp depresjon.

– Det kan man si, absolutt en munnfull, sa Erlend og smakte på espressoen.

– Så dette er ditt siste måltid før du skal iføre deg fløyte og leke rottefangeren fra Hameln?

– Er du gal. Jeg skal jo ikke *dra* dit.

– Det burde du vel. Man greier ikke å fange rotter på ett bein.

– Jeg har en annen bror. Der oppe. Han tar seg av det. Så hvorfor i himmelens navn behøver han å ødelegge *min* dag ved å *fortelle* det? Helvete heller ...

– Jeg tror du trenger en konjakk til den espressoen. Jeg henter en. På huset.

– Men klokka er bare to, sa Erlend.

– Den er nok ni om kvelden ett eller annet sted.

– I Shanghai.

– Er den det?

– Ja, det vil jeg absolutt tro. Så jeg sier ja takk. Og siden jeg har en dobbel espresso, bør jeg nok ha en dobbel konjakk også, sa Erlend. – Jeg betaler selvsagt den halve selv. Jeg mener ... den ene hele. Forresten kan jeg spandere en på deg også, hvis du holder meg med selskap.

– Jeg går av vakt nå.

– Der ser du. Perfekt. Skynd deg.

Det ville passe ham utmerket å prate med en vilt fremmed. Som å ringe inn på et kontaktnummer hvor ansiktsløse stemmer satt telefonvakt og skulle forhindre at man begikk selvmord eller tok en overilet abort eller øksedrepte sin nærmeste familie. Når han tenkte etter, havnet han i alle tre kategorier, selv om det med aborten egentlig bestod i å forhindre overilet unnfangelse.

– Så du kommer fra Norge?

– Nei, jeg *kom* fra Norge. Nå er jeg her. Og jeg heter Erlend.

– Jeg er Jorges. Fra Algerie, via Frankrike i mange år, Paris. Er du kjent i Paris? sa han og strakte hånda frem for å hilse, hånda kjentes akkurat slik den så ut, sterk og varm og potensielt grusomt besluttsom. Den kunne ha spilt Brahms' ungarske danser til årle morgen om den ville.

– Jeg fikk bedervet Beluga-kaviar i en restaurant i Les Halles en gang, sa Erlend og trakk hånda til seg, utelukkende ved hjelp av monogam viljefasthet. – Det er alt jeg forbinder med Paris. Toalettskålen og flisemønsteret på hotellbadegulvet, det gikk i svart, offwhite og mosegrønt. Jeg er mer et New York- og London-menneske. Franskmenn blir jeg ufattelig sliten av, de roper og vifter med armene, de minner meg om bergensere, men det vet ikke du hva er, og så er det ingenting *bak* all ropingen, hvis du skjønner. Ikke ta det personlig. Men du snakker nesten perfekt dansk, Jorges.

– Takk. Og jeg er hetero.

– Det oppdaget jeg øyeblikkelig, dessverre. Men jeg flørter litt likevel, det ligger nedfelt i min natur. Så det skal du heller ikke ta personlig. Dumt at du har tatt av deg det forkleet, forresten. Det kledde deg fantastisk godt.

– Jeg har jo fri etter to.

– Men det kler deg. Bruk det døgnet rundt. Også til sengs. Forkle og ingenting annet.

Jorges lo med tenner så hvite at han burde levere ut solformørkelsesbriller til alle som fikk oppleve det. Ganen hans var rosa og rillete, som på en katt.

– Nå er det du som flørter, sa Erlend og svelget.

– Jeg lo!

– Det kommer ut på det samme. Når du ler med åpen munn på den måten.

– Okey. Jeg ler ikke mer. Så broren din har kappet av seg beinet. Høres dramatisk ut. Har man funnet den igjen? Beinet?

– Ikke kappet den helt av, men hugget inn til beinet. Innlagt på sykehus i går og slipper ikke ut. Har hysterisk anfall fordi han må være der noen dager, han vil hjem til grisene sine, han er grisebonde.

– Det er vel andre som kan hjelpe ham med dyrene?

– Jo da, men han liker det ikke. Grisene er alt han har.

– Og brødrene sine.

– Nå ja. Der ligger det også en munnfull. Begravet. Under en død hund som ikke skal vekkes for ofte. Men skål, du unge, smekre.

– Skål.

Han nøt synet av Jorges munn som spisset seg mot kanten av glasset. Det svarte krøllete håret hans var så blankt at det virket lakkert, én enkelt krøll lå tvinnet rundt den ene øreflippen hans.

– Men jeg syns det lyder som en usannsynlig galopperende alkoholisme, det du sa om snapsen på julaften, sa Jorges og satte glasset ned.

– Faren min sladret. Ja, han er egentlig ikke faren min, men han sladret til broren min.

– Er han ikke faren din?

– Nei, halvbroren min. Og han sladret til broren min, som snuste litt rundt i fjøset og fant tomflasker i skapene. I utedoen også.

– Så han drikker i fjøset? Det lyder besynderlig. Gjør man det i Norge?

173

– Han kunne ikke drikke inne, på grunn av moren min.

– Er hun også halvbroren din, egentlig?

– Nei. Men der på gården drikker man ikke så noen ser det. Egentlig.

– Jeg henter mer konjakk.

– Gjør endelig det. Men da må du ta på deg forkle. Siden det nesten blir som å jobbe.

Han lente seg tilbake. Han hadde ikke rørt maten, ciabattaen virket tørr, salamiskivene som stakk ut, var mørke og blanke og krøllet seg langs kantene. Egentlig var han på vei hjem da Margido ringte. Og Margido var så ute av seg at det ikke gikk an å spøke om *date* eller nyttårsaften eller noe. Et papirhandelvindu på Nørrebro stod nå delikat dekorert med håndlaget japansk papir og kalligrafipenner og japanske tegn han hadde fått blåst opp og silketrykt i svart og rødt på rispapir som bakteppe. En enkelt hvit orkidé var eneste dekor utover produkter og bakteppe. Det var et bitte lite vindu, ikke plass til mye, men de ville ha høykvalitetspreg, og hvem ringte man da, om ikke Erlend Neshov. Hvem som helst andre ville ha overlesset vinduet inntil det taktløse, nettopp fordi det var lite.

– Vær så god, en ny dobbel, sa Jorges. – Men hvorfor spiser du ikke?

– Det ser tørt ut.

– Beklager. Smurt klokka ni.

– Jeg ser det.

– Jeg syns du bør reise til broren din. Man spøker ikke med avkappete bein og rotter og alkoholikere.

– Men hva kan *jeg* gjøre der oppe?! Jeg er livredd sånne digre griser. De er *rovdyr*, har broren min sagt, og jeg tåler ikke fjøslukt. Dessuten var jeg der i jula, det holder i massevis. Og akkurat det samme vil Krumme kanskje si til meg, at jeg bør reise, derfor må jeg holde dette hemmelig for ham.

– Krumme. Samboeren din?

– Ja.

– Man holder ikke slike alvorlige ting hemmelige for samboeren sin, Erlend. Det gjør man bare ikke.

– Han har holdt sine ting hemmelig for meg.

Jorges så spørrende på ham.

– Om at han ville at vi skulle få et barn, sa Erlend og pustet ut, nå var det sagt, til en vilt fremmed, han stirret ned i konjakken. Om litt ville den være i magen hans, det var en deilig tanke. Og det var mer der den kom fra, alkohol var absolutt det mest velegnete middelet når man ville oppnå glemsel og likegyldighet, han skjønte utmerket godt at Tor fikk lyst på litt å drikke, og Margido overdrev nok noe voldsomt, de flaskene i utedoen kunne ha ligget der i årevis. Han hadde god lyst til å bestille en solid pol-leveranse til Neshov, tilkjørt av Vinmonopolets prangende biler og stablet i kasser ute i fjøset, det ville gitt Margido litt å tenke på.

– Han mener vi skal opp på et nytt plan fordi han ble påkjørt og nesten drept og lurte på hva han skulle gjøre med resten av livet sitt.

– Dere har vært sammen lenge? sa Jorges.

– Tolv år.

– Og du vil ikke? Få et barn?

– Nei.

– Elsker du ham?

– Ufattelig høyt.

– Er du trofast mot ham, Erlend?

– Trofastere mann fins ikke på denne siden av månen. Krumme er likedan.

– Og han vil at dere skal få et barn.

– Ja. Det sa han.

– Men, Erlend. Det er jo en fantastisk kjærlighets-
erklæring.

– Hva? Hva mener du? sa Erlend.

– Det jeg sier. Å ønske et barn, at dere fikk et barn, det
er jo den største kjærlighetserklæring som fins. Den totale
tillit.

Han kjente hvordan tårene fra ett sekund til det neste
begynte å fosse fra øynene. Han trykket fingrene mot dem,
Jorges grep om håndleddet hans.

– Jeg har fått en fremmed mann til å gråte. Unnskyld,
sa Jorges lavt.

– Å gud å gud å gud. Unnskyld meg, altså. Å gud, folk
stirrer nok ...

– Lokalet er tomt, det er lenge siden lunsj. Slapp av.

– Å gud å gud ... Ikke slipp hånda mi! Hvorfor gråter
jeg? Faen faen ... Ikke *slipp*, sa jeg!

– Gud og fanden i samme setning, er det også typisk
norsk?

Han begynte å le i stedet for å gråte, dro hånda til seg,
plukket opp servietten, tørket øynene forsiktig så ikke
kajalen klisset, snøt nesa og møtte Jorges' blikk.

– Takk, sa han.

– Fordi jeg fikk deg til å gråte? sa Jorges.

– Ja. Du sa noe jeg ikke har tenkt på. Ikke tenkt på, på
den måten.

– Men hva mener Krumme? Hva sier han? Og hvorfor
vil du ikke, hvis dere har vært sammen i tolv år?

– Du spør mer enn ti vise kan svare. Og jeg har ikke
annen utdannelse enn norsk grunnskole.

– Forsøk, sa Jorges. – Jeg henter hele konjakkflaska.
Eller ... det som er igjen av den.

En time senere tok han en taxi til Krummes avis, i heisen opp studerte han ansiktet sitt i speilet. Øynene var fremdeles røde, og han hadde ikke med seg Clear Eyes, men det ga han blanke blaffen i. Hjertet hans slo som en damphammer, helt ut i strupehodet, han fikk vanvittig lyst på en sigarett, men var tom.

Han nikket til bimboene i resepsjonen uten å senke farten, men de ropte ham tilbake.

– Du må skrive deg inn! Og tør man spørre om du har en avtale?

Hit kom han aldri. *Nesten* aldri. Forrige gang var for to år siden, da en gruppe dyrevernsaktivister gikk løs på ham mens han jobbet i vinduet på en pelsforretning og de sprayet både ham og dukkene og pelsene med julerød spraymaling, inkludert de kjempedyre perlehalsbåndene de bare allernådigst hadde fått låne hos A. Dragsted. Og så ble alt – alt! – dekket av rød spraymaling. Han hadde stormet opp i Krummes avis for å få dem til å utstede dødsstraff til aktivistene på *lederplass*, intet mindre, men Krumme fikk roet ham ned og tatt ham med hjem og skrubbet ham både i hår og ansikt med white spirit. Han luktet løsemiddel i ukevis.

Men når han nesten aldri kom hit, handlet det ikke om at Krumme på noe vis skammet seg over ham, eller holdt hemmelig at han levde med en mann, men at Krumme ville ha vanntette skott mellom jobb og privatliv. Han avskydde å ikke kunne ha fri når han hadde fri, og omgikkes ingen kolleger privat. Erlend fikk lett venner og kunne på ren impuls invitere hjem folk han likte, derfor hadde Krumme sagt at han ikke behøvde å fraternisere med noen på jobben hans. Dette respekterte Erlend fullt ut, han traff da spennende folk overalt og trengte ikke BTs ansatte. Jorges var allerede invitert til

førtiårsdagen hans, selv om han løy og sa han ble femog-
tredve.

– Skrive meg inn? Jeg skal til … Carl Thomsen.

– Han sitter i et møte. *Har* du en avtale?

– Drit i det, jeg finner ham, hvor skal jeg skrive meg
inn? Pek! Gi meg en penn!

– Vi har sikkerhetsrutiner …

– Ja, men jeg *har* en avtale!

– Det må vi undersøke med sekretærene hans. Sett deg
ned og vent så lenge.

Han ble stående. Krummes sekretærer kjente ham, og
tyve sekunder senere satt han på Krummes rotete kontor
og trakk inn luktene av papir og støv og sigar. Tre store
dataskjermer stod oppmarsjert på skrivebordet, med
printouts strødd overalt, en stor, hvit gipsbyste av Brahms
overvåket kaoset. Han hadde stereoanlegg og TV-apparat
og en sittegruppe i hvitt skinn som Erlend egenhendig
hadde plukket ut. Han oppdaget nå at hvitt hadde vært
en tabbe, trykksverte og dongeribukser hadde misfarget
den grundig, han fikk kjøpe noen flasker skinnrens og
sende med Krumme på jobb.

Han rotet rundt på skrivebordet til han fant en eske
Romeo y Julieta og tente en av dem. Han var midt i et
ukledelig hosteanfall da Krumme kom inn sammen med
en smellvakker kvinne på hæler høyere enn Rundetårn
og med pupper som kunne blitt resirkulert til minst fem
regndresser av den fineste silikon.

– Er det deg? Er *du* her? sa Krumme og smilte. – Har
noen vært slemme med deg?

– Ja, denne sigaren, sa han og hostet en siste og avgjø-
rende gang. – Du har ikke noen vanlige sigaretter? Jeg
trenger en røykepause.

– Jeg har, sa kvinnen og trakk en eske Marlboro opp av jakkelomma og bød ham. – Bare kom inn til meg etterpå, Carl, så tar vi det da.

De ble alene. Erlend sank ned i skinnsofaen. – Lukk døra, Krumme.

– Men hva *er* det? sa Krumme, puffet døra igjen med foten og mistet nesten balansen av det.

– Jeg ber om forlatelse, Krumme. Jeg tenkte bare på denne peisen, mens du ... Og jeg elsker deg jo, det vet du. Likevel ...

I taxien tenkte han nøye ut hva han ville si, men nå ble alt bare rot. Han slengte den utente sigaretten ned på bordet.

– Har vi snakket om en peis? Når da? sa Krumme.

– Nei, barnet!

– Barnet? hvisket Krumme og satte seg ned ved siden av ham.

Erlend grep hånda hans og klemte, lukket øynene og vendte ansiktet vekk, konsentrerte seg om å huske samtalen med Jorges og ordene han planla i taxien: – Jeg trodde dette barnet handlet om deg, at du ikke var fornøyd med det livet vi levde. Jeg tok feil. Jeg forstår det var ... er ... en kjærlighetserklæring. En tillitserklæring. Til meg. Jeg har vært en egoist. Tanken på et barn skremmer vettet av meg, det må jeg ærlig talt si. Jeg vet ikke om jeg har noe å gi et barn. Om jeg har noe å gi *videre*. Men jeg har også tenkt på bestefar Tallak, ja jeg har jo kalt ham det bestandig og kan ikke holde opp med det ... Men jeg har tenkt at han ga meg en hel del. Selv om vi levde i en boble av løgn, så ga han meg masse kjærlighet, nettopp fordi han visste at han var faren min, selv om ikke *jeg* visste det. Kanskje litt av den kjærligheten kan brukes til noe fornuftig. I alle fall, jeg

179

sier ikke ja, men jeg sier at vi kan snakke om det uten at jeg skal bli hysterisk ...,

Han åpnet øynene og snudde seg mot Krumme.

Krumme gråt, satt der helt stille i sofaen mens tårene rant. Han klemte Erlends hånd hardt.

– Mener du det? hvisket han.

– Min kjære, elskede Krumme, jeg mener akkurat det jeg sier. At tanken skremmer vettet av meg, men at vi kan snakke om det, kanskje med Lizzi og Jytte. Å være helt *alene* med et barn, som ikke har en mor, at barnet er *bare* vårt fireogtyve timer i døgnet og kjøpt og betalt hos en surrogatmor, den tanken liker jeg overhodet ikke, men jeg vil gjerne høre hva Jytte og Lizzi mener. Har du snakket med dem, Krumme? Uten at jeg ...

– Ikke om oss. Selvsagt ikke. Dette er jo ikke noe man snakker med andre om, før man selv ...

– Nei. Selvsagt ikke, sa Erlend.

– De fortalte meg bare at *de* har lyst på et barn, og jeg sa at det forstod jeg godt. Men de kan jo skaffe seg en sædcelle hvor som helst.

– Vi kan vel invitere dem på middag en kveld, sa Erlend.

– Ja, det gjør vi. I kveld?

– Allerede i kveld? Ja ... Ja, det kan vi vel.

– Å Erlend, lille mus.

De omfavnet hverandre hardt.

– Uansett hva det blir til, hvisket Krumme, – så blir det fint. Når jeg vet at du har våget å tenke tanken. Så blir det fint uansett hva vi blir enige om. Når vi er sammen om det.

Erlend nikket. Det passet seg ikke å komme med andre nyheter nå, om avkappete bein og rotter og smugdrikking på utedoen, selv om han selvsagt ville bli nødt til å si det. Men nå hadde han mer enn nok med å være lykkelig, han kjente hvordan lykken brant i ham, fysisk, og så kraftig at den overskygget selv den største redsel ved tanken på et barn. Uansett hva det ble til. Muligheten var jo alltids til stede for at Jytte og Lizzi anså dem totalt uegnet som fedre. Da hadde de i alle fall prøvd.

– Skal vi elske? hvisket han.

– Jeg tror du er gal, sa Krumme og skjøv ham fra seg og lo. – Mens Brahms ser på? Det tåler ikke hjertet hans. Stikk av gårde du nå, jeg handler på veien hjem, og så ringer du damene og inviterer, jeg har tusen ting å ordne her.

– Sammen med silikonpuppene?

– Ja, blant annet. Er det ellers noe nytt? Alt gikk fint med det papirvinduet?

– Alt gikk fint med vinduet. Ellers er det noen smånyheter nordfra, men det kan vi ta siden. Og så skal jeg kjøpe skinnrens til deg, denne sofaen ser jo bare ikke *ut*! Farvel, skatt.

Han kysset Krumme på panna og gikk, og stirret nedlatende på bimboene i resepsjonen da han passerte dem. På veien hjem stakk han innom et reisebyrå og plukket med seg brosjyrer fra de mest eksotiske reisemål han fant.

Han følte at det hastet, at det stod om timer hvis de noensinne skulle få se den kinesiske mur eller Great Barrier Reef, slått av en plutselig skrekkvisjon om å sitte isolert i leiligheten i atten lange år med et barn som aldri ville lære å bruke toalettet. Men hvis Krumme satt der isolert sammen med ham, var det en viss mulighet for at han ville holde ut. *Etter* at de hadde sett den kinesiske mur *og* Great Barrier Reef. Det ville han sette som et minstekrav. Kanskje Krumme ville dykke på revet.

Krumme i dykkerdrakt, det ville til og med bli bedre enn Krumme i den kroppsnære skinnfrakken sin.

MARGIDO FØLTE STERKT MED TOR og greide ikke å opp-
arbeide særlig indignasjon over den jevne strømmen av
bannskap som rant ut av ham, fra han fikk plassert ham
i bilen utenfor St. Olavs Hospital og til han fikk støttet
ham inn gjennom bislaget og kjøkkenet på Neshov og
plassert ham i en lenestol i TV-stua med beinet på en
skammel. Han var i sin fulle rett til å banne etter at
legene hadde sydd mange sting og bandasjert beinet fra
lysken og ned til midt på leggen, slik at kneet var avstivet.
Legene hadde forberedt ham på at det ville ta fem–seks
uker før gips og bandasje endelig skulle av.

Heldigvis visste Tor ingenting om at flaskene var av-
slørt, det ble Margido og den gamle enige om ikke å
nevne for ham. Tor ville uansett ikke greie å karre seg ut
i fjøset med det første, og dessuten var alle skap gjen-
nomsøkt. I tillegg til tomflaskene stod det noen uåpnete
ølflasker inne foran en av grisebingene, og dem hadde
den gamle satt i skapet på vaskerommet sammen med de
tomme. Han hadde vist dem til Margido.

– Hvor kaldt er det ute? sa Tor mens han tviholdt om
armlenene på lenestolen.

– Fem minus, sa faren. Han satt i den andre lenestolen,
helt ute på kanten av setet, med bustete hår og tommel-
fingre han tvinnet om hverandre i et voldsomt tempo.

182

Salongbordet var et eneste rot av kaffekopper og aviser og briller og forstørrelsesglass og fat med smuler og en pakke rosiner åpnet i feil ende.

– Hvordan er han, sa Tor.

– Avløseren?

– Ja. Hvem ellers.

– Jeg har jo ikke ... Han ordner seg selv, han. Men rottene ...

– Hvorfor skulle du mase med de helvetes rottene? Hva *sa* jeg til deg før jeg dro, hæh? Hva sa jeg?

– Han så dem selv. Eller han ... hørte dem. Tror jeg, sa faren og stirret i gulvet.

– Han så dem, sa Margido. – Jeg har snakket med ham. Denne Røstad ringte meg. Dyrlegen.

– Jeg vet hvem Røstad er, sa Tor. – Nå blir det faen hakke meg bare rot her!

– Det *er* rot, sa Margido. – Men trygdekontoret dekker avløser, det har du krav på. Og skadedyrfirmaet har alt vært her. Det må du betale selv. De var her i dag. De har brutt opp noen vegger og satt ny gift her og der. Men de sa det var mange. Fryktelig mange.

– Svarte faen ...

– Nå må du slappe av, sa Margido. – Dette går seg til, det er bare å ta tiden til hjelp. Og du har jo mye å gjøre med regnskapet, nå får du mer tid til det og slipper å tenke på fjøset. Jeg setter på litt kaffe.

– *Slipper* å tenke på fjøset? *Slappe* av? Skjønner du ingenting? Hvis rottene ødelegger for grisene mine ... Og slakteriet ikke vil ta imot ...

– Avløseren, som forresten heter Kai Roger Sivertsen, sa at så lenge det var tett og avstengt mot fjøset og fôrrommet, går det greit. Det sa denne Røstad også, sa Margido.

– Og Marit Bonseth skal komme annenhver dag, sa faren fort.

– Hva er det du *sier*? sa Tor. – *Annenhver* dag?

– Det har jeg ordnet med, sa Margido.

– Herregud ..., sa Tor.

– Hun handler inn for dere og lager middag til to dager, og hjelper deg med klær og sånn. Du kommer deg ikke opp trappa, jeg har med ei feltseng til deg som jeg har kjøpt på Ikea, og du må stelle deg på kjøkkenet. Det er verre med doen. Jeg har med et ... tørrklosett.

– Var det den bøtten bak i bilen?

– Ja. Den er helt ny. Jeg slår en slags væske i bunnen, da skulle det ikke lukte, sa de. Jeg setter den i kottet i gangen.

– Du har jaggu tenkt på alt, sa Tor hardt.

– Nå skal jeg hente ned sengetøy og tannbørste og håndklær og sånn, så det er gjort. Men først kaffen, sa han.

– Dette går lukt til helvete, sa Tor og ristet på hodet før han satte øynene i den gamle. – Og det ser jo ikke ut her! Du kunne jo rydde litt, du også. Så slapp vi kanskje husmorvikar!

Faren satt på samme sted og stirret i gulvet, svarte ikke. Tommelfingrene gikk hissig, rundt og rundt.

Senga til Tor så ikke spesielt ren ut. Margido kikket rundt i rommet, her var det årevis siden han hadde vært. Nattbordet stod nakent bortsett fra ei gammel vekkerklokke med små halvbjeller på toppen, en metallpinne dundret løs på bjellene når den ringte, den måtte trekkes opp for hånd. Han så for seg Tor i lange, hvite underbukser og underskjorte sitte på sengekanten og gjøre akkurat det, i en stor stillhet, bare med lyden av opptrekksnøkkelen på baksiden av klokka som han vred rundt og rundt til den ikke kom lenger. Et stort, lysegrønt klesskap innfelt i veggen, ei fillerye, blå gardiner, en skjenk inne ved veggen, en panelovn montert rett under vinduskarmen, med rustflekker etter regndråper som forvillet seg inn av det åpne vinduet når det var vestavær. Grå tog av støvdotter lå langs alle gulvlister, et gammelt, avrevet plaster lå på gulvet foran skjenken. Han åpnet nattbordsskuffen, et årshefte for Norsk Svineavlslag, han skjøv det litt til side, under lå ei bok, han løftet den frem, ble stående åndeløst og studere den i noen sekunder, før han åpnet den bakerst. Tiende november nittenniogseksti. Han skyndte seg å legge den tilbake, skiftet putevar og dynetrekk og fant et rent laken og håndklær, vaskeklut og underbukser. På badet stod to tannbørster i et gult plastglass, fra toppen av trappa kremtet han først grundig for å kjenne at stemmen ville bære normalt, før han ropte ned: – Hvem sin er den røde tannbørsten?

– Min, svarte Tor.

Hjemme i leiligheten var arbeidsfolk i full sving, han hadde sluppet å vente mer enn ei uke før de satte i gang, det var ikke mange som hadde råd til å sette i gang med slik opp-pussing rett etter jul. Om to timer hadde han en bisettelse i Tilfredshet kapell, damene ville ordne med lysestaker og blomster etter at han hadde hjulpet til med å få båret kista inn og plassert den på katafalken. Deretter hadde han hentet heftene på trykkeriet før han dro på St. Olavs for å kjøre hjem Tor. Takke himmelen for at denne Marit Bonseth ville påta seg jobben med å komme hit så ofte. Det var umulig å få gjennomført hyppig tilsyn på såpass kort varsel, derfor hadde hun på eget initiativ sykemeldt seg og lot Margido betale direkte. Han forsøkte å ikke tenke på det uetiske i det, men greide ikke helt å la være. Likevel, det var hennes idé, hun tilbød seg det, og hva skulle han gjøre, kommunens budsjetter var presset til bristepunktet, mang en gang hadde han gjennomført likstell hjemme hos gamle folk som hadde levd i elendighet, prisgitt en hjemmehjelp eller hjemmesykepleier som la dem til sengs rett etter Barne-TV og som overså forfallet og fortvilelsen. De var bare mennesker, de også, og rakk ikke over alt. Det visste Marit Bonseth like godt som han selv, han burde være henne evig takknemlig for at hun forbarmet seg over dem, og heller tenke at sykepengene hennes var en annen måte for Tor og den gamle til å få det de egentlig hadde krav på. Mange skattekroner var løpt i statskassen fra Neshov, og de hadde knapt belastet det offentlige helsevesenet tidligere. Han forsøkte også å ikke tenke på alle pengene som strømmet ut fra hans egen konto, selv om han innerst inne visste at det ikke var noe problem. Han hadde aldri unt seg noe kostbart, byrået gikk bra, leiligheten var nedbetalt for lenge siden, alle konti i banken svulmet så til de grader at han månedlig fikk telefoner fra banken om at han burde investere i fond og aksjer. Men det hadde alltid virket utrygt og skremmende, og det var han glad for nå. Pengene var tilgjengelige og ikke bundet opp i tull og tøys. De kunne brukes nå som han trengte dem.

Med litt plunder fikk han slått opp feltsenga i hjørnet bak TV-apparatet og begynte å re opp.

– De smertestillende tablettene dine og antibiotikaen ligger på kjøkkenbenken. Husk at de smertestillende er svært sterke, ikke mer enn én tablett tre ganger om dagen, det er hundre i boksen, da har du til litt over en måned, men så lenge tviler jeg på at du trenger å bruke dem. Og Torunn ringer i kveld. Hun vet at du kommer hjem i dag.

– Det gjør hun nok, sa Tor. – Det var faktisk ikke meningen at *noen* skulle …

– Margido som ringte hit først, sa faren. – Ellers hadde jeg ikke sagt noe.

– Og så måtte du absolutt fortelle at jeg hadde fått et sår i beinet?

– Slutt å tulle. Du trenger jo hjelp, du kommer ikke opp trappene, må du forstå. Jeg ringte faktisk for å fortelle at jeg skulle til København tidlig i neste uke, sa Margido.

– Skal du? Hvorfor det? sa Tor med stor overraskelse i stemmen.

– Jeg skal ikke nå lenger. Og jeg pleier aldri å dra på slike messer, men ...

– Messer?

– Man blir jo invitert hit og dit. Folk som vil selge oss ting. Eller som vil vi skal anbefale videre til pårørende. Men jeg har alltid nøyd meg med tilsendte brosjyrer.

– På kister?

– Og steiner. Norsk stein med danske steinhoggere, forskjellig moderne design på dem, den slags. De betaler delvis reise og opphold.

– Trodde jeg ikke om deg, Margido. Smøretur. Har jeg sett program om på TV, sa Tor.

– Det er ikke smøretur. Jeg bestemmer selv hvem jeg tar inn kister fra og hvilke leverandører jeg bruker på gravmonumenter. Men nå drar jeg ikke.

– Hvorfor ikke det?

– Jeg kan jo ikke bare dra herfra, når du ...

– NÅ ER DET FAEN SKJÆRE MEG NOK!

– Tor, sa Margido. – Ta deg sammen.

– Avløser og husmorvikar og fandens OLDEMOR! Det skal bli godt å være kvitt deg!

– Tor, da, sa faren.

– Ja? *Var* det noe? sa Tor før han brått la ansiktet i hendene. Margido brettet dyna dobbelt og glattet over

187

trekket. Det var helt stille i stua. Faren kremtet forsiktig. Da hørte Margido det heldigvis frese fra kjøkkenet.

– Kaffen, sa han. – Vannet koker over.

– Kaffe, ja. Skal vel bli godt med kaffe, sa Tor lavt, fjernet hendene fra ansiktet og heiste seg høyere opp i stolen. – Og jeg kommer meg nok ut i fjøset snart så jeg får sett hva denne avløseren driver med.

Ute fra kjøkkenet slapp han bomben mens han tørket vann fra komfyren og fylte kaffekorn i kjelen. Han ante ikke hvor mye som skulle til, han brukte bare pulverkaffe selv. – Jeg har med en gåstol bak i bilen, fra Hjelpemiddelsentralen. Du får låne den til du blir frisk.

Han hadde lagt den inn bak tørrklosettet så Tor ikke kunne se den fra forsetet. Det var blitt enda stillere i stua enn før, ikke engang den gamle våget å kremte.

– Gåstol ..? sa Tor. – En *gåstol*? Sånn som gamle folk bruker?

– Du støtter deg til den. Det var mye bedre enn krykker, sa de, sa Margido og lot vannet med kaffen så vidt koke opp igjen.

– Jeg er bare seksogfemti år, sa Tor.

– Du vil komme deg lettere rundt, sa han. – Lettere ut til fjøset også.

Han lyttet og ventet. Ventet på en ny tirade med bannskap og benekting.

– På én betingelse, sa Tor der innefra.

– Og det er?

– At du drar til København.

– Det er egentlig ikke i selve København, men i en liten by lenger nord som heter Frederiksværk, sa Margido fort og stirret ned i vannet som steg som spyttbobler opp gjennom teppet av kaffekorn.

188

– Har du noen gang vært i utlandet?

– Nei.

– Du får hilse, sa Tor.

– Til hvem?

– Klart du besøker dem. Når du først *er* i utlandet. Og bær inn den gåstolen så jeg får sett litt på den. Kanskje jeg kommer meg i fjøset før jeg får sukk for meg. Grisene skjønner jo ingenting.

Han parkerte foran Tilfredshet kapell og strøk kammen gjennom håret mens han strakte seg opp mot bilspeilet mellom setene. Han gledet seg til bisettelsen. Det var en gammel mann, over nitti år, død etter tre måneders syke-leie, fire barn, utallige barnebarn og oldebarn, det var en stor slekt som ville søke sammen. Slike bisettelser var en gave midt i ulykker og kreft og altfor tidlig død. Han så frem til prestens ord, Guds ord, det evige i dem, roen i kirkerommet, lydbruset fra orgelet. Et barnebarn skulle synge solo, «Fager kveldssol smiler», det ville bli fint. Stemningen i kapellet ville kanskje stenge ute alle andre bekymringer. Og han skulle reise, det hadde han aldri trodd skulle gå an nå. Første gang han faktisk fikk lyst til å dra på en slik messe, og så skjedde dette med Tor. Men nå fikk han dra likevel.

Han skulle ønske Torunn ville komme oppover. Det ville bli uutholdelig på Neshov med de to sammen i tv-stua og Tor stolfanget, skilt fra grisene sine. Den avløseren burde jammen ha vært ute en vinterdag før. Torunn tok Tor på en helt spesiell måte fordi hun møtte ham så veldig på gri-sene, likte dem og sa det, skrøt av dem. Det var hun som skulle ha vært der nå. Selvsagt ba han henne ikke om å komme da han ringte, slikt fikk hun tenke seg til selv, men

189

han hørte jo hvor bekymret hun ble. Det med tomflaskene viftet hun bare vekk, påstod at det garantert var et engangstilfelle bare fordi det stod igjen flasker etter dem fra jula, derfor nevnte han ikke utedoen. Han hadde lyst ned i den med en lommelykt og telt sikkert femti ølflasker og en god del halve akevittflasker og noen han ikke kjente merkelappen på. De måtte ha blitt kastet dit gjennom år.

Farens skade og rottene var det Torunn reagerte mest på. Grisene trodde hun fint at en avløser kunne ordne med. Det blir nok verre for Tor enn for grisene, hadde hun sagt. Men det med rottene likte hun ikke. Hun begynte også å snakke om leveringsnekt til slakteriet.

Fru Marstad kom ut av kapellet og gikk mot bilen. Han skyndte seg ut av sin egen og fikk med veska med heftene.

– Alt under kontroll? sa han.

– Ja da. Det blir en nydelig bisettelse. Et blomsterhav uten like. Vi har gjort vårt beste.

– Og det *er* det beste, fru Marstad.

– Å takk, det … Men hvordan gikk det med broren din?

– Nå sitter han i en lenestol ute på Neshov og banner.

Hun trakk pusten fort inn og tok seg til munnen.

– Og det syns jeg ikke er så rart, fortsatte han. – Situasjonen tatt i betraktning. Det er ikke moro for en bonde å ligge på feltseng i stua og ikke få være herre på egen gård.

– Enn datteren hans? Torunn? Kommer hun oppover, kanskje, og hjelper til?

– Jeg tror ikke det. Hun har vel nok med sitt, hun er i full jobb.

– Men hun er nå datteren hans, da. Selv om du er broren, burde jo en datter stille opp i en slik sammenheng.

– Verden er ikke alltid slik den burde være, fru Marstad. Det vet vi alt om. Men forresten, jeg drar til København neste uke likevel. Eller ... til denne lille byen, via København, det går tog dit fra København.

– Det blir fint for deg. Å komme litt vekk.

– Jeg er ikke akkurat typen til å dra vekk når ting hoper seg opp, men broren min ville jeg skulle dra. Så da blir det slik vi snakket om aller først, at dere bare henviser videre hvis det gjelder å komme til et ulykkessted, eller dramatiske ting hjemme. Det skal dere slippe.

– Jeg er bare litt engstelig for dette med båreandakt, sa fru Marstad. – Selv om jeg sier at ingen av oss kan ta den, og så ombestemmer de seg og vil ha likevel.

– Da får du rett og slett bare ha en visning i kapellet, med lys og stillhet. Og foreslå at dere ber Fadervår sammen. Dere ringer meg hvis det er noe. Er dere usikre, så henvis videre.

– Det går nok bra. Vi skal greie det fint. Og dette blir en flott bisettelse, i alle fall. Barnebarnet er her allerede og øver sammen med organisten, hun synger vidunderlig.

De gikk inn. Mottagelsesbordet stod klart, med hvit duk, lysestake, innrammet fotografi, kondolanseprotokoll og kulepenn. Han trakk heftene opp av veska og la dem ved siden av.

Fru Gabrielsen drev og ordnet med navnebåndene på de av bukettene som stod i høye gulvvaser. Midtgangen var fylt av blomsterkranser nesten halvveis opp mellom benkeradene. Han ble stående lenge og betrakte det enorme hjertet av røde roser som lå fremst på båren.

Han strøk seg over håret, kjente at windsorknuten satt korrekt. Han var blitt litt svett da han bukserte med sengetøy og feltseng, men kjente at han ikke luktet. Han kastet et blikk på armbåndsuret. Om tyve minutter ville klokkene begynne å ringe.

– MOR, DETTE KAN DU IKKE MENE. Hvis du tenker deg litt om. Jeg er syvogtredve år gammel. Jeg kan jo liksom ikke bare snu ryggen til alt jeg har opparbeidet i løpet av ...

– Hva har *alderen* din med saken å gjøre? Nå tuller du fælt. Kom med et normalt argument, noe med fornuft i!

– Jeg vil ... Hva skal jeg si, leve mitt eget liv?

– Du *får* jo det! Når vi deler opp første og andre etasje, får vi to leiligheter. Hvis ikke en egen etasje er et eget liv, så vet ikke jeg. Men loftet og kjelleren må vi jo dele på, og det greier du sikkert når vi bare ser hverandre i korte glimt hvis vi møtes i trappa. Herregud, Torunn, en liten blokkleilighet på Stovner, og så kimser du av dette, en halv tomannsbolig på Røa! Uten andre omkostninger enn din del av selve oppussingen?

– Jeg har truffet en mann. Det blir kanskje noe.

Moren sank ned i sofaen og begynte å gråte. Lange seige hulk. Lakken på fingerneglene hennes var hakkete og avflasset, hun satt der bare i nylonstrømpebukser og en midjekort fosforgrønn fløyelsgenser, egentlig drev hun og ordnet seg til et venninnetreff da Torunn plutselig kom innom på vei hjem fra jobben for å være hyggelig, for å signalisere at hun frivillig oppsøkte henne uten bedende og bitre telefoner i forkant.

Hun ville så gjerne normalisere ting, vise at moren var en del av en normal hverdag for henne, men det ble visst drama uansett. Som nå: arkitekttegninger moren hadde tenkt å presentere over en middag hun ville invitere Torunn på til helgen, men ikke greide å la være å vise frem umiddelbart.

– Men skulle du ikke møte noen, mor? Den er åtte nå.

– En mann, altså. Skal du ... er det alvor? Torunn, er det alvor?

– Kanskje.

Men halvparten av dette huset er hundre og tyve kvadrat. Er ikke det nok til en mann? Hvilken som helst mann?

– Ikke hvilken som helst.

– Nei, det har du rett i. Ikke Gunnar, for eksempel, sa moren og gråt ikke lenger. Hun stirret i stedet på Torunn med rødkantete øyne. – Så du vil ikke? sa hun.

– Jeg tror bare ikke det er så lurt at vi to ...

– Vi er da mor og datter? Hva er galt med det?

– Men Gunnar vil at huset skal selges. Jeg føler liksom at dette er noe du har funnet på for å ...

Da ringte mobilen. Den gode, den onde og den grusomme.

– Jeg tar den ute på trappa, sa hun og sprang.

– Ja, jeg skjønner hvem *det* er! ropte moren bak henne. – Jeg tror ikke akkurat at du kaster deg over telefonen like fort når du ser at det er *jeg* som ringer!

De hadde avtalt at hun kom oppover i nitiden. Kanskje han vil ha meg til å handle noe digg på veien, rakk hun å tenke før hun hentet inn samtalen.

– Hei på deg! sa hun muntert. – Savner du meg *så* fælt?

Det svarte han ikke på, men det var kommet noe i veien, så det skar seg, han virket rar og travel i stemmen.

– Skjærer det seg? At jeg skal komme, mener du? Ingenting har skjært seg *her*, bortsett fra en hysterisk mor, sa hun og beholdt munterheten i stemmen.

Han hadde fått besøk, det var litt plundrete, det passet ikke at hun kom i kveld.

– Hva slags besøk, da?

Det var litt vanskelig å forklare over telefon.

– Jeg kan komme senere, jeg. Når besøket er dratt. Passer egentlig godt, det, så kan jeg få vasket litt klær og sånn.

Nei, de fikk heller sees i morgen.

– Okey. Blir stusslig for deg alene under dyna, da, sa hun og lo, og skjønte plutselig ikke hvor hun hentet krefter fra, til å le.

Han ville ringe, sa han og la på.

Hun trakk pusten dypt og lot blikket seile over takene i villaområdet, det var begynt å snø, florlett og glissent. Hun kjente et dirr i mellomgulvet, det var ikke en begynnende gråt, men noe annet. Redsel, kanskje.

Inne i stua satt moren i sofaen med en raus konjakk.

– Vil du ha, vennen min?

– Jeg kjører. Det vet du da.

– Ta en taxi hjem. Jeg spanderer. Eller skal du kanskje noe annet sted?

– Kanskje.

Hun gikk ut og fant seg ei flaske Farris i kjøleskapet. Da hun kom tilbake, hadde moren tømt den svære konjakken og stod og skjenket seg en ny.

– Skal du drikke deg full, eller? Skulle du ikke ut? Det ser forresten passe snålt ut å valse rundt i bare strømpebukser.

– Jeg meldte avbud mens du snakket med elskeren din, sa moren og slapp seg ned i den mattgrønne fløyelssofaen med puter i lakserødt og svart. Hun så bortkommen ut; spinkel, rynkete og blek. Knærne hennes bak nylonstrømpestoffet lignet små og sammenklemte apefjes, og disse knærne begynte hun å slå sammen, om og om igjen, mens hun presset hendene inn under lårene og så vekk, som en furten unge.

– Men hvorfor det, mor? Du har kjempekoselige venninner, og så vil du ikke være sammen med dem?

– Jeg vil være sammen med min datter, men det vil tydeligvis ikke hun! sa moren og slengte blikket rett i henne.

– Jeg kom jo innom! Gjorde jeg ikke det, kanskje? sa hun. – Du er blitt så forandret, sånn som dette holdt du aldri på før. Du var alltid den suverene som fikset alt og nesten ikke hadde tid hvis jeg inviterte deg og Gunnar med på noe.

– Der sa du det. Meg og Gunnar. Men nå er det bare meg, og det er ikke akkurat like spennende.

– Mor ...

– Du ser ham vel ofte? sa moren og satte blikket i henne.

– Gunnar? Nei, det gjør jeg vel ikke ...

– Hun heter Marie. Jeg har undersøkt litt rundt. Hun har en stor enebolig på Blommenholm, der bor de. Har du vært der?

– Nei!

– Jeg tror deg ikke. Og hvis Gunnar tilbød deg halvparten av *den* eneboligen, ville du nok ikke nøle, tipper jeg.

– Jeg tror jeg går nå. Hvis du skal drikke og være ekkel. Før kunne du sitte i en time med en liten konjakk.

– Da satt jeg sammen med *Gunnar* og en liten konjakk.

– Jeg har alltid sett på deg som sterk, mor. Nå liksom ... ramler du helt fra hverandre ...

– Og hvem sin skyld er det? Om jeg tør spørre?

– Det er faktisk ikke Gunnar sin skyld at du bare sitter og syns synd på deg selv.

– Og hvem skal gjøre det, om ikke jeg? Syns DU synd på meg? Syns GUNNAR synd på meg?

– Men mor ... Jeg skjønner ikke. Vil du at folk skal synes *synd* på deg? Er det *det* du vil? Er ikke det egentlig litt ... *pinlig*?

– Litt sympati hadde ikke vært av veien ...

– Og det får du også, i bøtter og spann! Og det kan jeg si deg, at hvis du driver på sånn overfor venninnene dine også, kommer du til å miste dem. I tur og orden. Sytepaver er det verste folk vet. Ingen gidder å være sammen med sytepaver!

– Bare gå. Gå, du nå.

Ute i entréen kom moren springende ustøtt etter henne mens Torunn stod på ett bein og dro glidelåsen igjen i den ene støvletten.

– Torunn! Ikke gå!

– Jeg skal noe.

– Til den mannen?

– Kanskje. Eller hjem og ringe til faren min. Han syter ikke, han bare kjefter og smeller, og det er faktisk bedre.

– På grunn av det beinet?

– Ikke på grunn av beinet, men for alt han ikke får *gjort* på grunn av beinet.

– Mammadalten ...

– Han er jo ikke det lenger. Hun er død, ikke sant.

– En gang mammadalt, alltid mammadalt. Og det beinet gror da. Ektemenn gror ikke ut igjen.

– Men det er trasig for ham i alle fall.

– Du har vel tenkt å dra opp til *ham*, antagelig, sa moren.

– Tanken har slått meg, ja. At jeg burde det. Men jeg har flere kurs gående nå. Jeg kommer ikke fra.

Moren støttet seg til veggen og trakk pusten: – *Mener du det, Torunn? At du faktisk har vurdert å dra dit? Når du nettopp har vært der i jula? Og jeg trenger deg her?*

– Han trenger meg mer enn du gjør.

– Men hva er det du SIER! sa moren, med et hysteri i stemmen Torunn ikke hadde hørt før. – Det var da jeg som tok ansvar for deg! Han ga blaffen, han! BLAFFEN! Og så kommer han svinsende når du er nesten førti og lokker med en dødssyk bestemor du aldri har sett, og plutselig tenker du på å dra og stelle grisene hans bare fordi han har skadet seg i *beinet*?! Mens jeg sitter her og vet ikke min arme råd med hele *livet* i ruiner?! Skjønner du ikke hvilken hån det er mot meg og alt jeg har gjort for deg? Hva? Skjønner du selv hva det er du STÅR HER OG SIER?

– Vi snakkes i morgen. Jeg ringer deg, sa Torunn og skyndte seg ut. Selv med anselige mengder konjakk i blodstrømmen skjønte vel moren at hun ikke kunne springe etter i bare strømpebuksene. Dette var et pent strøk, hvor man ikke lot følelsene løpe av med seg i all offentlighet. Moren ble stående i døråpningen og se ut. Hun vinket ikke tilbake da Torunn vinket fra bilvinduet.

I bilen satte hun R.E.M. på full styrke, så høyt at det spraket i bilhøyttalerne. Hun slo med flat hånd i rattet mens hun kjørte. Skulle hun ringe Gunnar og tigge ham om å komme tilbake til moren, bare for å få fred selv. Kunne hun bare kjørt rett opp til Christer nå, og omsatt raseriet til fruktbar energi. Kastet seg over ham allerede i entréen og overrasket ham grundig. En bil presset seg inn foran, i en luke som knapt hadde plass til en trehjulssykkel, hun tutet voldsomt, tutet og tutet, til bilen begynte å senke farten og en person hyttet med neven bakover mot henne. Da sanset hun seg, la seg ut i venstre fil og gasset på, vekk fra alle.

Vekk fra alle. Unntatt Christer.

Det var ikke kursene på jobben som holdt henne fra å dra nordover, men Christer. Hun hadde plenty av venner i hundemiljøet som kunne steppet inn på kursene og tatt opp tråden der hun slapp, også på valpekurset. Der øvde de på blikkontakt, leke-øvelsen og å vente foran matfat, de øvde stødig og sikkert, med opp- og nedturer. Hun var stolt av dem. Bare Nero var regelen som bekreftet unntaket, selv om alt han gjorde var å bekrefte seg selv, egentlig. Hvis familien holdt på ham særlig mye lenger nå, ville han bli umulig å omplassere og måtte avlives. Hun hadde til og med vært inne på tanken å selv ta ham i pensjon en fjorten dagers tid for å få brutt opp noen sprekker i selvsikkerheten hans, men visste at uten familiens egen kompetanse ville det bare bli en vond utsettelse.

Hun låste seg inn i leiligheten. Det var mørkt hos Margrete, hun var ikke hjemme. Hva hadde hun nettopp sagt til moren om venninnene? Det var lettere å gi råd til andre. Hvis alt skar seg med Christer og hun kom krypende til Margrete for å få trøst, når hun nesten ikke tok kontakt med henne lenger …

Hun fylte i vaskemaskinen og satte den i gang, støvsuget litt, laget en kopp kaffe og satte seg foran PC-en og betalte regninger over nettbank, ryddet på kjøkkenet, skurte toalettskålen, gikk ut på verandaen og så på snøen som falt, studerte de frosne kvastene i blomsterkassen, gikk inn igjen.

Klokka elleve låste hun seg ut av leiligheten og tok heisen ned til garasjekjelleren.

I de siste svingene før hytta hans så hun bilsporene i nysnøen, fra en smal liten bil. Inne bak hytta stod bare Landcruiseren hans, besøket var dratt. Snøen dempet alle lyder, hun parkerte ved siden av bilen hans, kuttet motoren og satt stille og ventet for å se om han hadde hørt henne likevel. Det lyste fra stuevinduene, et blafrende lys som fortalte henne at peisen gikk for fullt. Hundene begynte å bjeffe. Faen. Nysnø lurte ikke dem. Hun skyndte seg ut av bilen og styrtet bort til hønsenettingen.

– Shhhh. Det er bare meg. Rolig nå. Rolig ...
– HALLO? ER DET NOEN DER?
– Bare meg.
– Torunn?

Han snudde seg og gikk foran henne inn gjennom entréen. Det hadde han aldri gjort før, han hadde alltid tatt imot henne i døråpningen.

– Jeg skulle ikke ha kommet, sa hun til ryggen hans.
– Jeg vet det. Men jeg ble redd. Du var så ... rar på telefonen da vi snakket sammen.
– Fordi jeg ikke ville snakke. Jeg ville bare varsle. Om at du ikke måtte komme, sa han.

Ryggen hans var bred og litt lut, dekket av en grå strikkegenser. Han satte seg ved spisebordet, hun så straks at to hadde sittet her og at den andre var en kvinne. Hun visste ikke hvorfor hun skjønte det, men det var noe med hvordan servietten var brettet sammen på det ene fatet som ikke stod foran Christer. Brettet pent og omhyggelig sammen.

– Hun er gravid, sa han.
– Hvem?

– Sett deg. Har du lyst på noe?

At dette ikke skjer, tenkte hun. – Vann, sa hun. – Kaldt.

Han reiste seg. Hun hørte hvordan han lot springen renne i en evighet ute på kjøkkenet, det behøvde han ikke, det visste hun godt, her var vannet kaldt med det samme man åpnet kranen. Han bar glasset inn og satte det foran henne, møtte ikke blikket hennes.

– Hvem.

– Jeg var sammen med henne på et hundeløp i slutten av november, så du må ikke tro at ... På Ringebufjellet. Bare én enkelt kveld. Og så ...

– Ble hun gravid.

– Ja.

– Og det forteller hun deg først nå? I slutten av *februar*? Hun må jo ha visst om det i en evighet.

– Ja.

– Men Christer, sa hun og strakte hånda over bordet for å gripe hans. Han tok ikke imot den, men foldet armene foran brystet, lente seg bakover i stolen og stirret inn i peis-flammene.

– Jeg sa vi kunne snakkes i morgen, sa han. – Og så kommer du likevel. Akkurat *det* syns jeg er litt sånn ...

– Men vi er jo kjærester! Og du må fortelle meg hva som skjer!

Han så rett på henne, hvilte albuene på bordet og sa: – Hun ville ikke si det før det var for sent å ta abort. Hun vil ha et barn. Hun vil ikke absolutt ha et barn med *meg*, men hun vil ha et barn. Og hun ville fortelle meg det. Jeg visste ikke helt hvordan jeg skulle reagere, men hun ba meg slappe av, sa at dette var hennes ansvar. Faen heller! Kvinnfolk tror jo at ... bare fordi de har en livmor, så kan de skalte og valte med andre folks liv. *Slappe av* ... og *mitt ansvar* ... Faens pisspreik!

200

– Hva mener du med pisspreik. Det høres da fornuftig ut?

– Jeg vil jo selvsagt ta ansvar! Jeg sa til henne at hun fikk faen ta meg oppgi meg som faren.

– Sa du det, Christer?

– Klart det. Jeg vil jo støtte henne i dette.

– Støtte henne gjennom ... svangerskapet og sånn?

– Det er *ungen min*, Torunn! Som hun bærer! Selvsagt vil jeg støtte henne så alt går bra! Og bli kjent med barnet, være en far for ham ... eller henne.

Hun drakk vannet sitt, kjente hvordan kulda flommet ned forbi strupehode og lunger, helt ned i magen. Han var rød i kinnene, han var så vakker. Han hadde ikke ulveblikket, øynene var trillrunde og blanke. Hun reiste seg.

– Jeg drar nå. Det har vært ... fint, Christer.

– Sett deg ned. Tullejente. Dette handler ikke om oss, sa han, men kroppsspråket harmonerte ikke med ordene, for han satt der bare, uten å gripe etter henne, uten å vise at han ønsket henne. Han satt der og skulle bli far, det var alt han tenkte på.

– Nehei? Handler ikke dette om *oss*? Ha det bra, Christer. Og lykke til. Du blir nok en flott far.

Han fulgte ikke etter henne ut, stod ikke engang i vinduet da hun kjørte.

Ingen presset seg inn foran henne i filen, veien lå nærmest øde. Den venstre viskeren var frynsete på midten og etterlot et slør av sammenklint snø akkurat der hun holdt blikket rettet mot kjørebanen.

Hun begynte ikke å gråte før hun stod hjemme, naken foran speilet med tannbørsten i munnen. Hun pusset mekanisk, hvitt skum dryppet fra hakespissen. Det var synet av skuldrene i speilet som gjorde det. De var så smale og bleke. Ensomme, det lå ingen hender rundt, ingen hender som strøk eller holdt. Og det var hennes skuldre, dette var hennes skuldre. De skulle få nattkjole rundt seg og inn under ei kald dyne, og hun skulle våkne i morgen tidlig uten noe å glede seg til, fremdeles med disse smale, hvite skuldrene.

HAN MÅTTE ANSTRENGE SEG FOR ikke å brøle, sa bare:
– Nei takk, det greier jeg selv.
– Det skulle jeg likt å se, sa Marit Bonseth. – Hvordan du får *det* til, Tor Neshov.

Men saken var at han ennå ikke hadde prøvd å skifte underbukser. Det var tilstrekkelig slitsomt å få den *ned* når han bukserte seg til på tørrklosettet, om han ikke skulle begynne å ta den helt *av*.
– Jeg greier det, sa han.
– Jeg jobbet på sykehuset som hjelpepleier i årevis før jeg begynte hjemme hos folk. Jeg har sett gammelmanns-tiss tusen ganger. Og vasket like mange rumper.

Faren kremtet inne i stua, selv ble Tor het i ansiktet og greide verken å kremte eller svelge. Han vred seg på kjøk-kenstolen og dro gardinkappa vekk og stirret lenge og omhyggelig på utetermometeret. Da han slapp kappa, husket han ikke hvor mange grader det var. Marit Bonseth hadde heldigvis snudd seg mot kjøkkenbenken igjen, hun kappet grønnsaker som om hun fikk betalt for det, og det fikk hun jo. Heldigvis stod radioen på.
– Kan du skru opp lyden litt, sa han.
– Jaså, du er interessert i samiske nyheter?

Det gadd han ikke å svare på, sjekket i stedet termo-meteret igjen. Det var annerledes på sykehuset. Når kvinnfolk gikk i uniform, var det mer naturlig at de herset med en, det var bare å lukke øynene og la det stå til. Men når et kvinnemenneske som stod midt i ens eget kjøkken, begynte å snakke om tiss og rumpe som om det var helt dagligdags ... Det fikk da være måte på. Han kjente sinnet stige, men tok seg i det på nytt, for Margidos skyld, som skulle reise til Danmark i overmorgen. Han og Marit Bonseth snakket sikkert sammen på telefonen, det var ikke verdt at Margido ble altfor bekymret.

– Når denne er ferdig, har dere kjøttsuppe til to dager, sa hun.

– Takk.

Han hørte at faren stod inne ved det ene stuevinduet, hørte hvordan han stadig skiftet fotstilling der inne, filttøflene skurte mot gulvplankene. Han greide aldri å stå stille når han stod, måtte liksom trampe rundt på stedet hvil, det var irriterende både å se og høre på. Fra det ene vinduet gikk det an å se litt av veien, rett nedenfor enden av lønnetrealléen hvor postkassa stod, festet til en trepåle. Og bilen til landpostbudet var lett å kjenne igjen. De ventet begge to nå. Nationen for i går lå også i postkassa, da fikk de en avis hver i dag, og han slapp å sitte og lytte til farens masete sukking og kremting mens han sakte bladde gjennom sidene og merket seg hva han ville lese grundigere senere.

– Der er hun, hørte han farens stemme.

– Bra, sa Tor. – Kanskje Marit Bonseth ...

– Hold opp å kalle meg ved etternavn! sa hun, uten å snu seg. – Det høres helt idiotisk ut. Og jeg kommer til å gjøre det samme inntil dere to slutter med det.

– Fru Bonseth, sa han.

– Marit! sa hun.

– Vi er ikke vant til det.

– Vant til hva? sa hun og snudde seg. Det dryppet vann

fra hendene hennes.

– Kan *du* hente inn posten? sa han og møtte blikket hennes, gammelmannstiss eller ei, avisene ville han ha i hus øyeblikkelig.

– Det kunne jeg selvsagt, sa hun. – Men det er over min forstand at Tormod Neshov ikke greier å ta den turen ned til postkassa når han greier å ordne med veden.

Faren stod helt stille inne i stua en liten stund, Tor hørte ikke engang filttøflene skure mot gulvet. Men så kom han tassende, passerte mellom dem uten et ord og gikk ut i yttergangen. Han lukket kjøkkendøra forsiktig bak seg, og Tor kunne høre, selv over det samiske babbelet på radioen, at han strevde med sko og jakke der ute. Etter en lang stund passerte han utenfor kjøkkenvinduet i sakte tempo. Etter noe som fortonte seg som en evighet, var han tilbake igjen. Han plundret lenge i yttergangen og åpnet døra, la ei avis og to vinduskonvolutter ned på bordet foran Tor og fortsatte inn i stua med den andre avisa i hånda. Han var rød i kinnene.

– Den turen har du godt av. Daglig, sa hun, uten å snu seg.

Ingen svarte henne. Tor så på datoen.

– Dette er dagens, sa han høyt. – Jeg vil lese gårsdagens først. Ellers blir det bare rot.

Faren kom tilbake med avisa og byttet.

– Enn hvis han syns det samme? sa hun, og feide skjærebrettet tomt over den dampende suppekasserollen. – Har du tenkt på det, Tor Neshov?

Han falt inn i en slags ro da han fikk avisa på kjøkkenbordet foran seg. Han så på termometeret igjen, det var fem pluss. I natt regnet det, snøen var råtten og på vei vekk, på radioen meldte de mildvær i lang tid fremover, noe han var evig takknemlig for. Han ville kvie seg for å be en avløser om å brøyte, en bonde måtte jaggu kunne holde sine egne veier snøfrie. Men avløseren virket grei nok og hadde fått full oversikt, etter at Tor tegnet opp hele fjøset til ham på en Flaggpostblokk fra kontoret, med binger og purker og det hele, og lirte av seg alle datoene han hadde i hodet. Avløseren noterte ned tidspunkt for vitamintilskudd og vaksinasjoner og alder på grisunger, og fôrmengde og -type. Men innen han skulle avvenne nye kull, måtte han da være såpass at han greide å bli med i fjøset og overse alt. Og nye fødsler hadde han ikke før 1. april. Røstad ville komme innom en av dagene og se at alt stod bra til i fjøset. Men grisene var fine, påstod avløseren, ingen smågrisdiaré eller annen sykdom, og ingen unormalt stressete purker.

Det var tanken på rottene som tok nattesøvnen fra ham. Han bladde gjennom avisa uten å få med seg særlig mye, for med en gang han tenkte på rottene, var all ro forduftet, enda han godt visste at rottene ville ha vært et nøyaktig like stort problem om han satt her med to fullt brukbare bein. Skadedyrfirmaet lette etter bolene nå, de ville komme tilbake i morgen med et videokamera på stang som de skulle føre inn her og der. De snakket om gass, men lurte på hvordan de skulle tette mot grisefjøset. Han likte ikke dette pratet om gass, fjøset var gammelt, helt tett ville det vel umulig kunne bli.

Han tenkte tilbake på tiden før moren ble syk. Da alt gikk på skinner. Ingen hushjelp, ingen avløser, ingen rotter, den ene dagen lik den neste. Men samtidig var det nå greit at de snakket sammen igjen, brødrene, og at Torunn hadde vært her. Han ringte henne i forgårs kveld, men fikk ikke noe svar.

– Litt kaffe, kanskje, sa Marit Bonseth.

– Hadde vært godt, ja, sa han.

Han så på henne, der hun vasket over benkene og samlet avskjæret fra grønnsakene i en bøtte. Den brede rumpa hennes under forklesløyfen, leggene tykke og stødige ned mot brune innesandaler på den stripete plastfillerya. Hun var jo snill.

– Det hadde vært godt det, ja, sa han igjen.

– Hvor kaster jeg dette? Har dere komposthaug noe sted?

– Nei. Bare kast det hvor som helst, det der forsvinner jo.

– Midt på tunet, kanskje?

– Nei da. Men ... borte ved skjulet, da. På baksiden der.

Han fulgte henne med øynene over tunet, så hvordan hun i forbifarten smulte noen brødskiver på fuglebrettet. Hun kjørte sin egen bil nå, en liten rød bil han allerede kjente igjen lyden av. Det var litt godt å se på henne, vite at hun ville komme tilbake inn igjen, koke kaffe. Og da hun kom, sa han:

– I kista ute i gangen ligger en god del forklær etter mor. Mange fine. Her får ingen bruk for dem, du kan bare ta dem. Ikke bare for å ... bruke dem her, men få dem.

Da Marit Bonseth dro, tok han to vanlige Paracet med et glass vann. Låret var begynt å hamre og verke, men han ville ikke klage mens hun var her. De sterke smertestillende Margido hentet ut på respepten fra sykehuset, ville han ikke ta. Han ble susete i hodet av dem, susete på en ubehagelig måte, ikke glad som etter ei flaske øl. Faren hvilte oppe, om et par timer kom avløseren. Han slapp seg ned ved bordet igjen og ble sittende og se på gåstolen. Den var grei nok. Han kjente seg ganske trygg når han bukserte det stive beinet rundt. Han strøk seg forsiktig nedetter låret, på den harde overflaten gjennom buksestoffet. Om noen dager måtte han til sykehuset og skifte bandasje igjen. Da skulle han bare ringe etter drosje, trygdekontoret betalte begge veier, men han grudde seg fælt. Han ville sitte med øynene lukket hele tiden. Han grudde for luktene også, han visste at tette sår luktet.

Plutselig kom en avmektig fortvilelse over ham, det var så han ville grine, dette var ikke til å holde ut. Fem–seks uker. Han dro seg opp i stående igjen, men visste ikke hvor han ville da han først stod der. Kunne han bare ha gått i fjøset.

Kanskje han skulle det.

Kjeledressen fikk han ikke på, men var det ikke noe annet han kunne få rundt seg? Han lente seg på gåstolen og tenkte. Smertene var i ferd med å gi seg. Regnklær. Ja, det kunne gå bra. Knyte ei jakke rundt hver fot og ei jakke øverst, men hadde han så mange? Da husket han det eldgamle slakteforkleet som fremdeles hang i vaskerommet. Det kunne duge! Sammen med en regnfrakk! Han kom seg bort til kjøleskapet og gransket innholdet. Han plukket frem fem skiver trønderfår og en boks leverpostei som nesten var tom, og stappet det i lommene, deretter satte han kursen ut på tunet. Fra yttergangen tok han med seg regnfrakken og slengte den over gåstolen.

Det tok sin tid. Tenk at ens eget gårdstun skulle virke som den reneste fjellvidde å krysse. Armene skalv og svetten rant av ham da han lukket seg inn i vaskerommet. Grisehuslukten og den velkjente og avventende stillheten fikk ham til å smile. Det var fire dager siden de hadde sett ham. Han surret slakteforkleet på seg og tok regnjakka utenpå. Det ble straks kokende varmt, men det fikk ikke hjelpe. Grisene var viktigere enn egen velvære. Med gåstolen i et fast grep fikk han stavret seg bort til døra og kom seg inn.

– Nå tenker jeg dere har spekulert! Men jeg var en sånn

faens til idiot at jeg nesten greide å hogge av meg beinet!

Han lo så høyt at det ga gjenlyd mellom steinveggene, og hans syntes nesten at grisene lo mot ham også. De presset seg støyende sammen i bingene ut mot midtgangen, og han hang fra gåstolen og rufset på alle han nådde borti, på vei til Siri.

Siri stampet og gryntet aldeles overstadig da han nærmet seg, og det sang i ham av lettelse da han endelig kunne gi henne godsakene. Klumpen med leverpostei hentet frem et uttrykk av den pureste velvære i blikket hennes, innbilte han seg.

– Jenta mi ... Det er fine jenta si, det. Blir ikke det samme med fremmedfolk i fjøset nei, tenker jeg. Går det bra med ungene i magen? Du bærer på to gode avlspurker, vet du. Dolly og Diana.

De andre purkene ble også rufset bak ørene, og alle tryner stakk seg våte og ivrige opp i hendene på ham. Det friske beinet skalv av påkjenningen det var å holde kroppen oppreist, svetten rant ned av ryggtavla.

– Det blir ikke mat på en stund ennå, sa han. – Og det vet dere godt, for dere kan klokka. Er det noen som kan klokka, så er det vel dere! Og slakteforkleet skal dere ikke bry dere om, her skal ingen slaktes i kveld!

Etter en siste klapp på Siri karet han seg tilbake til vaskerommet, fikk satt seg på den gamle melkekrakken som stod der, og vrengte av seg habitten. Rommet spant rundt ham, han lente seg bakover mot steinveggen og nøt kulda mot rygg og bakhode. I skapet hadde han ennå noen flasker pils, husket han plutselig, men sammen med smertestillende var det nok ikke så lurt. Han fikk heller spare dem, kanskje gi ei til faren også, som takk for at han gjemte dem unna uten at Margido eller noen andre fikk snusen i dem.

Han kom seg opp på gåstolen. Her kunne han ikke

være når avløseren kom, det ville virke for dumt, som om han ikke stolte på ham. Dessuten måtte han på do. Han kunne vel ha brukt utedoen også, og ble stående og tenke litt på det, men kom frem til at han da måtte finne en kost først og få skjøvet tomflaskene inn i et hjørne der nede i dypet, og bare tanken fikk ham til å svette ytterligere. Nei, det fikk bli tørrklosettet igjen.

Han var så sliten at han kjente seg direkte kvalm da han omsider fikk låret endepartiet ned på plastringen i kleskottet i yttergangen. Margido hadde tømt rommet for gamle klær. Døra måtte han ha stående åpen, så han kunne ha gåstolen i åpningen.

Han lukket øynene og slappet av. Han hadde vært i fjøset til Siri, i natt ville han sove godt. Og det var godt å få tømt magen også, Marit Bonseth laget god mat, han ville legge på seg med dette rolige livet og all maten. I dag snakket hun om at hun ville bake en kake neste gang hun kom.

Da hørte han lyden av en bil. Han finstilte ørene. Det var ikke Marit Bonseth sin. Ikke avløserens bil heller, for det var en høy brumlebil på enorme dekk. Røstad? Nei, han ville ha ringt først. Margido sin var det heller ikke. En fremmed bil. Og her satt han på do midt i glaninga hvis noen kom rett inn.

Han skyndte seg for å rive av toalettpapir, mistet rullen i gulvet, den trillet inn under det stive beinet som lå som en lang påle innover gulvet mot veggen foran. Han vred seg for å få tak i rullen, og falt. Falt med tørrklosettet under seg, sidelengs, alt ramlet, det rant kaldt og sleipt rundt ham og under ham, han grep etter gåstolen, men det vonde beinet sperret. Han løftet seg opp på albuen, opp fra det stinkende sølet, og lå slik da døra gikk opp og han ville dø av skam. Han lukket øynene, hørte noen hive etter pusten, han åpnet øynene.

– Deg?

– Herregud, sa Torunn. – Hva er det egentlig du *driver* med?

Han fikk sanset seg, betraktet seg selv slik hun så ham, ropte: – GÅ UT!

Han begynte å kave rundt seg, ville trekke døra inntil, men der stod jo gåstolen, og han skled for hvert tak med hendene og det friske kneet.

– GÅ UT, sa jeg jo!

– Men jeg må da hjelpe deg å …

Hun beveget seg noen skritt inn i gangen, men ikke nær nok til å tråkke i det.

– GÅ UT OG RING MARIT BONSETH! HUN må komme. Ikke du!

Hun forsvant, men ytterdøra stod åpen fremdeles; hun ropte inn: – Men jeg har da ikke *nummeret* hennes!

Han hørte det nesten var gråt i stemmen, men det kunne han ikke ta hensyn til nå. Han måtte få hjelp til å komme vekk fra dette.

– Ring opplysningen, da jente!

– Men hvorfor … hva er det som foregår? sa faren. Han stod øverst i trappa og glante ned, storøyd, med åpen og innsunket munn uten gebiss. Håret hans stod i kvaster, rett til værs.

– Gå og legg deg! Dette har ikke du noe med!

– Skit overalt, jo … Har du ramla?

– Ja, du ser du vel for FAEN at jeg har RAMLA! Gå og legg deg, sa jeg!

Faren forsvant, han hørte Torunn snakke ute i bislaget, hørte henne si: – Nei, jeg trenger ikke å skrive ned nummeret, bare sett meg rett over til henne.

– JA, HVA GJØR MAN IKKE FOR PENGER, sa Erlend. Han satt med hodet til en utstillingsdukke i fanget og arbeidslampa tett nedtil, mens han med en spiss sprittusj laget tett i tett med svarte prikker på utstillingsdukkens kjaker. Samtidig hadde han Torunn handsfree på venstre øre.

Han følte seg tåpelig der han satt og tegnet skjeggstubb på plast. Han hadde fortalt Torunn hvorfor, fortalt henne i detalj om idéen med røvervinduet, og at eieren av gullsmedbutikken var hysterisk av forventning, siden det var store sjanser for at BT ville gjøre en sak på det. Det ville bli gratisreklame av dimensjoner. Men Torunn virket likegyldig til idéen og svarte bare med ja og ha.

Hun var kommet til Neshov for to dager siden, helt overraskende. Da han spurte hvordan det stod til, ble hun vag, svarte at det ble litt kaotisk med det samme hun ankom, men at hun ikke orket å gå i detaljer.

– Han stavrer seg rundt?

Jo da, med gåstol, i dag hadde hun kjørt ham til sykehuset så han fikk skiftet bandasje, det hadde vært et svare leven, siden beinet var avstivet og han måtte sitte på tvers i baksetet. Nå lå han og hvilte. Hun håpet han ville være litt blidere når han våknet.

– Kommer han seg opp i senga si i andre etasje, da?

Nei, han sov på feltseng i stua og hadde tørrklosett i kleskottet i gangen. Så ville hun ikke snakke mer om faren, men om rottene. Skadedyrfirmaet hadde lokalisert rottebol i fleng og var i gang med å avstenge veggene med plast og isolasjonsskum for å kunne gasse dem.

– Villmarkens sønn er altså ute av bildet?

Christer? Ja, han var ute av bildet. Han ringte i ett kjør, men hun tok ikke telefonene fra ham. Og hun lot være å lese den strømmen av sms-er han pepret henne med, hun slettet dem ulest.

– Og du blir ikke imponert, Torunn? Over en slik beleiring? Det høres jo ut som ekte kjærlighet, selv om han skal bli far aldri så mye.

Åh, så gjerne han ønsket at han kunne fortelle Torunn om hva som kanskje var på gang med ham og Krumme og damene, men han hadde sverget for Krumme. Sverget. At dette kun måtte diskuteres de fire imellom, enda han selv gjerne skulle snakket med kreti og pleti bare for å få flest mulige synspunkter på bordet. Likevel, han skjønte jo Krummes argumenter om at valget var deres alene, og da måtte beslutningen tas utelukkende på bakgrunn av hva de selv følte. Etter den første middagen med Jytte og Lizzi var de nå i tenkeboksen alle fire.

Krumme hadde laget en overjordisk deilig svinekam ovnsbakt i tysk grønnkål, som de spiste ledsaget av mengder med rødvin mens de snakket seg gjennom ulike scenarier av familiefasong og samvær og ansvar. Erlend var blitt uendelig lettet over at de tre andre også hadde betenkeligheter, han hadde trodd han var den eneste som ville være en problemorientert bremsekloss. Men både Krumme og damene vred og vrengte på alt. Hva skjedde hvis de gikk fra hverandre, hva skjedde hvis en av dem døde, hvem skulle være faren, hvem av damene skulle bære frem barnet. Jytte påstod at Krumme var en pen mann, hvis man bare så bort fra kulefasongen som

213

bestod utelukkende av kroppsfett, og Krumme hadde oppglødd gravd frem et skrukkete ungdomsbilde. Der var han virkelig pen, mente Erlend. Men Krumme var også opptatt av at Erlend var norsk statsborger, noe som ville gi barnet muligheter til senere å velge statsborgerskap på en enklere måte. Erlend hadde da foreslått at han og Krumme kunne mikse sine eliksirer i en kaffekopp, slik at ingen visste hvem som var faren, men det ville ingen av de tre andre ta alvorlig. Selv syntes han det var en glitrende idé, han kunne levende forestille seg sine egne og Krummes sædceller i et hektisk kappløp uten sidestykke, hvor den beste vant. Slik overlot de det til biologien, liksom. Men de tre andre bare lo.

Åh, kunne han bare fortalt alt dette til Torunn! Men i kveld skulle han og Krumme i middag til damene, de ville snakke videre. Han gledet seg. Den første panikken tilskrev han nå en vrangforestilling han hadde fått for seg, om at han alene stod ansvarlig. Men det gjorde han jo ikke, de var *fire*! Dobbelt så mange som vanlige foreldre! De ville kunne reise og ha masse fritid allikevel, det var helt genialt. Det var ikke opp til ham alene å ta ansvar for et barn. Og han som fikk rabatt på Benetton og alt mulig, han var allerede i gang i hodet med innkjøp av de lekreste klær, samt innredning av barnerom både hos dem selv og hos damene. Han antok at han fikk innrede barnerommet hos damene også, siden han faktisk kanskje skulle bli faren, hvis alt dette ble noe av.

– Du kan vel snakke med Christer *én* enkelt gang? Bare for å høre hva han sier? Kanskje denne vordende moren er ute av bildet, sa han.

Det handlet ikke om det, men reaksjonen hans den kvelden hun kom, som hun allerede hadde beskrevet for ham. Dessuten begynte det langsomt å demre for henne at han nok hadde vært feil type for henne likevel. Han hadde så mange rare meninger.

– Om hva da?

Blant annet homofile, sa hun.

Han holdt inne, lot som om han måtte reise seg for å hente noe. Torunn skulle slippe å gå i krigen for ham, og i hvert fall ikke overfor en fyr som behøvde å ligge mellom reinskinn under åpen himmel for å kjenne at han var mannfolk, det var en krig som var tapt på forhånd.

– Det å ha rare meninger gjelder mange, det, Torunn, sa han, med en stemme han selv syntes lød avslappet og nærmest likeglad. – Det må man bare venne seg til. Men man ønsker jo selvsagt ikke å omgås dem. Nei, glem at jeg sa det! Jeg mente det ikke sånn, som at *det* liksom skulle være grunn til at … Du har jo ditt eget liv, lille niese.

Han måtte bare slappe av, hun skjønte hva han mente, og hun hadde faktisk tenkt nøyaktig det samme, at det ikke var så lett å stå *nær* noen som hadde slike fordommer.

– Men hva om han plutselig står utenfor døra på Neshov? Slik som Krumme gjorde?

Aldri i livet, han kunne ikke reise fra hundene sine.

– *Du* greide jo å reise fra alt …

Det ble noe annet, hevdet hun. Det verste var maset fra moren, hun var helt fra seg. Torunn hadde lagt inn egen ringelyd på moren. Abba, med *Mamma mia, here I go again* …

Han lo høyt, resultatet ble en strek i stedet for prikk.

– Men jobben? Holdt du ikke masse kurs og sånn?

Hun var sykemeldt; hadde fått legen med på at hun var overarbeidet og deprimert.

– Deprimert? Satt du og gråt og bar deg foran en lege? sa han, og prikket taktfast opp mot dukkens øreflipp.

215

Hvis noen kom inn på rekvisittverkstedet nå og oppdaget ham med et mannshode i skjødet ... Om enn kunstig.

Ja, hun hadde faktisk grått. Og gråten var kommet helt naturlig, sa hun.

– Du var virkelig skikkelig forelsket i ham, altså ...

Ja, det hadde hun vært. Og i tillegg til moren, som bare hadde falt sammen, ble det bare for mye, alt sammen.

– Åh, Torunn, lille niese, stakkars deg ...

Hun begynte å gråte, han kjente han ble på gråten selv, det var ikke mening skapt i at hun skulle være så ulykkelig når han selv satt her på bristepunktet av lykke og hemmeligheter. Han måtte ta en pause i skjeggdekoren.

– Ikke gråt. Du skulle ha kommet hit i stedet, vet du. Krumme og jeg skulle fått ristet kjærlighetssorgen ut av deg. Og så drar du til *Neshov*, av alle steder, og vandrer rundt i forfall og rotter og elendighet. Det er ikke bra for deg!

Der trengte de henne, sa hun, der var hun viktig på en annen måte enn både på jobben og overfor moren og for Christer. Og det å gå sammen med grisene var ren terapi.

– Jeg *begriper* det ikke! De stinkende grisene! Vet du ikke at de er livsfarlige? De er rovdyr!

Ikke et ondt ord om grisene, sa hun, de var fantastiske, og han valgte å ikke si henne mer imot, siden hun sluttet å gråte. Og hun hadde en nyhet. Kanskje hun egentlig ikke skulle si det, men Margido var i Danmark.

– HVA?! sa han og mistet tusjen i gulvet.

Han var på en kistemesse et sted. Eller noe sånt. Kanskje det var en messe med gravstøtter, hun husket ikke helt. Tusjen rullet inn under badekaret som stod på skilpaddeføtter.

– Kistemesse? Hva i svarte svingende er det? Gud, jeg ser for meg at de kler seg ut i svarte kapper og danser rundt åpne kister og drikker kalveblod med sugerør! sa han og begynte å le. Torunn lo også, selvsagt var det til København hun burde ha kommet. Men det kunne være at Margido tok kontakt, sa hun, bare så han var forberedt.

– Nå står ikke verden til påske. Jeg kan ikke tenke meg at Margido har vært lenger av gårde enn til Røros før. Men selvsagt, hvis han ringer, så inviterer vi ham hjem på litt god mat.

Det ville han sikkert bli glad for, sa hun. Han la seg på alle fire og fikk fisket frem tusjen. Han ble støvete på knærne og kostet hektisk på det svarte stollet.

– Glad og glad, fru Blom. Synlige tegn til glede ligger vel ikke akkurat for Margido, med unntak av den telefonen på nyttårsaften, da ...

Den måtte han ha innbilt seg, mente hun.

– Det sier du hver gang! Men det gjorde jeg ikke! Jeg tror faktisk at ikke engang *min* fantasi er i stand til å innbille seg noe slikt! En full Margido som kaller meg lillebror og hyler at han er på *date*?! Aldri i livet!

Hun nektet uansett å tro det, og nå måtte hun slutte, avløseren svingte inn på tunet.

– Så du ordner ikke med alt helt alene, da?

Nei, det var ikke lov. Man måtte ha godkjenning og utdannelse for å stå med ansvaret for produksjonsdyr alene. Dessuten fikk avløseren betalt fra det offentlige, det ville ikke hun få, uten de nødvendige godkjenninger.

– Huff, det høres masete ut, jeg har falt av allerede. Men er han kjekk? Kler han fjøsdress?

Litt kjekk, sa hun. Men fem år yngre enn henne, han het Kai Roger.

– Gud, for et navn. Et typisk norsk avløsernavn. Men de fem årene skal du ikke bry deg en tøddel om. Hvis han er kjekk, så ikke nøl et sekund. Gi ham hans livs erotiske opplevelse midt i fjøset, med grisene som lamslått publikum! Og så forteller du meg alle detaljer etterpå, ikke glem å ta notater underveis.

Hun visste ikke engang om han var fri og frank, sa hun. Dessuten var hun ikke *der* ennå.

– Så kom deg dit, da. Litt faderlig fort.

Det var for tidlig, sa hun, og nå var det dessuten så mye annet å forholde seg til. Men hun var glad for at han hørtes ut som seg selv igjen, og ikke kranglet med Krumme lenger.

– Vi har da ikke *kranglet*, snille deg! Bare skramlet litt med kasserollene. Nå er alt hunky dory igjen, ikke tenk på det. Vi er så forelsket, at!

Hvis det ble rot med ham og Krumme, på toppen av alt. Nei, den tanken orket hun ikke engang å tenke.

– Slapp av. Onklene sitter pal i København og elsker hverandre. Kos deg med Kai Roger, da. Fortell ham at det fins en navnelov, han kan faktisk skifte navn til Nasse Nøff *når* han vil!

Han skrudde hodet fast på dukkens torso. Perfekt. Først når han fikk dem på plass i vinduet, ville han style håret ferdig og kle på dem. Men dekoren måtte han ordne her på byrået, det var for trangt å jobbe i butikken. Han plukket opp en arm og åpnet hullpermen med mønstrene han fikk låne hos tatovereren i Istedgate. En klatrende tiger på overarmen og et damenavn med hjerte rundt på underarmen, det ville bli passe røveraktig. Tatoveringer var noe av det styggeste han visste, og så fullstendig *ute*. Han tegnet med mørkeblå tusj, som han etterpå strøk forsiktig over med Q-tips dyppet i white spirit, dermed oppnådde han den litt stygge, utflytende streken, slik det så ut på ekte hud.

Agnete og Oscar var i gang med fangedraktene, og askebegeret stod til tørk. Butikkeieren ville selvsagt ikke ha et stinkende askebeger i butikkvinduet sitt. Ekte sneiper var mattlakkert for å stenge inne luktene, og skum man brukte for å sprøyte inn isolasjon rundt vinduer, var formet til askehauger og gråmalt, deretter var hele askebegeret mattlakkert med sprayboks. Whiskyen var ganske enkelt brun lakk slått ned i glassene og whiskyflaska; lakken var allerede tørr. Det ville bli helt perfekt. Den møkkete og slitte rullegardinen som skulle henge på bakveggen, belyst fra baksiden som fra ei ekkel og stikkende sol, hadde Oscar funnet i en nedrivningsgård.

Han løftet opp det andre skurkehodet og begynte den møysommelige prikkingen på de hårløse kjakene, som kanskje ved forrige gangs bruk hadde tronet glatte og nybarberte over jakkeslagene på en Armani-dress. Han husket plutselig idéen med de to kyssende mennene, han ville ikke gi slipp på den. Kanskje en hipp klesbutikk med en ung og modig innehaver ... Nå når alt var fint med ham og Krumme, ville energien og idéene hans ingen ende ta; han ble innimellom direkte imponert over seg selv. Hvor *tok* han det fra.

Jytte og Lizzi bodde på Amager, nesten ute ved Kastrup Fort; han og Krumme fikk viftet til seg en taxi i Niels Hemmingsens gade. Krumme hadde med sin egen tzatziki på et stort glass, og Erlend satte seg inn med to flasker rødvin i fanget.

– Jeg er spent, sa Krumme. – Dette er nervepirrende, det må jeg virkelig si.

– Kanskje vi skal åpne den ene flaska. Sjåføren har sikkert en vinåpner, det må vel være standardutstyr i københavnske taxier.

– Slapp av. Fremdeles *snakker* vi bare om det.

– Et godt tegn. At vi fremdeles er i stand til å snakke.

Amagerbrogade kokte av liv og lys. På dagtid var den støvete og skitten, men mørket la sitt barmhjertige slør over slitasje man ikke ønsket fokus på. Jeg elsker denne byen, tenkte Erlend, jeg elsker livspulsen og trassen mot kjedsommelighet, her hører jeg hjemme, og her skal jeg kanskje bli far. Han grep Krummes hånd, klemte den og beholdt den i sin.

– Hva tenker du på? sa Krumme lavt.

– At akvariemannen kommer i morgen. Det skal bli godt å slippe å se på Tristan og Isolde gjennom et slør av alger når man i all enkelhet tar seg et champagnebad i jacuzzien.

– Tullebukk.

– Ja, er det ikke derfor du vil ha barn med meg?

De kjørte inn i villaområdene, og drosjesjåføren fant Koreavej ved hjelp av kartboka.

Jytte kom ut på trappa foran huset og ga dem begge en klem. Lizzi stod i kjøkkenet, det luktet hvitløk og koriander, og det lå damp på innsiden av vinduene. Det var alltid godt å komme hit. Det var bøker og planter overalt, begrepet minimalisme eksisterte ikke i dette huset. Erlend begynte straks å tenke på barnerommet. At selv om han innredet det aldri så lekkert, ville det nok bli overfylt av alt mulig mykt og fargerikt og dinglende det øyeblikk han snudde ryggen til.

– To ting, sa Lizzi da de satt ved bordet og var fordypet i en litt udefinerbar pastarett. Lizzi var vakker på en slags kjølig Liz Hurley-måte, mens Jytte var totalt motsatt. Slett ikke maskulin, men tett i kroppen, slik tenkte han på henne, som tett og kompakt, sterk. Kraftige håndledd, litt butte fingre. Jytte var også vakker, hvem kunne han si hun lignet på? Kanskje Janet Jackson, uten brunfargen.

– Bare to? sa Krumme.

– Skål! sa Jytte.

– Skål. Det første er dette med hus, sa Lizzi.

– Hva mener du? sa Erlend og tok en ekstra slurk vin, de var i gang.

– Kanskje vi burde finne en stor villa, med to separate leiligheter, selvsagt. Men likevel felles hage. Det ville gjøre alt enklere.

– Huff nei, sa Erlend.

– Jeg likte heller ikke tanken, sa Jytte. – Jeg elsker dette huset.

– Og jeg elsker leiligheten vår, sa Erlend.

– Jeg også, sa Krumme.

– Men terrassen, sa Lizzi. – Det er langt ned til bakken.

– Ingen fare, sa Erlend. – Med det samme jeg får ordnet med den vanngraven rundt glasskapet mitt, får jeg håndverkerne til å bygge et strømførende nettinggjerde med knuste glasskår limt fast på toppen. You see? Problemet løst.

Hvis vi blir enige om dette, sa Krumme, – så vil jo barnet være ... *lite* en god stund, vi har masser av tid til å finne ut hva vi vil underveis.

– Det er jo sant, sa Lizzi.

– Hvis vi ser at det blir upraktisk slik vi bor, så får vi samarbeide om det også, sa Krumme.

– Vi har et forslag, sa Jytte.

– Jytte ... Vi skulle jo vente til over kaffen, sa Lizzi og smilte. De var begge plutselig blitt hektisk røde i ansiktene.

– Forslag til hus? sa Erlend.

– Nei, sa Jytte. – Mye større enn et hus.

– Men hva *er* det? Si det! Er en av dere allerede blitt gravide? sa Erlend. – Gått bak vår rygg og stjålet sædceller fra en tilfeldig forbipasserende sjømann i utenriksfart?

– Nei! sa Lizzi og lo.

– Vi har jo snakket så mye om hvem av oss som skal bære frem barnet, og hvem av dere som skal være faren, sa Jytte og grep Lizzis hånd.

– Erlend, sa Krumme.

– Blanding i en kaffekopp, sa Erlend.

– Vi har et forslag, sa Jytte.

– Det har du *sagt*! sa Erlend. – Kom nå *med* det!

Øynene til Jytte stod plutselig fulle av tårer, men hun smilte: – Begge. Oss alle fire.

Det ble helt stille, bare lav musikk hørtes fra radioen på kjøkkenet, Erlend visste etterpå at han aldri ville kunne høre på Elton Johns «Rocket Man» uten å tenke på dette øyeblikket.

– Alle? Det var Krumme som greide å snakke først.

Nå gråt både Jytte og Lizzi, og Jytte satte seg på fanget til Lizzi, rev nesten ei vinflaske overende i farten.

– Men hva mener du? hvisket Krumme, som også hadde grepet Erlends hånd.

– Akkurat det hun sa, sa Lizzi. – Både Jytte og jeg vil bære frem et barn, så da kan dere begge bli fedre. Dere behøver ikke velge. Ikke vi heller. Det var det vi plutselig forstod da vi snakket om hvem av oss som skulle … At hvorfor velge? Vi er to kvinner. Det er ikke sikkert vi blir gravide samtidig, det er vel for mye å håpe på, men vi kan vel prøve? Og da må vi selvsagt ha dere begge som fedre!

– Herregud, sa Krumme.

Nå *blir* det, tenkte Erlend, nå blir det noe av alt dette, fra akkurat dette sekund av er det et faktum.

– Gode Gud, sa Krumme.

– Hold opp, Krumme, han kan ikke hjelpe deg. Mener dere virkelig dette? sa Erlend.

– Ja, sa Jytte.

– Selv om vi antagelig vil ta livet av hverandre, sa Lizzi.

– To hormonelle kvinner under samme tak, hvis vi blir gravide nogenlunde samtidig. Hvis dere vil, altså. Hvis vi skal gjennomføre dette.

– Vi vil, sa Erlend og kjente Krummes armer rundt seg før han rakk å trekke pusten. Krumme presset ansiktet ned i nakkegropen hans, han hulket og lo. Glasset hans hadde veltet, rød vin krøp inn i bordduken, flekken lignet en rød rose.

– Champagne, sa Lizzi og snufset. – Jeg henter den.

– Når skal vi gjøre det? sa Krumme og snøt seg høyrøstet i servietten, noe han visste at Erlend egentlig avskydde.

– Vi er midt i eggløsningen om ei ukes tid, sa Lizzi og reiste seg. Hun hadde maskara langt nedover kinnene.
– Og Jytte og jeg er hundre prosent samkjørte. På den måten også.

Hun sprang inn på kjøkkenet og kom tilbake med ei flaske som dugget på utsiden.

– Kaller du *det* champagne, Lizzi? ropte Erlend. – Det er musserende vin! Jeg *visste* jeg skulle ha tatt med noen flasker Bollinger!

– Du greier nok å presse ned et glass eller to. Se! Se som jeg skjelver på hendene, sa hun.

– Det gjør vi alle, sa Krumme. – Dette er blodig alvor.

– I alle fall blodig, sa Erlend.

De så på ham.

– Jeg mener ... helt til slutt, når barna skal ut. Det vil ikke jeg være med på, sa han.

223

– Det vil jeg! sa Krumme.

– Da vil jeg også, sa Erlend. – Ellers får jeg bare høre i hundre år hva jeg gikk glipp av. Med to Valium går det nok. Men Krumme og jeg må være der begge to, jeg tør ikke være alene. Det betyr altså at akkurat da må dere ikke være *helt* samkjørte.

– Men hvordan gjennomfører vi dette? sa Krumme.

– Vent. Nå skåler vi først, sa Jytte og reiste seg. Hun stod der, rank og blussende, med glasset på strak arm, som en frihetsgudinne. – Kjære Erlend og Krumme, vi er så glade i dere. Og i hverandre. Og det er dere også. Ingen barn kan drømme om å bli født inn i mer kjærlighet enn det vi fire har å gi dem.

De reiste seg og skålte stille mot hverandre. Erlend kjente hvordan knærne dirret. Jeg skal bli far, tenkte han, vi skal bli fedre.

Jytte foreslo at de skulle høre med en lege hvordan blodtypene passet i forhold til hvem som skulle besvangre hvem. Resten ville de ordne selv.

– Dere må ikke på en slik klinikk, da? spurte Erlend.

– Nei, sa Jytte. – Det behøver vi ikke. Det handler jo bare om å få den dyrebare dosen lengst inn. Det greier vi utmerket godt selv.

– Men *hvordan*? sa Erlend.

– Herregud, sa Lizzi, – som du spør. Vi bruker plastslange og trakt, det er ikke mer komplisert enn som så.

– Hvorfor har da den klinikken fullt opp å gjøre? Om jeg tør spørre?

– Fordi de tilbyr anonyme sæddonorer, og de renser sæden først, og fører den helt inn i livmoren, sa Lizzi. – Men hos oss skal sædcellene få kappsvømme det siste stykket selv, på naturlig måte. Den sterkeste vinner. Vi vil ikke på noen klinikk, vi vil at det skal være vakkert og spesielt for oss. Og vi vil at dere skal være her.

– Ikke for å ...

– Nei, Erlend, ikke for å se på. Eller holde trakten. Men for å være her. Vi kan spise sammen etterpå, ha en vakker kveld.

– Ingen alkohol på dere mer da, sa Krumme og viftet med pekefingeren.

– Nei, sa Jytte. – Ikke engang fra i morgen av. Min kropp skal være totalt ren når den skal lage et lite barn.

– Jeg tar med ekte champagne, jeg kan drikke for dere begge! sa Erlend.

– Ikke på forhånd, sa Lizzi.

– Hva?

– Det beste er om dere verken drikker kaffe eller alkohol nå den siste uka, sa Lizzi.

– Gode gud, sa Erlend. – Er det *slike* forsakelser som kreves ... Da skjønner jeg hvorfor jeg har nølt en stund.

– Ei uke med pinsler for dere, sa Jytte. – Deretter ni måneder totalavhold for oss. Det er vel en grei deal.

– Når du sier det på den måten, sa Erlend. – Men *etter* at Krumme og jeg har gjort jobben i hver vår kaffekopp ...

– Vi har fått tak i spesielle begre, sa Lizzi. – Sterile.

– Jøss, sa Krumme. – Dere var virkelig sikre på at vi ville si ja ...

– Ja, faktisk, sa Lizzi. – Siden vi nå alle fire kan bli foreldre.

– Det er i grunnen merkelig, sa Erlend. – Tanken på én tissemaskin skremte først vettet av meg, og nå når det skal bli to, er ikke tanken så uhyrlig lenger. Men hva om dere ikke blir gravide? Eller bare en av dere? Folk kan jo holde på i årevis med å ...

– Jeg tror vi blir, sa Jytte. – Begge to. Dere vet jo at både Lizzi og jeg har hatt hver vår abort, etter et forhold med menn, før vi skjønte at ... Men i alle fall ... Lizzi ble gravid etter ett avhoppet samleie, jeg ble gravid mens jeg brukte både pessar og utskylling! Vi er ultrafruktbare.

– Nå syns jeg vi skal drikke alt som befinner seg i huset av alkohol, siden dere kanskje skal være uten i over ni måneder og vi ei hel uke, sa Erlend.

Da han og Krumme vaklet til sengs, vel hjemme i tretiden på natta, hvisket Erlend: – Jeg mener det med vanngraven, Krumme.

– Kjære deg, kom hit ...

– Og alligatorer. Tre stykker vil muligens være tilstrekkelig. Men jeg vurderer fire.

– Jeg elsker deg, Erlend. Du gjør meg til verdens lykkeligste mann, vet du det?

– Mmm. Du lukter så godt ... Ja, jeg vet det. Det er gjensidig. Da jeg gikk her og trodde du var misfornøyd med meg og livet vårt ... Ingenting var verdt å leve for lenger, Krumme. Jeg la ikke engang min sjel i vinduene, det var grusomt.

– Jeg var så stolt av deg i dag, da *du* svarte ja. På den umiddelbare måten. Det gjorde meg så ... *trygg*. Skjønner du?

– Det bare ploppet ut av meg. Jeg *ville*. Jeg *vil*. Jeg får rabatt på barneklær på Benetton, har jeg fortalt deg det? Jeg husker jeg lo godt da Poulsen fortalte det, og svarte at hva skal jeg nå med det? Kanskje det var et tegn. Det var samme dag som du ble påkjørt.

– Nå skal du høre, sa Krumme. – Hva om vi monterte glasskap direkte på veggen i hele den ene stuas lengde?

Med lys og det hele. Godt og høyt oppe på veggen. Det ville bli flott.

Erlend lukket øynene og så det for seg. En elv av lys som rant horisontalt bortetter veggen, han kunne jobbe ut temaene i Swarovski-figurene ved siden av hverandre, det ville bli mye mer fokus på dem når alle befant seg i ansiktshøyde, det ville bli fantastisk. Med de nye figurene også, som var kommet i posten, hele og fine.

– Jeg elsker deg, Krumme.

– Har du fått de nye figurene? De du bestilte?

– Ja. Og du ..? Jeg kjøpte en enhjørning.

– Jeg vet det. Jeg har sett den.

– Har du? sa Erlend og løftet seg opp på albuen, betraktet Krummes velkjente ansikt ovenfra. Han lette etter spor av anklage i Krummes øyne og hvisket: – Jeg satte den ganske langt bak. Unnskyld. Jeg bare …

– Jeg ser på det som en kjærlighetserklæring, sa Krumme. – At du ikke kunne være den foruten.

– Det kan jeg heller ikke. For den er deg.

– Kom hit, lille mus. Helt inntil.

– Jeg er faktisk ikke i stand til å komme stort nærmere.

– Så slukk i alle fall lyset.

ERLEND VILLE STÅ OG VENTE PÅ ham allerede på perrongen, det var han uendelig lettet for. Da han kom hit for å ta toget til Frederiksværk, hadde Hovedbanegården vært et mylder av mennesker og lyder og bevegelse, det var vanskelig å orientere seg når han ble skubbet rundt midt i denne travelheten som fylte sansene til bristepunktet.

– Der er du jo, sa Erlend, som plutselig stod der smilende. De trykket hverandre i hendene.

Det var underlig å se Erlend midt i alt dette fremmede og samtidig vite at det var her han bodde og på mange vis hørte hjemme. Samtidig var han annerledes. Håret hans var kortere enn i jula og svartere enn noensinne, det var faktisk så svart at det var blåskjær i det. Øynene hans virket mørkere enn da han var på Neshov, han måtte ha streket dem opp med svart og farget vippene. Det var slikt Margido la merke til, som selv gjorde i stand ansikt som skulle studeres inngående, liggende opplyst og i fokus mot en hvit silkepute. Men som vanlig var han pent kledd. Velstelt, og aldri i skrikende ungdomsklær som mannlige førtiåringer ofte iførte seg. Alt dette rakk Margido å registrere, tross utmattelsen.

Han var utmattet på en måte han ikke hadde opplevd før, og var forundret over hvor nytt og uvant alt var, enda han ikke var lenger unna hjemlandet enn Danmark.

Maten smakte annerledes, melken til frokost, pålegg og brød, slike enkle småting som han hjemme tok for gitt at alltid var de samme. Det var alkohol til alle måltider, til og med til frokost, da drakk de snaps. Og alle skiltene på dansk, han hadde jo aldri sett dem på ordentlig før og ble slått av at det som stod der virket gammeldags, som konservativt riksmål, noe det jo på en måte også var. Men det største inntrykket hadde nok det talte språket gjort. Det å høre dansk rundt seg på alle kanter fra morgen til kveld; lydbildet ble totalt endret, og dermed ble virkeligheten en annen også. Han hadde tatt seg i å lure på hvordan en helt fremmed *kultur* ville virke på ham, når dette danske virket så sterkt. Hvis han hadde dratt til ... Tunisia, eller Kina, eller Australia. Det ville blitt uutholdelig overveldende.

– Det ville jo vært dumt å være her uten å hilse på, sa han.

– Selvsagt. Når går flyet ditt? sa Erlend.

– Fem på ni i kveld. Direkte til Værnes.

– Ja, fra Trondheim til København er det egentlig bare en liten svipptur. Og da har du jo flere timer. Kanskje vi skal sette bagasjen til oppbevaring og ta en liten sightseeing før vi drar hjem til oss? Havfruen og Amalienborg og sånn? Tivoli er stengt på denne tiden av året.

– Det er snilt av deg, Erlend, men jeg er sliten, det har vært så utrolig mange inntrykk. Å sette meg i en god stol er egentlig det jeg har mest lyst til.

– Da sier vi det. Havfruen er ganske oppskrytt uansett, den er knøttliten og full av måkeskitt.

– Vi må vel ha en drosje, da. Du vet sikkert hvor de står.

– Her heter det *taxa*, Margido. En drosje har hest foran i Danmark. Og vi bor på Gråbrødretorv, det er rett her oppe. Det ville ta seg latterlig ut å leie hest for *den* korte biten. Skal jeg ta bagen din? Rart å se deg her. Den siste jeg hadde ventet å få på besøk. Du overrasker stadig, Margido.

Han visste ikke hva han skulle svare, så han lot være. Dette *stadig*, han skjønte hva Erlend hintet til. Bare han ikke begynte å snakke om det.

Det var grått og kaldt ute, en isende vind feide lavt langs asfalten. Slik hadde det vært i Frederiksværk de to dagene også. Han hadde innbilt seg at det ville være varmere i Danmark, og så var det motsatt, kaldere enn i Trondheim. Han frøs på toget og var nå frossen langt inn til margen, men ville ikke klage. Det var forhåpentligvis varmt i leiligheten.

Erlend førte an med lange skritt, uberørt av kaoset rundt seg. En gatesanger stod med gitar og munnspill rett utenfor hovedinngangen, det var ikke til å begripe at han maktet å stå stille og spille i denne kulda.

Mens de gikk oppover det Erlend kalte Strøget, og som skulle være Københavns promenadegate, pekte Erlend ut Rundetårn, og spiret til Trinitatis Kirke.

– Treenigheten, sa Margido.

– Det betyr vel det, ja. Og du har vært på kistemesse, hører jeg rykter om?

– Det var både gravmonumenter og kister.

– Shoppet du vilt, da eller? sa Erlend.

– Nei. Det var noe datautstyr der, ferdige trykksaker rett ut, med bilder og tekst og farger. Men jeg forstår meg ikke på data. Kister har jeg fast leverandør på, og alle steinene tar vi fra Eide på Nord-Møre. Slikt kan man ikke gjøre om på.

– Det var vel siste skrik innen kister, da, vil jeg tro. Innebygd radio og tv og internettforbindelse?

– Ikke akkurat det, nei, sa Margido.

Det luktet nystekt bakkels fra en åpen vogn, dampen fra smultgrytene slo opp i grå røykskyer, en ung pike stod med et underlig leketøy i en snor som hun demonstrerte for salg, hun så blåfrossen ut og hadde ingen hansker eller votter på, han måtte tenke på piken med svovelstikkene. Dette var en millionby, gadd vite med hvor mange fortvilte skjebner.

– Hvordan er det egentlig å jobbe med død, Margido? Hele tiden?

– Det er en ... god jobb. Tilfredsstillende. Mennesker som setter pris på det man gjør. Og du? Forretningen går bra? Er det du som har dekorert noen av disse vinduene?

Han måtte nesten være så høflig og spørre. Alt han så var utstillingsdukker på rad og rekke iført ulike klær, og vinduer med andre produkter stablet rundt omkring, med prislapper, det sa ham ingenting og fristet ikke.

– Ikke akkurat her. Kjedelige vinduer. Ser du noe du har lyst på?

– Nei.

– Nemlig. Fordi de ikke er mine. Overlesset og stygge.

Det gikk heis opp til leiligheten, den lignet en hotellheis, med speil på tre vegger over et gelender i messing. Erlend måtte taste en kode på et panel før den satte seg i bevegelse.

– Det var voldsomt til sikkerhet, sa Margido.

– Hele øverste etasje er bare vår, og man vil jo ikke ha uvedkommende plutselig stående utenfor døra.

– Egen heis?

– Nå ja. Den *passerer* jo naboene på vei opp ...

Men ikke engang heisen og sikkerheten kunne ha forberedt ham på selve leiligheten. Han knyttet skoene av seg selv om Erlend sa han ikke behøvde det, og trådde på sokkelesten inn gjennom rom han bare hadde sett maken til på film. Ikke engang på hjemmestell av nylig avdøde hadde han vært et slikt sted, det nærmeste i Trondheim ville være Nedre Elvehavn, men han trodde ikke det fantes en slik leilighet der heller. To kjempestore vinkelstuer, den ene med skyvedører i glass ut til en enorm takterrasse, peis, utsøkte møbler i gyllent tre og glass og stål, gulvurner med liljer, moderne kunst på veggene, et bredt glasskap, opplyst, og fylt av glassfigurer, gulver i flis og terrakotta, skifer og parkett. Han visste at han og Krumme var velstående, men dette overgikk alt han hadde forestilt seg.

– Det er ikke akkurat Neshov, sa Margido.

– Nei, *det* kan man trygt si. Kaffe?

– Ja takk.

Kjøkkenet var også enormt. Den ene stua hadde hatt et langt spisebord med minst ti stoler, og her inne på kjøkkenet stod et mindre, med to. Metervis med benkeflater i polert stein skinte blanke og svarte.

– Larvikitt, sa Margido, lettet over å oppdage noe velkjent, og strøk så vidt den kalde overflaten. – Brukes ofte til gravsteiner.

– Ja, det het visst det, sa Erlend, trykket på en knapp og satte en liten svart kaffekopp under en tut. – Jeg lager espresso, det ser ut som du trenger det. Og jeg har kjøpt noen wienerbrød. Krumme kommer om litt og lager middag til oss.

– To kjøleskap? sa Margido og stirret på det doble skapet i børstet stål, den ene døra var i matt glass.

– Det må man jo ha. Ett til mat og ett til flytende.

– Dere er da bare to mennesker?

– Vi holder selskaper. Og vi liker å ha litt å velge i. Se! sa Erlend og åpnet kjøleskapet med mattglass. – Champagne,

232

hvitvin, sodavann, juice, blandevann, melk, fløte, eddiker, dressinger uten olje, øl og Danskvand. Det fyller jo et helt kjøleskap, ikke sant?

Margido satte seg forsiktig ned på den ene stolen og betraktet hvordan Erlend med ryggen til ham laget en kopp te til seg selv og hentet frem en skål med brunt sukker. Han plukket kaker ut av en hvit papirpose og la på et glassfat. Da oppdaget Margido at det stod to oppvaskmaskiner montert side ved side under benken. To stekeovner hadde de også, på toppen av hverandre, i brysthøyde.

– Det er to av alt her, sa han.

– Ja, det er kanskje det! sa Erlend med en liten latter, skuldrene hans ristet inne i den svarte, høyhalsete genseren. Skulderbladene hans stod tydelige og spisse gjennom genserstoffet. Broren hans. Komfortabel og avslappet midt i denne luksusen, det gjorde ham nesten enda mer utmattet enn han hadde vært før han kom hit, uten at han helt forstod hvorfor. Det gjorde i alle fall sitt til at han kviet seg enda mer nå, til å si det han hadde bestemt seg for. Han kikket ned på sokkene sine, med en plutselig lettelse for at ingen av dem hadde fått hull på tærne etter all gåingen. Han skjøv dem inn under bordet, Erlend hadde skiftet til et par lodne tøfler, han forsøkte å konsentrere seg om lukta av kaffe, at Erlend hadde kjøpt wienerbrød og sikkert hadde tatt seg fri for hans skyld, at han var velkommen.

– To oppvaskmaskiner er perfekt, sa Erlend. – Til hverdags plukker vi rent fra den ene og setter skittent inn i den andre, og når vi har selskap, er det supert å ha to å vaske i etterpå. Den ene stekeovnen er til poteter og grønnsaker og slikt, den andre til hovedretten, kjøtt eller fisk eller fugl. Så blir alt ferdiglaget samtidig.

– Dette må koste en formue.

– Krumme kommer fra en ekkel overklassefamilie i Klampenborg, jeg treffer dem aldri, men han ser dem av og til. Han arvet et lass penger da moren hans døde, og når den ufyselige faren hans biter i gresset, blir det enda mer. Og vi tjener jo også bra.

– Jaha.

– Vi kjøpte leiligheten for tolv millioner for åtte år siden og brukte seks millioner på å få den slik vi ville. Vær så god, forsyn deg, sa Erlend og satte kaffen foran ham.

Han drakk takknemlig. Det var varme i gulvet, han klemte fotbladene mot underlaget og lukket øynene et kort sekund.

– Sliten? sa Erlend.

– Ja. Og på en annen måte enn når jeg har fullt opp å gjøre hjemme.

– Vi tar en taxi til Kastrup, jeg blir med deg utover, så går resten av turen din på skinner.

– Det behøver du ikke. Men det hadde faktisk … vært fint.

– Du har aldri vært utenlands før, har du?

Margido sukket. – Nei. Så det blir litt mye. Med reisingen og språket og …

– Gravstøtter og kister.

– Akkurat det er jeg jo vant til.

De ble stille. Han tømte koppen, den var knøttliten. Uten å spørre reiste Erlend seg og laget en ny. Han trakk pusten, kjente med det samme at hjertet slo fortere nå da han hadde bestemt seg, og sa: – Jeg vil gjerne si unnskyld, Erlend.

– For hva?

Et svimlende sekund ble Margido redd for at Erlend trodde han ba om unnskyldning for telefonsamtalen

234

nyttårsaften, han skulle ha ordlagt seg annerledes. Han skyndte seg å si: – For måten du er blitt behandlet på i familien vår. Jeg forstår godt hvis du er bitter og sint på ... ja, både meg og Tor og ... mor.

Allerede nå skulle han gjerne vært ferdig med samtalen og fått legge seg ned et sted, lukke øynene, vite at dette var overstått.

– Jeg er ikke bitter, sa Erlend og satte en ny, fylt kaffekopp foran ham, møtte blikket hans. – Jeg er ikke det. Jeg var oppgitt og syntes synd på dere. Men da jeg dro min vei fra Neshov den gangen, var jeg rasende. Jeg fant meg ikke i å bli tråkket på. Rasende og skuffet og fandenivoldsk, men jeg ble ikke bitter. Det var ikke bare dere på gården, det var alt. Hele ... hele Byneset, hele Trondheim. Mye er vel skjedd på tyve år, men den gang ...

– Ja. Mye har skjedd.

– Da du ringte nyttårsaften ...

– Behøver vi å snakke om det, sa Margido.

– Var du full?

– Det skjer ikke mer.

Erlend begynte å le høyt, med åpen munn og hodet kastet tilbake. – Jeg visste det! At du måtte være full for å kalle meg lillebror!

Margido ville løfte koppen til munnen for å drikke, men kjente at han skalv på hånda og lot koppen stå.

– Unnskyld, Margido, jeg skal ikke le av deg, det var stygt av meg, sa Erlend.

– Krumme er en ... fin mann, sa Margido. – Det sa også Fosse prest da jeg traff ham for noen uker siden. At dere var ... virket svært hyggelige.

– Sa han det? Og du ber om unnskyldning? Og enda er dere begge to kristne?

– Ja. Sånn er det.

235

– Du så dem, du. Sammen? sa Erlend.

Nå tvang Margido kaffekoppen til munnen med begge hender. Han måtte kjenne smak av kaffe, men det burde vel ikke forundre ham at Erlend ville snakke om dette. Nå var det ikke på Neshov han satt, med Tor på den andre siden av bordet som løftet på gardinkappen og sjekket utetemperaturen hvis et samtaleemne ble for kinkig.

– Hvem? Du mener … mor og …

– Ja, sa Erlend.

Han ga seg til å studere kjøleskapene igjen, den ene døra hadde et hull i seg, med en knapp over hvor det stod Ice Cube Automat. – Ja, sa han. – Jeg gjorde det.

– Du *så* altså at mor og bestefar Tallak …

– Jeg kom litt tidlig hjem fra skolen en dag, sa Margido. – Jeg var ikke gamle karen.

– Det er så vanskelig å fatte. At det kan være så lett å skjule så … mye.

– Det er egentlig enkelt, sa Margido og så beint på ham. – En slektsgård skulle drives videre. Og når odelsgutten er enebarn og ikke liker jenter …

– Så ordner faren hans opp.

– Ja.

– Men da hadde det holdt med én gang, Margido. Vi er tre.

– Kanskje det var mer enn bare av nødvendighet for gården.

– At de elsket hverandre, mener du?

– Jeg vet ikke, sa Margido. – Og nå er de begge døde. Vi får aldri vite det.

– Jeg prøver å se det for meg … Mor og han, bak ryggen på bestemor i årevis, der hun lå syk oppe på kammerset. Tror du hun skjønte noe?

– Det får vi inderlig ikke håpe.

– Men mor og ... bestefar Tallak oppdaget deg ikke? Skjønte ikke at du visste det?

– Nei. Men jeg sa det til mor. For syv år siden. Siste gang jeg var der, før nå ... i jula. At det fikk være måte på hvordan de behandlet den gamle. At det var *han* det var synd på, sånn som hun hadde holdt på. Det endte jo med en fryktelig krangel, hun ble rasende, sa jeg snakket om ting jeg ikke forstod noe som helst av. Jeg bare kjørte min vei etterpå, siden hun ikke ville snakke fornuftig og rolig om det.

– Kaller Tor ham fremdeles far?

– Jeg tror nok det. Tor foretrekker at mest mulig er likedan.

– Jeg var så glad i ham. I bestefar Tallak.

– Jeg vet det, Erlend, sa han og dro ei hånd over ansiktet, klemte tommel og langfinger mot øynene, det lille blaffet av mørke var forlokkende hvile.

– Det er så lenge siden, alt sammen ... Har du et toalett? sa han og reiste seg.

– Vi har selvfølgelig to! sa Erlend. – Ett alene og ett på badet. Men du har jo ikke sett badet!

Det første øynene falt på var akvariet. Stum av forbløffelse lot han Erlend peke ut de forskjellige fiskene. Et trekantet badekar omtrent på størrelse med hele badet hans hjemme fylte det ene hjørnet, tett i tett med blanke dyser var montert inn i stålgrått porselen. Et dusjkabinett stod i det andre hjørnet. To håndvasker nedfelt i ei glassplate som var ruglete på undersiden, grønne planter og palmer med egne spotlys rettet mot seg, en hvit ørelappstol med noen klesplagg slengt over armlenet. En ørelappstol. På et bad. Da oppdaget han det, i hjørnet av rommet, skyvedører av glass med de umiskjennelige trebenkene på innsiden.

– Har dere badstue? sa han.

– Huff, den badstua. Den bruker vi aldri. Dit inn er det bare vaskehjelpen som går, for å pusse støv av ovnen og benkene.

– Jeg får snart badstue. Den skal være ferdig montert når jeg kommer hjem. Ikke med ordentlig ovn, men ...

– Vi bader, vi. Nesten hver dag, tror jeg. Den badstua var det jeg som insisterte på da vi pusset opp. Helt idiotisk siden vi aldri bruker den. Men du? Du kan vel ta deg en runde i badstua nå? Og slappe litt av?

– Nå ..?

– Kan du vel! Jeg setter ovnen i gang, da er det varmt nok om et kvarter. Så fyller jeg pøsen med vann. Ren gjestemorgenkåpe har vi også, så du får svettet ferdig etter dusjen, før du kler på deg. Vi spiser ikke før om nærmere to timer likevel, blir ikke det godt, hva? Du kan spise i morgenkåpa for vår del, det gjør vi ofte selv. Og der er kjøleskapet.

Et bitte lite kjøleskap stod ved siden av ørelappstolen.

– Danskvand. Når man blir lei av champagne. Bare forsyn deg.

Han brettet klærne pent sammen og la dem på ørelappstolen, med armbåndsuret på toppen. Det var dagens skift som han tok på i dag tidlig, han hadde ikke flere rene klær med seg. Han luktet på sokkene og vasket dem med håndsåpe, la dem deretter flatt på varmegulvet. Det banket på døra, hadde han låst? Han stod her naken.

– Ja?

– Vil du ha musikk? lød Erlends stemme. – Jeg kom plutselig på at det er høyttalere i badstua. Hva slags musikk syns du passer til svette? Diana Ross?

– Nei takk, Erlend, jeg vil gjerne sitte i stillhet. Men takk skal du ha.

Han steg inn i varmen og lukket døra bak seg. Han slo vann på ovnen, steg opp på den øverste benken, satte seg og lukket øynene. Straks kjente han svetten bryte, tømme seg fra huden. Han åpnet øynene og stirret sløvt ut av glasset, blikket falt på den hvite morgenkåpa han skulle få låne, og et stort håndkle i svarte og grå striper. Han lukket øynene igjen.

Han var svimmel da han gikk inn i dusjkabinettet. Han hadde allerede tømt ei flaske Danskvand, som egentlig bare var helt vanlig Farris, og trodde han måtte ha en til. Han lot iskaldt vann strømme over kroppen helt til sist, før han tørket seg grundig og tørket fotavtrykk og dammer bort fra gulvet. Når han kom hjem, kunne han gjøre dette daglig. Det var som om et nytt liv skulle begynne.

Det var speil alle vegne her, hjemme hadde han bare det lille over glasshylla med tannbørsten. Han ble stående og se. En korpulent mann. Hvorfor var han egentlig det? Han spiste ikke mye. Men han rørte seg heller ikke mye. Han strøk magen sin, strøk seg over håret, snudde seg vekk, men der var et nytt speil. Han så i stedet på fiskene som svømte dovent og formålsløst rundt hverandre, betraktet det kolossale badekaret hvor de badet, og lyttet. Det var stille. Morgenkåpa var myk og tykk, men skulle han gå barbeint ut i huset? Sokkene var heldigvis tørre, han dro dem på seg og hentet frem ei ny flaske dansk farris, og med tomflaska og den nye i hendene åpnet han døra. Den var ikke låst. Og nå kunne han høre lyden av klassisk musikk i det fjerne.

Krumme snudde seg straks han kom ut i kjøkkenet, smilte og kom ham i møte mens han tørket høyre hånd med et kjøkkenhåndkle.

– Velkommen, Margido. Var det godt og varmt der inne? Så synd at du ikke kan bli lenger enn bare noen timer.

Han tok Krummes hånd og sa: – Jeg må nok hjem. Pliktene kaller. Hvor skal jeg sette denne tomme?

– Sett den hvor som helst. Jeg lager lam i couscous, liker du det?

– Det gjør jeg nok. Tusen takk.

– Du får vente med å takke til du har smakt! sa Krumme og smilte.

– Hvor er Erlend?

– Han sitter visst i telefonen på kontoret.

– Her i leiligheten?

– Jada. Har du lyst på et glass rødvin før maten?

– Nei takk, jeg drikker ikke.

– Det gjør ikke vi heller, sa Krumme og snudde seg leende mot kasserollene på komfyren. Komfyr hadde de i alle fall bare én av, men det var til gjengjeld en gasskomfyr, med noe som lignet en utegrill på høyre side. Da hørte han plutselig hva Krumme hadde sagt.

– Dere drikker da, sa han.

– Ikke akkurat nå, sa Krumme. – Dette er vann. Skål!

Margido løftet flaska med dansk farris mot ham, de drakk. Han ville ikke spørre mer. Krumme ville prate om Byneset og fortalte at Tor hadde ønsket ham velkommen tilbake til sommeren, sagt at det var vakkert der da.

– Byneslandet er alltid vakkert, sa Margido. – Men om sommeren er det jo ekstra fint. Det er så velstelt overalt. Selve husene på Neshov er ikke akkurat representative, men gården ligger jo fantastisk flott til. Med utsikten og sånn.

240

– Det er jo bare en skikkelig rehabilitering som skal til, sa Krumme. – Men hva med markene rundt? Hva dyrker din bror der?

– Dem er det Trønderkorn som tar seg av. Møllen. Så der dyrkes det korn. Trønderkorn både sår og tresker, Tor bare gjødsler og tar halmen, til grisene. Og så får han avslag på fôret året gjennom. Ikke like mye som de som ordner alt selv og leverer ferdig tresket korn, men likevel et godt avslag.

– Høres fornuftig ut.

– Eneste løsning for Tor i alle fall, sa han. – Etter at han sluttet med melkekyr.

– Du har peiling på dette, Margido.

– Man får jo det. Når man kommer derfra. De siste årene har jeg vært der lite, men nå har Tor oppdatert meg på det meste.

– Erlend vet ikke stort om korn og melkekyr! sa Krumme og lo så magen disset. – Men han har fortalt meg alt om kilnotfiske. Det var han visst ekspert på!

– Ja, det likte han. Det husker jeg godt.

– Neshov omkranset av gule kornåkre, altså. Slik er det om sommeren. Det lyder nesten som en dansk bondegård, sa Krumme og slo noe som lignet gule sagogryn over stekte lammekoteletter og satte formen inn i den ene stekeovnen.

– Men ikke så flatt som her. Jeg fikk jo se dansk bondeland opp og ned til Frederiksværk.

– Ja, fortell meg om siste skrik innen kister, sa Krumme. Margido hørte at han ikke hånte, men virket genuint interessert, så han fortalte litt om alt det siste nye, hvordan utvikle vakker dekor i materialer som måtte være resirkulerbare, og hvordan metallelementer på kistene ble fjernet før de ble senket i jorden. Det siste nye var fotografier av avdøde montert på gravmonumentet, fotografier etset inn i materialer som ikke ble bleket verken av sol eller uvær.

– Kanskje interessant å lage en reportasje på, sa Krumme. – Dette er jo noe alle møter, før eller siden.

– Jeg tror ganske sikkert folk ville lese om det, sa Margido. – For *vi* har jo ikke lov til å informere så mye, ikke før behovet er der.

Da de senere satt ved den ene enden av spisebordet i stua, og han hadde kledd på seg, greide han ikke å la være å spørre: – Er du blitt avholdsmann, Erlend?

Erlend kastet et fort blikk på ham, nesten litt skremt, før han sa: – Avholdsmann? Nei, *det* var nå å ta litt hardt i.

– Vi er på en ... tablettkur, sa Krumme. – Det er bare derfor.

– Hvorfor skulle du nå begynne å snakke om det, sa Erlend og så på Krumme.

– Er dere syke? spurte Margido, og tenkte straks på HIV og AIDS.

– Nei. Slett ikke, sa Krumme. – Det er en influensavaksine vi har fått, det går så mye influensa her nå. Og da må man ikke drikke alkohol de tre første dagene etter vaksinen.

– Sånn er det med den saken, sa Erlend.

Da han satt på flyet hjem, var det måltidet og nettopp ordene som falt over maten, han tenkte på. Tablettene de spiste. Som i neste øyeblikk var blitt til en *vaksine*. Det var noe som ikke stemte, noe som ikke var helt ... samkjørt i det de hadde sagt.

Og hvis Erlend skulle bli dødelig syk nå når han nettopp hadde funnet tilbake til ham ... Eller, det hadde han jo slett ikke, men noen centimeter var tråkket i riktig retning. Likevel stemte det ikke at de stod med en fot i graven, de virket glade, nesten oppstemte, og oppførte seg ikke som mennesker med et Damoklessverd hengende over hodet.

De hadde spist Erlends hjemmelagete ostekake til dessert, han selv med espresso til og Erlend og Krumme med te, mens det brant i peisen og Erlend spilte musikk og fløy til og fra, og Krumme påstod han hadde abstinenser, det var derfor han var rastløs. Abstinenser fra hva? Erlend var da ikke *så* avhengig av alkohol? Han fikk seg heller ikke til å spørre, da de satt sammen i drosjen ut til Kastrup, eller i denne *taxaen*. Han var plutselig blitt redd for svaret.

DET LUKTET FREMDELES AVFØRING i yttergangen, enda det nå var over to uker siden hun kom. Antagelig lå det fremdeles avføring igjen under gulvlistene. Hun hadde slått vann inn mot dem flere ganger senere uten at det hjalp. Hun bar handleposene fra samvirkelaget inn på kjøkkenet og la avisa foran faren som satt og ventet ved kjøkkenbordet.

– For et vær, sa han.

– Ja, fyttikatta, jeg måtte ha viskerne på det aller hurtigste da jeg kjørte hjem, enda jeg kjørte kjempesakte.

Hele tunet var regnpisket til et gjørmehav, jordene lå svarte og klissvåte rundt husene, trærne var svarte streker mot grå himmel, de var snart midt i mars, og regnet hadde avløst flere dager med strålende sol som en stakket stund hadde fått det til å ligne vår.

– Tele i jorda ennå. Alt blir overvann. Derfor blir det slik helvetes sørpe.

Han var hard i stemmen. Han snakket nesten bare når det var noe negativt å fokusere på.

At hun ikke bare dro. Pakket i bilen og kjørte fra dem. Ringte Marit og ba henne sykemelde seg, for å komme hit annenhver dag igjen. Men det var som om hun hang fast. Hun tenkte hver dag på å konfrontere faren med hvordan han oppførte seg, og at nå dro hun sin kos, men likevel lot hun dagen gli over i den neste. Det var noe med rutinene også, at hun var fanget i dem, kunne flykte inn i dem, slippe å forholde seg til alt sitt eget. Hun hadde begynt å forstå hvordan menneskene på denne gården hadde levd i alle år, hvordan de daglige rutinene gjorde resten av verden ubetydelig. Dagen ble styrt av dyrene i fjøset, klokkeslettet, hvilke programmer som gikk på radio og TV, om landpostbudet var forsinket, om det regnet eller ikke regnet. Snødd hadde det heldigvis ikke gjort etter at hun kom, hun kunne ikke med traktoren, og Kai Roger ville ikke bruke den heller, siden den ikke hadde bra nok førervern. Da var det forbudt å kjøre den, sa han, man fikk ikke igjen på forsikringen hvis noe skjedde. Dette medførte selvsagt at faren måtte betale ekstra for å få fôret tilkjørt, noe han beklaget seg voldsomt over. Og ikke bare det. Alt var galt: regnskapet han satt og slet med hver eneste kveld, selvangivelsen som skulle være levert innen 31. mars, Eidsmo som ville ha lettere og yngre griser til slakt fordi det var overproduksjon på landsbasis, regningene fra skadedyrfirmaet i tillegg til alle ordinære regninger som kom på denne tiden av året, nye forskrifter fra KSL, hvem som skulle gjødsle jordene. Det var ikke den ting han ikke klaget over, unntatt maten hun satte foran ham. Den var alltid god, samme hva det var. Hun fikk vel ta til takke med det.

Om snart fjorten dager skulle bandasjen av. Han hadde trodd han ville være frisk over natta da. Helt til legen ved siste bandasjeskift sa at han måtte gå til fysioterapeut og trene opp beinet, det ville være svært muskelsvakt. Faren hadde bannet til legen og sagt at bare han fikk bøyd kneet igjen, ville alt bli bra, men legen måtte dessverre forespeile ham at kneet sannsynligvis ville være vanskelig å bøye en god stund, det var nettopp det han måtte trene opp.

Hun hadde lært seg å holde praten hans ute, la den bli en ordstrøm som ikke angikk henne. Hvis hun greide det, ville hun være her til han var førlig igjen og så dra, med verdens beste samvittighet fordi hun hadde holdt ut.

Men hun gledet seg ikke til å komme hjem. Moren var blodig fornærmet og ringte uavlatelig for å plassere skyld og anklager. Hun ville selge huset og kjøpe seg en *dritt-leilighet*, som hun selv kalte det, så kunne alle bare seile sin egen sjø. Hun forstod ikke at den straffen hun forsøkte å påføre datter og eksmann ville ramme henne selv hardest. Hun var bitter.

Akkurat som faren. Hun forsøkte å være blid og hyggelig. Det hjalp ikke. Hun forsøkte taushet og avstand. Det hjalp ikke. Hun forsøkte å jatte med. Det hjalp litt, men det lå ikke for henne, det å være enig i at alt var galt, at byfolk på ligningskontoret var idioter som ikke skjønte en bondes hverdag, at Landbruksdepartementet bestod utelukkende av skrivebordsfascister og at Kai Roger var en forbannet pyse som ikke ville kjøre den gode trakto-ren hans bare fordi førerhuset ikke hang forskriftsmessig fast lenger, på grunn av rust.

Hun likte Kai Roger. Han hadde hjulpet henne med å bære bøtter med varmt vann fra vaskerommet ute i fjø-set, den dagen hun kom og alt ble bare forferdelig. Da hun rømte fra Oslo og gråt hele veien til Hamar, hadde hun forestilt seg at faren skulle bli fra seg av glede og let-telse når hun kom. Og der lå han ... Antagelig kunne han aldri tilgi henne at hun hadde sett ham slik. Hun hadde fått Marit til å slippe det hun hadde i hendene, og komme, det tok under en halvtime, og imens stod hun ute på tunet og røykte, det var musestille der inne. Han bare lå der i sølet og ventet. Og Marit løftet ikke på et øyebryn, bare lukket ytterdøra bak seg og bukserte faren inn på kjøkkenet, før hun kom tilbake og hilste skikkelig på Torunn og spurte om hun greide å gjøre rent på gulvet. Hun skulle prøve, hadde hun svart.

Da kom Landcruiseren inn på tunet. Med det samme hun så den, vaklet hun til og grep Marit hardt i armen, før hun oppdaget at den hadde en mørkere farge enn Christers bil, det var avløserens. Hun ble nødt til å si at tørrklosettet var veltet, luktene bar allerede utover tunet, men hun sa ikke at faren selv hadde ligget i det. Senere fikk faren henne til å sverge at verken Margido eller Erlend måtte få vite dette, og det var hun enig i. Marit var antagelig avkrevd et lignende løfte.

Hun hadde fått sopt sammen det verste med en langkost, funnet gummihansker og en sixpack med doruller hun brukte til å begynne med, før hun gikk over til gulvklut. To ganger måtte hun rundt hushjørnet og brekke seg. Kai Roger bar vann. Hun våget ikke kikke inn av kjøkkenvinduet, men da Marit skulle opp for å hente rene klær, fikk de snakket sammen. Farens bandasje var tilsølt også, sa Marit, heldigvis bare de ytterste lagene, men han trengte altså ny ytterbandasje. Så da gulvet så rent ut og tørrklosettet var skylt ute i fjøset og satt på plass, måtte Torunn kjøre inn til Trondheim og finne et apotek, mens Kai Roger begynte i fjøset.

Da faren var plassert i feltseng i stua med en smertestillende tablett, var hun så sliten at hun skalv. Hun fulgte Marit til bilen hvor de stod lenge og pratet. Hun sa at hun ville være her en stund, at hun kunne vaske og lage mat og handle inn, ta seg av dem. Muligens hadde hun lovet for mye, men takknemligheten for at denne kvinnen på et sekunds varsel hadde reddet situasjonen, hadde gjort henne overdrevent og generøst takknemlig.

– Jeg har kjøpt wienerbrød, sa hun nå og hentet straks frem et fat og satte foran ham.

– Jaha.

– Kaffen er sikkert varm ennå. Verktøy og sånn, finner jeg det ute i vedskjulet?

– Hvordan da?

– Jeg må ordne noe med de listene ute i gangen.

– Alt av verktøy er i vedskjulet, sa han og satte seg til med avisene på strake armer. Han trengte briller, men ville ikke høre snakk om optiker, det var for dyrt, mente han. Hun fikk kjøpe noen billigbriller og se om de passet.

Hun behøvde ikke være redd for å treffe på rotter i vedskjulet. Skadedyrfirmaet hadde gjort en grundig jobb, de holdt på i flere dager og sendte en faktura på over elleve tusen. Ikke engang lettelsen over å bli kvitt et så gigantisk problem hadde mildnet raseriet hans over fakturaen. Etter en stund med svovel og edder og galle, hadde han stavret seg i vei med gåstolen over tunet og inn i fjøset. Da han kom tilbake, var han roligere og gikk og la seg.

Hun ville gjerne snakke med ham om grisene, fortelle hva de gjorde og småting som skjedde i fjøset, men han lyttet bare, uten å svare. Hun spurte om han savnet dem, men han svarte ikke på det heller. Og han var sint på Margido for at han hadde fortalt henne om rottene. Det skjønte han av at hun ikke ble overrasket da skadedyrfirmaet svingte inn på tunet dagen etter at hun kom. Han lurte på om Margido hadde slått opp en plakat om det nede på samvirkelaget med det samme, så ingen på Spongdal var i tvil om hva som huserte i fjøsveggene på Neshov.

Hun fant et tappjern og en hammer. Hun måtte lete lenge før hun fant spiker til listverk; spiker med lite hode. Hun beholdt de gjørmete støvlene på da hun kom tilbake i yttergangen og begynte å tømme den for alt som stod på gulvet. Hun husket hvor langt sølet hadde rent og var glad hun slapp å buksere den store kista, det nådde aldri så langt bort. Hun fikk bendt den første lista av, og ganske riktig, en brunvåt rand lå inntil veggen. Hun fant gulvbøtte og såpe og tok støvlene av før hun gikk inn i kjøkkenet for å tappe vann.

– Hva driver du med?

– Vasker i gangen.

Må vel være rent der for lenge siden.

Kanskje han var herdet av grisehusluktene. Da kom farfaren ned trappa. Han var stort sett oppe på rommet sitt på dagtid også nå.

– Fint, sa han. – Det lukter fælt.

– Det skal bli rent nå, sa hun. – Det er wienerbrød på kjøkkenet. Og varm kaffe.

– Tusen takk, sa han og skrittet forsiktig over det løse listverket, som lå med sprikende spiker.

Med hånda på dørklinken sa han: – Kan du klippe meg?

Hun rettet seg opp. – Klippe deg?

– Anna gjorde det. På Tor også. På kjøkkenet. Vi har egen saks til sånt.

– Jeg får vel prøve om jeg …

Han ventet ikke på ytterligere svar, men gikk inn på kjøkkenet og lukket bak seg. Hun hadde ikke tenkt på det, men det var sant. Håret lå langt nedover skjorte-kravene på dem. Hun trakk av seg gummihanskene, pluk-ket sigarettpakken opp fra regnfrakkelomma og gikk ut i bislaget. Regnet hamret i søleslapset, hver dråpe laget en liten grop før det ble til flat gjørme og en ny dråpe traff. Larmen fra alle tak og trær lignet en motor som gikk på høyt turtall. Samtidig var det noe beroligende ved det, hun likte regn. Men regn i en by, mot asfalt og biltak, var noe annet enn dette. Når telen slapp jorda, måtte jordene gjødsles. Hvis ikke faren greide det selv, måtte Kai Roger få låne en traktor og gjøre det. Nå fungerte hun som en buffer mellom faren og Kai Roger, men fikk han faren rett på, ville han ikke vare lenge, det ville ikke nytte. Og hvem skulle da ta seg av grisene? Hadde han bare ikke ligget slik da hun kom, frarøvet all verdighet.

Hun begynte plutselig å grine. Hun gråt og inhalerte og hostet, det rant snørr på sigarettfilteret, ingen av de der inne hørte henne i denne regnlarmen. Hvem skulle hun snakke med. Margido? Han ville ikke kunne gjøre noe uansett, siden Tor var sint på ham for dette med rottesladringen. Han skulle bare ha visst at de var informert om alle tomflaskene også. Kanskje Erlend, men hva kunne vel han gjøre. Han ville bare be henne komme til København. Be henne rømme. Det var lett for ham å foreslå.

I fjøset gjorde hun rent i bingene mens Kai Roger ordnet med fôringen. De hadde funnet sine rutiner sammen, og grisene var blitt vant til dem. Kai Roger var avløser på to andre gårder som også drev med gris, men i mye større skala.

– Hvis faren min ikke greier å gjødsle selv, kan du få låne en traktor?

– Det skulle vel gå. Hvis ikke vil kanskje Trønderkorn ordne det. Du burde ta deg et avløserkurs, og du kunne lære deg traktorkjøring selv. Du er jo et naturtalent som bonde!

Hun smilte. – Takk for komplimentet, men jeg tror ikke det.

– Du vet ikke hvor lenge du blir? Har fremdeles ikke bestemt deg?

– Nei.

Dette temaet hadde hun ikke villet inn på sammen med Kai Roger, men mismotet fikk henne til å spørre: – Er denne gården egentlig drivverdig?

– Ikke slik som faren din driver. Ikke hvis man vil leve som vanlige folk. Økonomisk, mener jeg. Dette er stein-alder. Ikke ofte man ser fødekasser som er ombygde dyna-mittkasser …

– Stakkars. Han gjør jo sitt beste for å spare penger. Nå har de ikke pensjonen etter farmoren min heller, bare farfaren min sin. Og det er jeg som betaler all maten.

Hun la hendene på toppen av kosteskaftet og hvilte haken mot dem, betraktet en flokk med smågris som rotet gryntende og snøftende rundt i halm og torvstrø mens halene gikk som små visper.

Kai Roger flyttet trillebåren med fôr frem foran en ny binge.

– Du er nestemann, sa han.

– Ikke si sånn. Jeg orker ikke å tenke på det.

– Men du er den eneste, du har jo fortalt at brødrene hans ikke har barn, og at du er enebarn.

Det er litt mer komplisert enn som så.

– Fins ikke komplisert. Du er den eneste.

– Jeg har mitt eget liv. I Oslo.

– Ser ikke sånn ut, akkurat.

– Faren min kan drive i flere år ennå.

– Og etter det?

– Nå snakker vi om noe annet, sa hun.

– Du kan bli med og ta en pizza på Heimdal en kveld etter fjøset.

– Ber du meg ut? sa hun og lo litt, begynte å koste energisk i midtgangen igjen.

– Ja.

– Her jeg går i en møkkete kjeledress og føler meg tygget og spyttet ut igjen …

– Såpass.

– Jeg er ikke mye til selskap. For noen for tiden.

– Du må komme deg litt vekk fra gården, sa han.

– Jeg handler da. Gjør ærend inne i byen.

– Du skjønner hva jeg mener, Torunn.

– Jeg har ei flaske konjakk på rommet mitt, og et melkeglass. Jeg drikker et glass konjakk av og til, og røyker, mens jeg ser utover Korsfjorden. Og jeg leser mye. Akkurat nå leser jeg om han engelske dyrlegen, James Herriot, har du hørt om ham?

– Tror det. Men alt det der kan du gjøre selv om du spiser pizza sammen med meg.

– Vi får se.

Faren satt inne på kontoret sitt da hun kom tilbake og skulle dusje. Han måtte sitte vridd på stolen så beinet kunne holdes fremstrakt. Hun stilte seg i døra og så på ham, tenkte at hun gjerne skulle syntes mer synd på ham enn hun gjorde, han løftet blikket, øynene møtte hennes et kort sekund før han så ned igjen. Hun savnet ham, savnet den han hadde vært, den suverene grisebonden som kjente hver tanke i hvert eneste grisehode og som flirte overgivent av marsvinoperasjoner og folk som holdt ildere som kjæledyr.

– Går det fint med selvangivelsen? sa hun.

– Nei.

– Vil du høre hvordan det var i fjøset?

– Nei. Ikke hvis alt var i orden.

– Det er det nå, sa hun. – I orden. Jeg legger meg på rommet og leser etter at jeg har dusjet. Er det noe jeg skal hjelpe deg med først?

– Nei.

– Ingenting du trenger fra rommet ditt oppe?

– Hva skulle det være? sa han.

Hun fikk lyst til å spørre om ikke det var noe lesestoff han savnet, for eksempel fra nattbordsskuffen sin, men møtte blikket hans og lot være.

– Nei, jeg vet ikke, jeg. God natt, da.

Hun satt på senga og stirret opp på den hvite firkanten i tapetet hvor David Bowie hadde hengt. Regnet slo mot vindusrutene. Hun slo litt konjakk i Duralexglasset, drakk. En dag måtte hun huske å kjøpe en radio å ha her oppe, gjøre det litt koseligere. Og i morgen ville hun begynne å rydde i vedskjulet, få orden på verktøyet. Dette skulle hun greie. Bare beinet hans ble bra igjen, ville alt bli bra.

– DISSE, KANSKJE, SA HAN OG HOLDT avisa foran seg.

– Det er styrke en og en halv. Og nå ser du mye bedre, ikke sant?

– Hadde det enda vært noe interessant å lese i avisa. Men hvorfor har du kjøpt så mange? Penger rett ut av vinduet for dem vi ikke kan bruke.

Hun hadde kjøpt en hel pose med briller, sikkert fem par. Sa de ikke kostet mer enn under hundrelappen. Men det ble jo uansett fem hundre kroner.

– Jeg leverer selvsagt tilbake dem dere ikke trenger.

Hun gikk inn i stua med et par til faren. Han prøvde frem og tilbake flere ganger og mistet et par i gulvet før han ble fornøyd.

Hun hadde kjøpt wienerbrød igjen, dagstøtt kjøpte hun wienerbrød, han var snart lei dem, enda det var fest-mat. Han savnet morens havrekjeks, men alle bokser var tomme.

Han begynte på avisa, han leste i grunnen godt med disse brillene.

– Takk, sa han, da hun kom tilbake og puttet tre brille-par tilbake i posen.

– Da skal jeg være frisør, sa hun og smilte.

– Frisør? Hvorfor det?

– Dere ser ut som langhårete hippier begge to!

Hun klippet en tom plastbærepose til et passende skulder-omslag og la rundt ham før hun klippet i vei med den saksen moren hadde gjemt på, som var ekstra skarp.

– Lenge siden du har vasket det, sa hun. – Sikkert ikke siden du ødela beinet. Skikkelig årgangshår, dette!

– Bruker vaskeklut, sa han. Hvorfor var hun så glad i stemmen, hva var det å være glad for. Regnet plasket, gården bare lå der, og her satt han.

– Vaskeklut på håret? Vi vasker det etterpå. Jeg skal gjøre det for deg.

Forrige uke ryddet hun i vedskjulet uten å spørre ham først, bare kom tilbake til kjøkkenet og sa at nå var det gjort. Han ville vel ikke finne igjen en eneste ting. Og plutselig her en dag fikk han øye på henne fra kjøkkenvinduet, hun stod på stige og skjøv råttent løv ut av takrennene ved hjelp av et kosteskaft, hun kunne vel ha nevnt det for ham først, at avløpene var tette, så kunne han sagt at rennene sikkert var fulle av dødt løv, og kanskje hun ville ta seg bryet med å rense dem, det ville gå greit med et kosteskaft. Og nå måtte han sitte med nakken innover kjøkkenvasken mens hun romsterte rundt på hodet hans, han følte seg som en tosk. Hun skylte og begynte å tørke med håndkleet.

– Det gjør jeg selv sa han, og dro håndkleet fra henne.

– Ikke glem ørene, sa hun.

– Jeg er seksogfemti år, jeg husker ørene.

Etterpå fikk faren samme behandling, selv tok han gåstolen og skjøv den foran seg inn på kontoret for å slippe å se på. Faren gledet seg, så han; han smilte da han satte seg på kjøkkenstolen midt på gulvet og fikk den samme bæreposen rundt skuldrene.

Han lukket begge dører bak seg og ringte Arne på Trønderkorn. Arne spurte straks hvordan det gikk med beinet.

– Tregt. Trodde jeg skulle være fin igjen til første april, da har jeg nye kull. Men det blir visst stivt i lang tid. Nytter ikke uten hjelp da. Helvetes dritt.

Nei, bønder kunne ikke bli syke lenge, det var noe alle visste, sa Arne. Men han var heldig som hadde fått Kai Roger som avløser, han var dyktig og til å stole på, og heldig som hadde fått datteren sin til å hjelpe også. Dette siste svarte han ikke på, men bestilte fôrmengden Torunn sa at denne Kai Roger mente de trengte.

– Tilkjørt. Denne Kai Roger vil jo for faen ikke bruke traktoren min. Makan til tull.

Det syntes ikke Arne var så rart, han hadde jo sett den, sa han og flirte.

– Forresten, mens jeg husker det … Du skal ikke på polet med det første?

Han skulle ikke på polet, men han skulle til City Syd senere i dag og kunne godt handle på polet der med det samme, hva ville han ha.

– To halve akevitt. Men de andre her … Jeg vil ikke at de skal se det. Kan du ikke ta dem inn på kontoret mitt. Du kan ta med fôravregningen for i fjor med det samme, så sparer du portoen.

Den var sendt for lenge siden.

– Jaha. Da ligger den vel i stabelen her.

Men Arne kunne godt komme inn på kontoret likevel, det var ikke noe problem, den biffen skulle han fikse, alle behøvde ikke å vite alt her i verden.

– Nei, det skal være sikkert og visst!

Samme kveld gikk tv-en i stykker. Torunn var i fjøset. Faren trykket og trykket, men ingenting skjedde.

– Men i svarte HELVETE, da!

– Det er ikke min skyld, sa faren.

– Du ser jo på TV i ett kjør! Du har slitt den ut. Jeg ville bare se Dagsrevyen og det andre programmet der etterpå!

– Naturmagasinet, sa faren og trykket videre. Men skjermen forble mørkegrønn og død.

– Helvete ...

Han dro seg opp bak gåstolen og humpet bort til TV-apparatet. En død potteplante stod på toppen med en hvit hekleduk under. Han hadde nektet både Marit Bonseth og Torunn å kaste planten, nå rev han den vekk sammen med duken, slengte alt bare rett ned på gulvet så tørre jord-klumper trillet i alle retninger, og slo den ene knyttneven hardt i apparatet mens han holdt seg godt fast i gåstolen med den andre.

– Prøv nå! sa han.

Faren stod tvikroket og trykket av og på flere ganger. Det nyklipte og nyvaskete håret lå som luftige fjon over issen på ham.

– Nei, sa han. – Ingenting.

Han slo igjen, så det sang i TV-apparatet. Faren trykket, de ventet, ingenting skjedde.

– Fjorten år gammel, sa faren.

– Da er det slutt på TV her i huset, sa han.

– Nei.

– Nei? Har *du* penger til et nytt?

– Jeg har jo pensjonen min.

– Nei, det har du ikke. Den er det *gården* som har, og det vet du godt. De pengene er bortbestilt før de kommer.

– Kanskje Torunn ...

– Tar faen ikke ansvar for *noe* sjøl, du.

De satt med radioen på full styrke, han på kjøkkenet og faren i stua, da Torunn kom gående over tunet og avløse-ren startet opp den latterlig svære bilen og kjørte ned

257

alléen. Hun kom ikke inn på kjøkkenet først, men gikk rett opp og dusjet først. Hva var det hun var redd for. Dusje sånn etter hvert eneste fjøsstell, hun brukte jo fjøsdress og støvler utenpå. Som om det skulle være noe galt med litt lukt fra gode, friske griser.

Grisene. Når *de* ikke trengte ham, hva var det da igjen. Han orket ikke høre henne snakke om dem, kjente hvordan det gnog vondt i ham når hun snakket om dem som om hun kjente dem bedre enn ham, som om de var hennes. Hvis det skulle være på det viset, fikk hun heller ta over her. Ta over alt. Det skulle han jammen si til henne. Han trakk til seg dagens Nationen, oppdaget med det samme at Coop-kalenderen fremdeles viste februar, det var snart ikke orden på noe. Såret klødde også noe helt infernalsk under lag på lag med bandasje. Ikke så massiv bandasje som til å begynne med, men likevel umulig å komme til. At kløe kunne være verre enn smerte, det hadde han nå aldri i sine levedager vært borti. Han satte på seg brillene og leste uten å få med seg et ord. Og på radioen var det begynt et nytt program med håpløs musikk.

– Skift stasjon! ropte han mot stuedøra, men faren hørte ikke etter. Han kunne så vidt se knærne hans i døråpningen, og albuene, i den høyden som fortalte ham at han satt med ei bok. Faren måtte da begripe at det var enklere for ham å komme hit ut og skifte stasjon, enn for ham selv å buksere seg opp på gåstolen for å komme til radioen.

– Drit i krigen og skift stasjon!

Verken knærne eller albuene beveget seg, han trakk seg prustende opp på gåstolen og kom seg bort til radioen, skrudde som besatt på søkerknappen med lyden fremdeles på full styrke da kom Torunn inn, han kjente lukt av sjampo.

– Herregud for et leven! sa hun.

– Skifter stasjon nå!

– Men ser dere ikke på TV? sa hun og bøyde seg rundt ham og vred volumknappen et godt stykke mot venstre.

– Gått i stykker.

Hun gikk inn i stua, endelig fant han en stasjon med normal musikk, svensktopper. Hun kom tilbake på kjøkkenet med begge hender i siden, han kastet et raskt blikk på ansiktet hennes, det lovet ikke godt.

– Si meg, har du bare slengt den planten rett ned på gulvet?

– Den er død.

– Jeg vet det. Jeg ville kaste den. Men ikke rett ned på gulvet!

– Den falt ned.

– Tror jeg ikke noe på! Jeg ser godt at du har kastet den rett i gulvet!

Han bukserte seg til ved kjøkkenbordet, nå måtte han ta seg sammen, ikke si noe han ville angre på. Hvis hun bare kunne slutte å snakke.

– Og hvem skal sope sammen all den tørre jorda? Hm?

Han svarte ikke.

– Jeg er piss møkke lei, sa hun. – Piss møkke lei av bare å gå her og se på det SURE FJESET DITT og aldri få et oppmuntrende ord! Jeg kan bare dra min vei, vet du!

– Dra, da.

– Det mener du ikke.

– Hvis du tror det bare er å dra herfra, skjønner du ingenting. Og da kan du bare dra.

– Hva mener du? Hva mente du med det? sa hun, med en illevarslende ny tone i stemmen. Hun satte seg beint imot ham ved kjøkkenbordet, skrudde med det samme radioen helt av. Han stirret ned i avisa, men hadde glemt å sette på seg brillene, han greide ikke å lese ett ord når han holdt den så nær.

– Hva mente du? sa hun og dro avisa fra ham, rev den rett ut av hendene på ham.

– Det er din gård også, sa han.

– Min?

– Ja, hva tror du. Når ikke jeg lenger kan ... holde på her. Eller mener du vi skal selge den? Hva? Slektsgården. Selge Neshov? Er det det du vil?

– Jeg vil ikke *noe*, sa hun, plutselig spak i stemmen, nå fikk han overtaket. – Jeg vil bare ha en hyggelig tone her på gården.

Nei vel, hvis hun ikke ville snakke om det.

– TV-en er gått i stykker, sa han.

– Du kan vel ta av pengene du fikk av Erlend og Krumme, sa hun og skjøv avisa tilbake mot ham. Hun hørtes helt likegyldig ut, skjønte hun ikke hvor mye en TV betydde for to mennesker som bare gikk her og trådde i dørene?

– Det er tomt, sa han.

– Penger fra Erlend? lød farens stemme inne fra stua.

– Det har ikke du noe med! ropte han.

– Han fikk tyve tusen til gården, sa Torunn.

– Det er tomt. Rottene ... spiste dem opp, sa Tor.

– Rottene kostet litt over elleve, sa hun. – Og resten?

– Alt er gått. Til Røstad for kastrering og sying og vaksiner, og til seminfaktura, og til Trønderkorn. Jeg venter på et oppgjør fra Eidsmo. Men TV er dyrt.

– Du får en fin TV for tre tusen.

– Vi har ikke tre tusen.

– Kanskje jeg har, da. Vi får se. Jeg vet ikke. Vi får se.

Han satte seg inn på kontoret, uendelig lettet over at han hadde lært seg å bruke brevgiro. Han og moren hadde sittet en hel kveld og funnet ut hvordan man gjorde det. Hvis ikke, ville Torunn blitt nødt til å kjøre til Fokus Bank på Heimdal for ham og fått innsyn i alt av utgifter og inntekter, hvor skralt det egentlig stod til. Uten morens pensjon gikk det ikke rundt lenger, det var saken. Og det var umulig å forestille seg hvordan den rotteregningen skulle blitt betalt uten Erlends penger. Han tenkte med gru på den dagen han hadde slept seg baklengs opp trappa og trukket seg etter armene inn på soverommet sitt for å få fatt i kontantene. Han kunne ikke ha noen til å rote i nattbordsskuffen, han måtte ordne det selv, mens faren hvilte og Torunn handlet. Skadedyrfirmaet betalte han kontant og hadde cirka en tusenlapp igjen, men det var det ingen av dem som behøvde å vite.

Nå hørte han at hun trakk støvsugeren inn på stua og satte den i gang. I morgen ville Arne komme med akevitt, takk og lov for at han hadde rede penger til å betale ham. Han ga seg til å stirre på bunken med konvolutter som ventet på å bli åpnet, fulle av tall som skulle på riktig plass i kolonner og rubrikker. Det ville bli godt med akevitt. Hun skjønte ingenting.

Trodde hun virkelig at man drev gård ved hjelp av en hyggelig tone.

– DET VAR TORUNN, SA ERLEND.

– Jeg skjønte det, sa Krumme. – Var det noe galt?

– Hun trengte tre tusen kroner. TV-en på Neshov gikk i stykker i kveld.

– Da har de jammen ikke mange reserver å gå på.

– Jeg overfører til henne i morgen. Kan jo ikke bruke nettbank når det er til utlandet, ellers kunne jeg gjort det med en gang.

– Hvordan hadde hun det ellers?

– Pyton. Tor er visst en hard negl for tiden. I dag sa han til og med at det var hennes plikt å være der, sa nærmest direkte ut at hun måtte bli, ellers ble gården solgt. Hun virket helt oppgitt. Jeg sa at hun bare skulle pakke snippesken og komme hit i stedet, men da ble hun nesten litt sint på meg ...

– Er det så rart, syns du?

– Han har da avløser! Og *hadde* hjemmehjelp!

– Det er ikke så enkelt, Erlend. Hun føler ansvaret.

– Ja. Hun gjør vel det, sa han og sank ned i sofaen ved siden av Krumme, betraktet den tomme espressokoppen som stod ved siden av konjakkglasset, og peisflammene som viklet seg i hverandre som små gule mark, blå i tuppene. Krumme la armen om skulderen hans.

– Send henne ti.

– Det tenkte jeg også, sa Erlend.

Om to dager ville de få vite om Jytte og Lizzi eller en av dem eller ingen av dem var gravide. Begge var forsinket med menstruasjonen, men det betød ikke noe, sa de, det var naturlig at selve spenningen utsatte den. Om to dager ville det være fjorten dager siden den kvelden da han og Krumme stod med ansiktene tett mot hverandre på badet i Koreavej med hvert sitt beger og hamrende hjerter. Når han tenkte på alle de sikkert mange tusen gangene han tidligere hadde fått utløsning, med fullkommen fokus på Krummes og sin egen nytelse, var dette noe ganske annet. Det lå en andakt over handlingen, han fikk tårer i øynene da han kom. Et barn. Barnet hans. Jytte hadde tegnet en blå tusjstrek på hans beger, Lizzi skulle ha Krummes. Blodtypene matchet i begge kombinasjoner, så de kunne selv velge, hadde legen sagt. Og siden Lizzi var høy og Jytte lav, ble de enige om at Erlend og Jytte ville passe best. Etter å ha levert dem begrene, trakk de seg tilbake til stua. Inne i soverommet hvor det store skulle skje, var det tent levende lys og røkelse. Hanne Boel sang med lav stemme, Jytte og Lizzi ventet i morgenkåper og var nydusjet. Ingen av dem sa noe før de lukket seg inne, alt var så underlig, nærmest uvirkelig. Inne i stua satt han og Krumme med hendene i hverandres, uten å si et ord i nesten en hel klokketime, før Jytte og Lizzi kom ut igjen. En lang stund hadde han tenkt at han ville springe inn på soverommet, si at han hadde ombestemt seg, men ble likevel uendelig lettet da de begge kom smilende ut, hånd i hånd. Krumme spratt opp og sa: – Sett dere ned helt i ro nå, så gjør jeg ferdig maten. Ikke rør dere! Sitt gjerne med beina høyt!

Han og Krumme hadde alt medbrakt, deilig linsesuppe med biter av røkt svinebog og masse grønnsaker, nanbrød, og laksecarpaccio til forrett. Bordet stod ferdig dekket, med en stor bukett røde roser midt på. Erlend

stønnet av velvære da han fylte sitt første glass rødvin.
– Endelig! *For* en ørkenvandring ... Skål, kjære Krumme
og kjære mødre!

Etter den kvelden ble alt annerledes. Han drømte vold-
somt, og det handlet nesten alltid om barndom. Ansikt,
stemmer, det å gå opp lønnetrealléen mot gården, små-
steinene under de slitte sålene på sandalene, revebjellene,
den intense lukta av gress og bakke, sol i flekker gjennom
lønnetrekronene, luktene i kjøkkenet av mat og støv, det
var alltid sommer når han drømte om Neshov, døde fluer
tett i tett på det snodde fluepapiret som hang fra kjøk-
kentaket, den hvite bøtten med grønnsaksavfall som stod
under utslagsvasken, han husket til og med at det var
godt å bite i gummikanten på den vasken da han ble stor
nok til å rekke opp. Og han drømte om bestefar Tallak, i
robåten, mens han hvilte albuene på knærne, og stritt-
ende årer dryppet vann, som i glitrende blink forente seg
med resten av fjorden, svette hårtjafser som klistret seg til
panna, den brede kroppen hans, brune underarmer som
lempet kjempelaks over båtripa. *Faren* hans. Og når de
dro ned i Gaulosen for å hente sand og småstein til støy-
ping, eller til Øysand og vasset fordi Erlend tagg om at de
skulle dra dit. De husville krepsene de fanget i bøtte, alt
drømte han om, han var utslitt når han våknet, utslitt og
urolig. Heldigvis kunne han snakke med Krumme om
det, og Krumme forstod, sa at det handlet om at han nå
skulle være en voksen overfor et barn, at det derfor slett
ikke var rart at han drømte om sin egen barndom. Ikke
engang den formidable suksessen med røvervinduet som
nesten fikk en *hel* side i BT med intervju av ham og
butikkeieren, greide å fortrenge tankene som kvernet
rundt alt som kanskje skulle skje.

– Stakkars Torunn, sa han og reiste seg. – Tenk om hun kunne komme på bursdagen min den tiende, det ville være et avbrekk fra begredeligheten. Jeg har forresten invitert en koselig fyr du ikke kjenner. Hetero. Til å spise opp. Han heter Jorges.

– Jobber han med vinduer?

– Nei, på en liten kaffebar. Og apropos, vil du ha mer kaffe?

– Ja takk. Og jeg har tenkt på noe, sa Krumme.

– Vi gjør da ikke annet enn å tenke. Pluss å ringe til Lizzi og Jytte, selvsagt, for å høre om noen av dem har spydd opp frokosten sin eller har fått ustyrtelig lyst på vaniljeis med sylteagurk.

– Slike reaksjoner kommer ikke så tidlig. Det er fantastisk nok at man i det hele tatt kan påvise det med en test allerede etter fjorten dager.

– Hormonene forandrer seg. Alt handler om hormoner når det gjelder kvinner, Krumme, det er derfor vi to har det så uendelig mye bedre sammen.

Erlend tok koppene med ut på kjøkkenet og satte dem etter tur under tuten på automaten, trykket, blandet i den mengden sukker han visste Krumme likte.

– Hva mente du, forresten? ropte han ut i stua. – Om at du hadde *tenkt*?

– Vi venter til du setter deg. Konjakk?

– Selvsagt.

Med en gang Krumme foreslo det, sa han: – Det vil jeg ikke. Det er galskap.

– Ikke bare reager instinktivt, Erlend. La oss snakke om det.

– Hvorfor det?

– Fordi det er genialt. Jytte og Lizzi vil elske ideen, og

det vil hjelpe alle, ikke minst Torunn, som nå føler seg helt alene og presset.

– Det vil koste millioner, sa Erlend.

– Toppen to. Kanskje tre. Maks fire. Jeg får forskuttert arv, jeg har snakket med far, det er overhodet ikke noe problem, sa Krumme.

– Har du snakket med faren din? Om dette? Men Krumme ...

– Ikke om dette! Men om penger. Det er revnende likegyldig for ham hva jeg bruker dem til, og det er mer der de kommer fra. Og det var jo ingen vits i å ta det opp med deg før jeg visste at pengene var i boks, ikke sant? *Det* er du vel enig i, lille mus.

– Jo ...

– Vi kunne dra dit når vi ville, Erlend. Om sommeren. Tenk for barna, en norsk bondegård, fjord og fjell. Det ville også være en solid investering, sa Krumme, han hadde grepet hånda hans og klemte hardt. – En base.

– En base? sa Erlend.

– En base i Norge.

– Men jeg hater Norge! sa Erlend, slet hånda si løs, reiste seg og gikk bort til dørene ut mot terrassen, ga seg til å stirre ut på byens tak, et lysteppe i nattemørket.

– Det gjør du ikke. Du drømmer om Norge og Neshov hver natt, sa Krumme lavt.

– Men å rehabilitere gården? Hva skal være vitsen med *det*? Rehabilitere *Neshov*?

– Hvis Torunn vil. Du sier jo selv at hun har et ambivalent forhold til det. Slik gården fremstår nå, forstår jeg det meget godt. Men hvis vi foreslår dette, så kan hun velge. Sier hun nei, blir den vel solgt når Tor ikke orker mer. Selv om vi to kjøper den, kan man ikke eie en gård og bo i

Danmark. Jeg har undersøkt det. Driveplikt heter det i Norge, det kan man slippe hvis man forpakter bort jorda og er en arving, men boplikten slipper man ikke unna. Ikke midt i et landbruksområde.

– Alt dette har du undersøkt? Bak min rygg?

– Research er en stor del av jobben min, Erlend. Det tok meg under en time. Jeg ville skaffe fakta til veie før jeg tok det opp med deg.

– Research meg her og research meg der, sa han og slapp seg ned i sofaen igjen og tømte konjakken i en eneste lang slurk, han begynte å hoste, fikk konjakk i nesa, tårene sprutet.

– Men kan vi ikke bare tenke litt høyt? sa Krumme og gikk ut på kjøkkenet og hentet en serviett til ham. – Det huset er enormt, med rom på rom som ikke er i bruk.

– Det huset heter trønderlån, sa Erlend og snøt seg.

– Underlig ord på et hus, men i alle fall ...

– Det er et norsk ord, Krumme. Derfor er det underlig. Du vet hva Piet Hein sa om det franske språk, at ordet for hest er *cheval*, og sånn fortsetter det hele veien gjennom. På norsk heter et slikt hus trønderlån, og slik fortsetter det hele veien gjennom.

– I alle fall. Hvis vi innredet en del av huset til oss selv, ville det likevel være mengder av plass til Torunn og Tor og den gamle.

– Torunn måtte få noe eget, sa Erlend.

– Låven står jo der også. Grisene er bare i første etasje.

– Det heter fjøset, sa Erlend.

– Hold nå opp å være ordkløver, ditt fjols. Du er svart på kinnet, la meg tørke det vekk. Kom her.

Han lot Krumme spytte på en pekefinger og tørke ham på høyre kinn.

– Sånn, sa Krumme. – Klart Torunn måtte få noe eget.

– Hvor lenge måtte vi være der? Om gangen?

– Akkurat så lenge vi hadde lyst. Ei uke. En måned. En dag. Jytte og Lizzi kunne bli med når de ville, du vet de elsker Norge, de har vært på vinterferie og gått på ski der. De elsker Norge.

– Du gjentar deg selv. Ja, jeg vet de elsker Norge. Det er visst bare jeg som ikke gjør det.

– Du gjør det. Hvis du bare greier å legge alt det gamle bak deg.

– Det er jo det jeg har gjort! Det er jo derfor jeg bor *her*!

– Du forstår hva jeg mener. Byneset er fantastisk, Neshov er fantastisk når man ser bort fra forfallet.

– Tenkte du å rehabilitere fjøset også? For grisene?

– Alt det måtte vi jo snakke med Torunn om. Og Tor. Han ville bli ufattelig lettet, tror jeg. Da er det ikke forgjeves, alt slitet hans. Da ligger det en fremtid i det. Og blir Jytte gravid, er jo barnet den neste etter Torunn.

– Du tror da ikke at jeg stod og sprutet i et beger med blå tusjstrek for å unnfange en BONDE?!

– Erlend, Erlend … Jeg elsker deg, men av og til … Du kan ikke styre andres liv. Ditt barn vil etter hvert bli et selvstendig menneske, og du vet ingenting om hva dette mennesket vil ønske å gjøre med livet sitt. Man ønsker valgmuligheter, samt å kunne benytte seg av dem. Du vet jo ikke. Blir gården solgt, er det slutt. Da er den døra lukket, for alltid.

– Herregud, sa han og la ansiktet i hendene.

– Velkommen til virkeligheten, sa Krumme og dro hodet hans ned i fanget sitt, strøk ham gjennom håret. Erlend lukket øynene, forsøkte å se det for seg, Neshov gjenreist til fordums glans, ankomme sin egen leilighet der, fylle mat og drikke i skapene, se ut av vinduet hvor

268

to barn sprang med markblomster i hendene, viftende klær på tørkesnoren, jordbær med fløte på tunet. Det stod et bord der før, og benker, hvor var det blitt av det bordet, kanskje det stod på låven. Med hvit blondeduk på, og Jytte og Lizzi på solsenger, Krumme foran komfyren iført shorts, han kledde ikke shorts. Turer ned i fjæra, badetur til Øysand, fange eremittkreps og babykrabber og finne polerte marmorsteiner, kanskje en høsttur, plukke tinnvebær i Gaulosen, legge på sprit og sukker og ha som likør her hjemme til jul. To barn med mark-blomster i hendene ...

– Ønsker du deg gutt eller jente, Krumme? sa han og åpnet øynene.

– Jeg vet ikke. Det har vi ikke snakket om ennå. Jeg tør liksom ikke, ikke før vi ... ikke før Lizzi og Jytte ...

– Og du som absolutt vil snakke om alt.

– Gutt, kanskje ...

– Hva om begge får tvillinger?

– Erlend! Å herregud! Ikke si det! Det har jeg *over-hodet* ikke tenkt på!

Erlend begynte å le, greide ikke å stoppe, måtte sette seg opp for ikke å kveles, lo enda hardere ved synet av Krummes ansiktsuttrykk.

– To tvillingpar, herregud, mumlet Krumme og grep etter konjakkglasset.

– Okey, sa Erlend og ble alvorlig. – Vi lanserer idéen, sa Erlend.

– Hva?

– Vi lanserer idéen. For Torunn, først og fremst.

– Mener du det?

– Ja. Det tar jo faktisk ikke mer enn tre–fire timer å reise dit, det vil være som å ha ei hytte i Jylland. Og hvis det hjelper Torunn å finne ut av alt, sa Erlend.

– Ikke på telefon, det må bli ansikt til ansikt. Men nå venter vi først på resultatet fra Koreavej. Du skulle ikke ha sagt det om tvillinger, sa Krumme. – Nå får jeg sikkert ikke sove i natt.

Han våknet midt i en drøm om jordbæråkeren, han gikk mellom planterendene, livredd speidende etter veps, ingen var der for å passe på ham, plantene hang tunge av modne bær, med grønne bær lenger inne på stengelen. Han våknet og lå helt stille, Krumme snorket ved siden av ham, han tenkte på en celleklump som kanskje allerede vokste i Jytte uten at noen av dem visste det ennå. Ei jente. Kunne det bare være ei jente. Han ville vise henne alt, ta henne med ut i båten, kjøpe en liten fiskestang til henne, flette håret hennes mens hun satt ved bordet på tunet i skyggen av det store tuntreet, han ville fortelle henne om gårdsnissen mens han flettet, og hun ville tro på hvert ord han sa.

Han var på Neshov. I drømmen var han på *Neshov* sammen med henne. Ikke i Tivoli, ikke på Dyrehavsbakken, ikke inne på Illums Bolighus hvor han viste henne sin siste, fantastiske vindusdekorasjon.

Han satte seg opp i senga, stirret inn i mørket. Hun var på Neshov, og han var der og var faren hennes, og tanken skremte virkelig ikke vettet av ham. Han ville vise henne alle hus, fortelle om den gangen da de la silo og han falt ned i den, fikk maursyre på det ene beinet og måtte på legevakten.

Siloen ... Siloen!

– Krumme! Du må våkne!

– Hva ...

– Du får jo ikke sove! Har du glemt det? Du får ikke sove fordi vi skal få fire barn. Kanskje trillinger også! Begge to! Det blir seks barn til sammen! Og med deg og meg og Jytte og Lizzi blir vi et helt fotballag, vi mangler bare keeper!

– Ro deg ned, jeg har våknet.

– Siloen, Krumme.

– På Neshov? Hva med den?

– Vi kan bo i den. Den er tom. Den brukes ikke lenger. Ikke når man driver med gris. Vi kan bygge hus i den, Krumme. Eller *dem*, da. Det er egentlig to, som henger sammen.

Krumme tente lyset, satte seg opp, når han var nyvåken, lignet han en bustete humle.

– Går det an? sa han.

– De er i betong, så man må selvsagt åpne for vinduer og dører her og der, og isolere, man må jo se på dem som *skall* slik de står nå, men tenk så fantastisk! Trillrunde hus. Vi får garantert til tre gode etasjer. Og du kjenner jo Kim Neufeldt, han *hotte* arkitekten, han kan tegne det superlekkert! Men det vil nok koste litt ...

– Det ordner seg. Men hvor store er de egentlig? I diameter?

– La meg tenke, sa Erlend og dro dyna helt opp til haken, det var iskaldt i rommet. – Jeg vil tro seks–syv meter tvers over, hver av dem, og fôrsentralen er vel omtrent like lang. Og hva er formelen for en sirkels areal, Krumme, mitt vandrende leksikon?

– Pi ganger radius i andre.

– Regn det ut, du.

– Da må jeg inn på kontoret etter kalkulatoren.

– Så spring!

Erlend ble sittende i senga og se det for seg. Buete vegger, ei vindeltrapp som bandt etasjene sammen, hvitkalkete vegger, sommermøbler i lyse pasteller, markblomster i alle krukker, skuvsenger i stua fylt av puter, antikviteter

271

og high-tech i skjønn forening, en prismelysekrone over et spisebord laget av en av de gamle dørene, med ei tykk glassplate lagt over.

– Nesten førti kvadrat på hver silo, sa Krumme og smatt innunder dyna igjen. – Og så kommer denne … sentralen du snakker om, i tillegg.

– Den kan vi bygge om til glassbroer mellom rommene i hver etasje! Og der kan vi også møblere. En utsiktssofa, glassveranda, en bar?

– Ikke en bar med barn i huset, lille mus.

– Okey. Milkshake-bar, da. Da blir hver etasje rundt … la oss si sytti–åtti kvadrat. Tre etasjer blir to hundre kvadrat til sammen! Det blir som å bo i en hollandsk mølle, Krumme. Husker du det knøttlille hotellet som tidligere hadde vært en mølle, med bare syv hotellrom, der vi bodde da du skulle lage den reportasjen om hasj-bruk som smertelindring på hollandske gamlehjem?

– Hvordan kan jeg glemme det. Du hjalp dem med å fyre opp pipene, det var så vidt fotografen greide å holde deg unna mens han fikk tatt bildene. Men det er en genial idé, Erlend. Rett og slett genial. Og nå er jeg lys våken. *Tusen* takk for det.

Men etter ti minutter snorket Krumme klokkerent igjen. Selv ble han liggende og fundere på hva ei slik lita jente med musefletter og fiskestang kunne tenkes å hete.

ETTER URNENEDSETTELSEN KJØRTE han til Neshov. Han kunne ikke ta hensyn til at Tor ikke ville snakke med ham på telefonen, at han ikke var velkommen. Han hadde dårlig samvittighet for at han ikke hadde vært der på lenge. Men da Torunn hadde kommet dit, hadde han senket skuldrene og latt dagene gå. De var ikke alene lenger, de to. Han husket første gang han traff Torunn, på St. Olavs Hospital over morens sykeseng, han likte ikke at hun kom, ville helst ha sett henne på flybussen tilbake til Værnes igjen. Men det var tak i henne. Hun var ikke lettskremt. Og det at hun hadde innsett at Neshov var viktigere enn jobben i Oslo, stod det virkelig respekt av.

Det var oppholdsvær. Men det ville ikke vare lenge, skyer lå bristeferdige av striregn over Skaun. Han giret ned og svingte opp alléen. I passasjersetet lå en pose wienerbrød. Avlat for fravær. Men han hadde tross alt hatt mye å gjøre på jobben siden han kom hjem fra Danmark, fru Marstad var blitt sykemeldt med tennisalbue, en fullkomment tåpelig medisinsk diagnose, tenkte han. Å få tennisalbue av å stelle og løfte på døde mennesker.

Tor var alene på kjøkkenet, det var fyr på vedkomfyren, han satt med en avis.

– Har du begynt med briller? Ja, i grunnen rart at du har greid deg så lenge uten.

– Er det deg, sa Tor.

– Du så vel bilen min. Men hvor er …

– Han hviler. Og Torunn er av gårde for å kjøpe ny TV. Hvorfor måtte du fortelle halve Norge om rottene?

– Jeg har ikke fortalt det til halve Norge. Jeg fortalte det til datteren din. Har TV-en gått i stykker?

– Den var fjorten år gammel.

– Da kan man ikke vente mer, den har vært i flittig bruk, vil jeg tro. Hvordan går det med beinet?

– Jævlig. Det blir stivt etterpå.

– Ikke for bestandig, vel?

– Nei. Men altfor lenge. Har nye kull om ti dager, det rekker jeg ikke.

– Du har da avløser?

– Ja, det har jeg, sa Tor og kastet på avisa foran seg, lot som om han leste ekstra grundig.

– Jeg har med wienerbrød, jeg setter på litt kaffe.

– Er lei av wienerbrød.

– Jaha. Dårlig humør?

Tor svarte ikke, blåste gjennom nesa, kastet voldsomt på avisa igjen.

Han skylte kjelen i utslagsvasken og ventet på en over-høvling for å slå ut god grut, men Tor satt stille bak brillene.

– Jeg har fått meg badstue, sa Margido og fylte friskt vann i kjelen.

– Hva?

– Badstue.

– Hvorfor det?

– Det er godt.

– Har det rabla for deg? sa Tor

Han satte kaffekjelen på kokeplata, skrudde på fullt.

– Jeg går opp og vekker ... far.

– Han er sikkert også lei av wienerbrød. Hva faen skal folk med badstue?

Han sov. Rommet luktet, vinduet var lukket igjen. Nattbordet hans og gulvet foran fløt av bøker og gamle aviser. Margido trakk gardinene fra og åpnet vinduet, det gamle ansiktet skrumpet seg sammen og vred seg snøftende vekk fra lyset.

– Ligger du og sover midt på dagen, sa Margido. – Nå er det kaffe på gang.

– Å.

– Kom ned nå.

– Er Torunn tilbake?

– Nei.

– Jeg venter til Torunn kommer.

– Hvorfor det?

– Nei ... jeg ... Tor er så sint. Sint hele tiden. Jeg orker det ikke. Det er best med Torunn der.

– Hun er av gårde og kjøper ny TV, hører jeg?

– Den gamle gikk i stykker.

– Hun kommer sikkert snart. Kom ned nå. Få tennene dine på plass. Jeg har med wienerbrød. Tor sa han var lei av wienerbrød, så da får du hans også.

Hun kom akkurat da kaffen var ferdig. Han gikk ut på tunet og ventet til hun hadde parkert. En stor, brun kasse stod bak i bilen.

– Jeg kan bære den inn, sa han og smilte.

– Fint, sa hun og møtte ikke blikket hans.

Hun var helt annerledes enn sist han så henne. Blek, med blå ringer under øynene.

– Jeg vet det er lenge siden jeg har vært her, sa han.

– Det ville ikke ha hjulpet likevel. Han er sur på deg for det med rottene.

– Jeg merker det, sa han og løftet ut kassen.

– Den er nesten akkurat lik den forrige. Men med fjernkontroll. Erlend overførte penger til den.

– Gjorde Erlend?

– Ja, jeg har bare sykepenger og må jo betale alle regninger i Oslo selv om jeg ikke er der.

– Du kan få det samme jeg betalte Marit?

– Nei, det går fint. Nå har vi TV, i hvert fall. Men jeg aner jo null om hvordan Tor ordner med ting. Økonomi og sånn.

Den gamle stilte seg ved siden av dem mens de pakket ut TV-en. Han løftet opp fjernkontrollen, Torunn ga ham pakken med batterier.

– Fiks det, du. Den trenger to. På baksiden helt nederst.

Tor satt ute på kjøkkenet med avisa oppslått på samme side, wienerbrødene var ikke rørt. Sokkelen fra den gamle TV-en som Torunn hadde tatt med og levert som avfall til elektrobutikken, passet ikke den nye. Hun gikk for å sette den i vedskjulet, mens Margido dro frem det minste av de tre settebordene i teak og plasserte TV-en på. Han plugget inn kontakt og antenne og trykket inn knappen. Straks våknet skjermen.

– Sånn, ja! sa den gamle og smilte, øynene hans lå allerede klistret på skjermen. Det var tydelig at han barberte seg selv, stubbene var av ulik lengde, under hakespissen vokste starten på et skjegg, og det ene kinnskjegget var lengre enn det andre. Men han var nyklippet.

– Har Torunn klippet dere? sa han.

– Ja. Kjøpt briller også. Hun er snill. Men hun er lei.

Han tok ikke blikket fra skjermen mens han snakket.

– Hva sa du? ropte Tor.

– Nå må vi se om fjernkontrollen virker, sa Margido.

– Hva sa du? ropte Tor.

– Ingenting! Vi driver med tv-en her! sa Margido.

Han bar tomkassen og isoporen ut bak låven til den gamle brenneplassen, han lånte ikke støvler fra yttergangen, og det angret han på, råtten gammelsnø presset seg ned i skoene. Det luktet tørrklosett i yttergangen, luktet av den turkise væsken han blander med vann og slo i bunnen den kvelden han satte det på plass. Det måtte vel tømmes ganske hyppig, det var nok Torunns jobb, hvem andre skulle gjøre det. Det hadde han ikke tenkt på, bare sett henne for seg foran middagskasseroller og kaffekjel og griser. Men det var jo så mye annet. Hårklipp. Tørrklosett. Tors humør. Nei, han måtte komme hit oftere, hun ville ikke holde ut ellers. Han skyldte henne såpass.

Inne på kjøkkenet, i klissvåte sko, sa han at han måtte dra.

– Hjem til badstua di? sa Tor.

– Kanskje det.

– Har du fått badstue? sa Torunn, mens hun pakket fatet med resterende wienerbrød inn i plast. – Det hadde vært godt etter fjøset. Jeg følger deg ut. Kai Roger er her hvert øyeblikk uansett.

Hvorfor nevnte han egentlig den badstua, hvorfor nevne noe som handlet om ren velvære. Hvorfor nevne det her. Slik det var nå. Det stod jo verre til enn han hadde trodd. Han plukket frem bilnøklene da han nærmet seg bilen, Torunn kom etter ham, noen meter bak.

– Det er helt håpløst, han er helt håpløs, sa hun.

277

– Jeg merker det. Han har alltid vært en tøffel under
mor, nå kommer vel alt, fordi han ikke har kontroll
lenger, sa han. – Fordi han ikke får komme til grisene sine.
– Er det sånn det er, tror du?

Han snudde seg mot henne, men ikke før han hadde
åpnet bildøra og holdt i den, kanskje for å kjenne at han
var på vei, vekk fra dette.

– Jeg gjør bare mitt beste, sa hun og løftet en knyttneve
mot øynene, gned seg hardt i øynene med knyttneven, det
var ekkelt å se på, hvorfor tok hun ikke bare ei flat hånd
og la dem mot øynene, han husket med et hugg av gjen-
kjennelse at slik hadde moren hans også gjort, dyttet
knyttneven i øynene når hun var sliten og ikke *orket dis-
kusjon*, som hun kalte det.

– Jeg vet ikke helt hva jeg skal gjøre. Jeg skal i alle fall
komme hit oftere, og ha litt bedre tid neste gang, forsøke
å prate litt med ham. Og hvis det er penger det står om,
Torunn …

– Penger? Ja, det er én ting! *Kjør* du nå! Kjør hjem til
badstua di!

Hun marsjerte mot fjøset, rev opp døra og lukket den
bak seg. Han ble stående og holde i bildøra, så mot
kjøkkenvinduet, Tor stirret på ham, over brillekanten og
gardinkappa, kortklippet og uttrykksløs. Han slapp
gardinkappa, den spratt dirrende opp i stram posisjon,
bare bakhodet hans ble synlig, over nakken bøyd ned
mot bordplata igjen. Hva kunne han gjøre, det var ingen
verdens ting han kunne hjelpe noen med her, annet enn å
slenge en pappkasse og isopor bak låven, han ante ikke
engang hvor parafinen stod så han fikk tent på.

DAGEN ETTER KJØPTE HUN EN liten reiseradio på City Syd, mer å drikke på, en kartong sigaretter og flere bøker. Det var egentlig godt at faren ikke greide å komme seg opp trappa. Når hun selv gikk opp, føltes det på en måte som å komme i sikkerhet.

Hun var hos en lege og fikk forlenget sykemelding fra jobben, og etterpå ringte hun Sigurd på mobilen mens hun kjørte hjemover, og forklarte situasjonen.

– Man skal jo egentlig ikke dra noe sted når man er sykemeldt, men legen skulle ordne det, han kom selv fra gård og visste hvordan det var. Men dette er bare helt sprøtt, Sigurd. Jeg kommer ikke løs.

Sigurd minnet henne på at hun kom løs fra Christer, da gikk nok dette bra også.

– Jeg kan ikke stikke av. Jeg bare kan ikke. Og farfaren min ... eller ... han er jo ikke ... men han er åtti år. Og han syns jeg skikkelig synd på. De er to stakkarslige typer.

Sigurd skjønte godt at dette ikke kunne være lett. Og Christer hadde vært på klinikken en av dagene, spurt etter henne.

– Har han? Hva sa dere, da?

Heldigvis var det Sigurd han traff, og ikke noen av de andre som ville ha sagt sannheten. Sigurd hadde fortalt ham at hun var utenlands, på kurs, og at det ikke var

279

dekning på mobilen der, men ikke hvor hun var. Christer hadde forstått at Sigurd var velinformert, siden han ikke fikk vite hvor, og bedt Sigurd si til henne at det ikke ble noe barn, jenta hadde spontanabortert i fjerde måned.

– Det forandrer ingenting. Han skjøv meg vekk da han fikk vite at hun var gravid. Det sa meg alt.

Det forstod Sigurd, men han måtte jo fortelle henne det.

– Dessuten har jeg skjønt at han kanskje ikke var helt riktig type for meg, Sigurd. Han hadde noen sprø meninger om diverse ting. Men nå svinger jeg inn på tunet her, pliktene kaller. Jeg skulle egentlig lagt om dekk også, men sommerdekkene er i Oslo. Faen òg. Vinterdekkene er så slitte at de kan blitt brukt som sommerdekk, men det er ikke sikkert at trafikkpolitiet mener det samme.

Kjørte hun med piggdekk? Da kunne hun ta av dekkene og pille ut piggene med en syl. Gummien var hardere på piggdekk enn på sommerdekk, men som en nødløsning ville det gå.

– Takk for tipset. Der fjernet du *en* stein fra skuldrene mine. Det kan jeg jo selvsagt gjøre. Trodde nesten jeg måtte parkere bilen snart, jeg, og kjøre faren min sin eldgamle Volvo uten servo.

Hun var i godt humør da hun kom ned på kjøkkenet etter å ha pakket ut radio og bøker og nytelsesmidler. Hun hadde trodd hun ble nødt til å kjøpe helt nye sommerdekk pluss felger, og så handlet det bare om å fjerne pigger med syl. Og nede i Oslo gikk Christer uten både henne og vordende mor, til pass for ham, tosken, når hun kjente etter, var hun mer skadefro enn kjærlighetssyk, hun unte ham å sitte der alene med datamaskinene og veggklokkene og homofobien sin, og hun kjente til sin store overraskelse at skadefryden ga henne et ekstra støt av energi.

Hun løftet inn handleposene med mat som stod i yttergangen. Faren satt pal på samme plass som da hun dro, men det kunne hun ikke irritere seg over, hver eneste kveld satt han på kontoret og strevde, stakkar, og flere steder kunne han ikke gjøre av seg, unntatt å gå på tørrklosettet. Da satt han og ropte sammenhengende at han satt der, så ingen skulle åpne ei eneste dør og se på ham, bak gåstolen, midt i glaningen.

Farfaren satt inne i stua.

– Hva ser du på? spurte hun ham.

– Norge rundt. Reprisen, sa han.

– Fiskeboller til middag, høres ikke det godt ut?

– Med karri i sausen, det pleide mor, sa faren.

– Klart det. Karri og reker, og potet og gulrot til, sa hun.

– Reker? sa han.

– Ja. Reker.

Hun ventet at han ville kommentere ytterligere om prisen på *den slags*, men det gjorde han ikke, husket vel at det var hun som betalte, mens *han* ville få prosentene på Coop-kortet, siden det var hans kort hun viste frem, hun hadde ikke eget. Hun greide ikke å dy seg, og sa: – Jo flere reker, jo flere prosenter på kupp-kortet ditt.

– Hva mener du med det?

– Ingenting. Se så fin sol det er ute! Og syv pluss. Rene våren. Du kunne sittet ute litt, jeg kunne ordnet en stol med pledd. Inne i solveggen foran vedskjulet.

– Nei. Vil ikke sitte som en kårkall med hendene i fanget så alle ser det.

– Ingen ser deg vel der?

– Vil ikke det.

– Nei vel!

Hun stod og tappet vann til potetene i utslagsvasken da hun kjente det.

– Det lukter rart her, sa hun.

Ingen svarte.

Hun stakk ansiktet ned i vasken, luktet grundig.

– Det lukter urin her! sa hun og så på faren, han løftet ikke blikket fra avisa.

– Si meg, *pisser* du i vasken?

– Ja, sa farfaren inne i stua.

– HOLD KJEFT! sa faren.

– Men herregud, dette er et *kjøkken*! sa hun. – Du står da vel ikke og ...

– Hver dag, sa farfaren.

– Dette går bare ikke *an*! sa hun og smelte kasserollen i kjøkkenbenken. Faren slikket seg om munnen flere ganger, møtte blikket hennes. – En ting er at det *lukter* av deg, du vasker deg ikke skikkelig, men så står du midt på kjøkkenet og pisser i vasken? Jeg bor her faktisk jeg også nå, en stund. Og dette finner jeg meg ikke i! Din gris!

– Blir mindre tømming på deg. Av tørrklosettet.

– Kan du ikke gå *ut* og pisse, da? Du greier fint å ta deg rundt hushjørnet her med gåstolen, det fins verken is eller snø lenger!

– Det er mitt hus. Min vask.

– Å, er det *det* nå? Syns ikke det var mange dagene siden du sa det var min gård også! Som jeg ikke vil ha.

– Vil du ikke *ha* den? sa han.

Fort sa hun: – Ikke akkurat i dag. Nå lager jeg middag, og så slutter du å pisse i vasken. Ferdig med den saken.

– Du vil altså ikke ha den. Men da ... da er det ikke *for* noe. Da er det ingen vits. Da sender jeg hele besetningen til slakting, rubbel og bit, legger ned. Jeg ringer Eidsmo med én gang.

Han begynte å reise seg, søkte tak i gåstolen.

– Slutt med det tullet! Sett deg ned! sa hun.

Hun begynte å skrelle poteter, da fikk hun ryggen til ham, men i øyekroken hadde hun farfaren inne i stua, han satt med ansiktet mot døråpningen, det skinte i de nye brillene hans.

– Det må være *for* noe. Og hvis ikke du vil ta over, så ...

– Men jeg kan da ikke bare *bestemme* meg for noe sånt? sa hun.

– Du er syvogtredve år. Det fins *femåringer* her i landet som skjønner at de skal ta over gården.

– Men herregud. Enn før, da? Da moren din levde og du drev her? Da satt jeg nede i Oslo og ante ingenting om dette. Hva var det for da? Hvem var det *for*? Ikke si det var meg.

– Da levde mor. Hun var nå her. Da var det liksom *for* noe.

– Hun var moren din! Og gammel!

– Jeg syntes ikke det.

Hun skar seg på potetskrelleren, men ga blaffen i det, vannet vasket vekk blodet, hun skrelte videre.

– Hvis det med beinet ikke hadde skjedd ... Da ville du aldri i livet forlangt av meg at jeg skulle ...

– Jeg trodde du ville. Helt siden jul, da mor døde.

– Jeg *vet* jo ikke, sier jeg! Ikke nå, i hvert fall. Kanskje siden.

– Jeg må vite det, at du vil, at det *er* for noe. Ellers er det ingen vits. Det går ikke rundt her. Du må tenke på det. Du er odelsjente.

– Odelsjente. Hah! Hva skulle jeg gjøre med det, da? Selge leiligheten min i Oslo og investere *her*, liksom? Nå?

– Ja.

283

– Er du blitt splitter pine gal? sa hun og snudde seg mot ham. – Her går du, permanent sur, og pisser i kjøkkenvasken, og så skulle jeg liksom … Glem det.

– Glemme det?

– Ja. Glem det.

– Ja vel. Jeg glemmer det.

Hun satte et plaster rundt fingeren, fikk potetene på kok og laget hvit saus, tilsatte boller og reker og krydder, ingen av dem sa mer, helst ville hun sittet på rommet sitt og grått. Hun var odelsjente, plutselig var hun odelsjente. Ikke om ti år når faren kunne blitt pensjonist, men alt nå. På en gård som var i ferd med å gå til grunne av tungrodd drift og manglende vedlikehold.

De spiste i taushet. Faren spiste ikke mye og nevnte ikke ett ord om at det smakte. Farfaren spiste med god appetitt. Det var ubehagelig å sitte så nær dem uten å snakke, vite hvor hun skulle legge blikket, det ble på kniv og gaffel og ut over gardinkappa på fuglene som levde sine velmaktsdager. De var visst de eneste her på gården, i tillegg til grisene, som gledet seg til hver dag og trodde verden var som vanlig.

Faren puttet siste potetbit i munnen, slapp bestikket på fatet og dro seg opp på gåstolen. Hun håpet han ikke skulle på doen i gangen, da ville hun bli kvalm. Men han gikk inn i stua og lukket døra hardt bak seg. Hun møtte farfarens blikk.

– Ja ja, sa han.

Etter oppvasken gikk hun opp på rommet sitt. Farfaren lå allerede på sitt rom. Hun satte radioen på lav styrke, åpnet vinduet og tente seg en røyk, satt med haken hvilende i ei hånd og betraktet den vakre utsikten. Trærne ville snart grønnes, om ikke lenge var det april, jordene ville svulme og vokse, det ville bli skikkelig liv nede i fjæresteinene. Hadde det bare ikke kommet så brått, ville hun kanskje ... enten hun bygde ut fjøset eller begynte med noe annet. Hun måtte ha tid på seg til en landbruksutdannelse, eller hun kunne begynne med hunder. Hundeskole. Eller hunde-pensjonat i fjøset, det ville egne seg perfekt til det. Og store luftegårder på jordet ved siden av låven hvis hun fylte på med pukk og grusdekke først. Det var bare tyve minutter å kjøre inn til Trondheim sentrum, enda kortere opp til Heimdal. Og hun var fri og frank.

Det kunne la seg gjøre.

Men faren måtte bli frisk først. Bli seg selv igjen. Om han noensinne ble det. Ingenting nyttet visst slik det var nå.

Før hun skulle i fjøset, gikk hun inn på kjøkkenet for å koke kaffe til dem. Stuedøra var fremdeles lukket, far-faren satt ved kjøkkenbordet og så fortapt ut.

– Det er sikkert noe morsomt på radioen også, sa hun.
– Nå blir det kaffe.

– Det er låst, sa han.

– Har han låst? Hun gikk bort og prøvde dørklinken. Lukk opp! Det er noen som vil se Dagsrevyen her! Og det er kaffe nå.

Etter en lang stund åpnet han, åpnet og humpet tilbake til feltsenga si, slapp seg nedpå. Farfaren var snar om å komme seg inn til lenestolen sin og plukke opp fjernkon-trollen.

– Vil du også ha kaffen din her inne, far? sa hun.

Han svarte ikke. Han hadde lagt seg på siden med ansiktet mot veggen. Hun satte to fylte kaffekopper på et brett, skålen med sukkerbiter, og en melkesjokolade hun brakk i biter, før hun bar alt inn og satte på salongbordet.

– Da går jeg i fjøset, sa hun.

Sin egen kaffekopp bar hun med seg ut sammen med en hel melkesjokolade, og hun satt på krakken i vaskerommet da Kai Roger kom.

– Jaha. Er det troppeforflytninger på gang?

– Han vil jeg skal ta over. Han ville vite det i dag.

– Det er jo det jeg har sagt. At du er nestemann.

– Men hvorfor akkurat nå?

– Piffen har vel gått ut av ham. Han er livredd for å bli gående alene her. Er kanskje lei også. Eller papirarbeidet har vokst ham over hodet, sa Kai Roger.

– Han som elsker de grisene sine …

– Det holder ikke å elske griser for at en gård skal bære seg. Og grisene er det en god stund siden han har sett. Hva sa du, da?

– At han kunne glemme det.

– Så du vil ikke?

– Jeg *vet* ikke! Jeg vet ikke …

Hun begynte å grine, forbannet seg selv for det. Straks kom han og satte seg på huk og la armene rundt henne.

– Gi det et par dager, sa han.

– Et par dager? Hva hjelper vel det? sa hun og la hodet mot skulderen hans, det var så godt, å hvile tett inntil noen, kjenne armer rundt seg, hun gråt hardere, han sa ikke mer, bare holdt. Mens hun gråt hørte hun lydene av grisene inne i fjøset, de utålmodige snøftene, kjente hvordan hun midt i alt likevel gledet seg til å se dem, kunne hun greie det, drive med gris, lære seg alt om inseminering og fôrberegning og grising og smågrissykdommer og disse svarttennene som skulle fjernes og hvis purkene ble fule og tok ungene og … Var det bonde hun var? Lå det i blodet på henne? Moren kom også fra gård. Var interessen for smådyr og hunder i storbyen et resultat av et dypt ønske om å jobbe med dyr, leve av det?

– Det er jo ikke *det*! sa hun og løftet hodet, – at jeg ikke vil drive gård. Men når faren min oppfører seg sånn, og alt skal avklares så fort ...

– Har du tenkt på at det er derfor han er sur og sint? Fordi han er redd? Fordi det ikke er avklart? At hvis du sa til ham at om ti år tar du over ...

– Jeg tror ikke det går rundt her i ti år til. Jeg tror han går på trynet økonomisk lenge før det. Kanskje han er på trynet allerede.

Hun reiste seg, fant en dorull og snøt seg, gned øynene tørre. – Unnskyld meg, sa hun.

– Du er ikke den eneste. Det er mange rundt om på gårdene som er like mye i tvil som deg, om det er noe å satse på. Men de er vanligvis yngre.

– Det sa faren min òg, faktisk. Han sa de var fem år.

– Noen er vel det. Storebroren min har tatt over slektsgården min, men vingler, vet ikke om han skal bygge ut eller legge ned. Hvis han gir seg, er det min tur. Da ville jeg ha bygd ut.

– Hvorfor gjør dere ikke det sammen, da?

– Det vil ikke kona hans. Hun vil legge ned, sa han. Men nå tror jeg damene her inne er helt på tuppa. På på deg fjøsdressen. Og etterpå blir du med meg og spiser pizza på Heimdal. Det er fredag kveld, du kan ikke sitte på rommet ditt alene og drikke konjakk. Jeg spanderer. En duggfrisk halvliter, og jeg kjører deg hjem etterpå.

Da de var ferdige litt før ni, stakk hun bare så vidt inn i stua etter dusjen og sa adjø. Faren lå som før, kaffekoppen hans stod urørt på brettet, men farfaren hadde spist all melkesjokoladen og tatt ut gebisset i undermunnen. Hun forsøkte å ikke tenke på hvorfor.

– Jeg drar en tur med Kai Roger, sa hun. – Jeg blir sik-
kert sen, men lister meg opp etterpå, skal ikke vekke
noen. God natt.

Farfaren nikket. – God natt.

Hun satt med maskara og øyeskygge og et par dongeri-
bukser hun ikke hadde brukt på en evighet og kjente seg
som et normalt menneske. Kai Roger så også helt anner-
ledes ut. Dongeri han også, og svart skinnjakke, håret
kammet bakover, hun betraktet ham mens han stod
foran disken og bestilte, han var virkelig kjekk.

– Med hvitløk? ropte han.

– Ja takk. Masse!

Han kjøpte lettøl til seg selv og en halvliter til henne.
Pizzakokken svingte en deig i lufta, rundt og rundt, sik-
kert den som de skulle ha, med peperoni og ananas.

– Jeg er glad jeg ble med, sa hun. – Tusen takk.

– Jaggu på tide.

– Men du ... jeg gidder ikke snakke om odel og gårder
og penger og sånn, okey?

– Den er grei. Det gidder egentlig ikke jeg heller. Fortell
meg heller noe morsomt om han Herriot-fyren du leste
om. Var han ikke ei barnerumpe av en veterinær som ble
kastet på dypt vann midt i en bygd med sure bønder?

– Der ser du, nå snakker vi om det igjen.

Han lo, hun drakk, ølet var iskaldt, det stod et levende
lys i en messingstake og brant mellom dem.

– Fortell meg heller om Oslo, da, sa han. – Og fortell
meg hvordan jeg skal oppdra en labrador-valp, jeg har
nettopp bestilt en hannhund fra noen venner av meg, val-
pene ble født for tre dager siden.

– Ja, *det* kan jeg fortelle deg, sa hun og smilte.

AT HAN GREIDE Å SITTE DER I DAG og spise. At han greide det! Stappe mat i kjeften når alt var slutt og hun ikke engang skjønte det. Reker. Reker i sausen. Kanskje like greit at hun ikke ville ta over, med en slik ødselhet i blodet. Den kom nok fra Cissi. Den gangen forstod han det ikke, at moren ikke ville vite av Cissi bare fordi hun forsynte seg med ei tykk skive leverpostei og lempet over på brødet sitt. Det ble mer leverpostei enn brød, men han tenkte ikke over det, siden moren hadde laget den selv. Han trodde hun ville bli glad fordi Cissi likte den, og så sa hun i stedet at med en slik griskhet og levemåte ville gården gå til grunne. Selv stakk de knivspissen i leverposteien og strøk en tynn film utover margarinen. Man kjente da smaken lell. Men slik var ikke Torunn, hun var sin mors datter, med wienerbrød til hverdags og reker i sausen, han måtte bare se det i øynene.

Han lå og hørte på TV-en mens faren smattet sjokolade og slurpet kaffe med høylytt tilfredshet, før han tok ut gebisset og slikket det rent for sjokolade på undersiden.

Faren. Som slett ikke var det. Men det orket han ikke å forholde seg til, at moren hadde holdt alt dette skjult for ham, vært gift med odelsgutten, mens hun fikk tre unger med svigerfaren. Løgner. Men hun var jo moren hans for det, den samme moren, var hun ikke det? Alle minnene han hadde om henne ... Det gikk ikke an å gjøre om på over femti års historie, sånn over natta. Og nå var det slutt. Raseriet hadde forlatt ham. Han lyttet til ordene fra tv-en uten å høre innholdet i dem. Han dormet litt. Han våknet av at Torunn kom og sa hun skulle av gårde med avløseren. Det hadde hun aldri vært før. Hun var nok lettet, fordi hun endelig hadde sagt ifra at hun ikke tok over. Lettet og mannfolkgæren, ville inn til byen og danse og drikke og være fri for alle tanker om gård og gårdsdrift.

Han fikk vondt i venstre side av å ligge slik så lenge, det brant langt opp i lysken på ham. Men snudde han seg, ville han bli nødt til å kjefte faren huden full fordi han sladret om pissingen i vasken, og det orket han ikke, han ville bare ha ham ut av stua, det var enklere å late som om han sov. Endelig kom stillheten da faren trykket vekk tv-en. I stillheten hørte han kjøkkenklokka tikke. Faren pustet og fomlet seg opp fra lenestolen, skurte tøflene sine mot gulvet. Han sa ikke et ord da han gikk, lukket bare kjøkkendøra bak seg der ute og gikk sakte opp trappetrinnene. Like etterpå hørte han vannklosettet trekkes ned, dører åpne og lukke seg.

Han satte seg opp. Han var svimmel og kvalm. Han dro seg opp på gåstolen og beflittet seg på å bevege gåstolen forsiktig da han gikk ut av stua, tok nøkkelen ut og låste fra kjøkkensiden og puttet nøkkelen i lomma på strikkejakka, de kunne bare få tro at han lå der inne. Han plukket med seg en uåpnet pakke trønderfår fra kjøleskapet. På kontoret hentet han den akevittflaska som var full, den andre var halvtom allerede. De smertestillende tablettene hadde han allerede i bukselomma, boksen var nesten ikke rørt. Han bukserte seg stille ut i bislaget, begynte på det brede tunet, tok en pause ved tuntreet og feide brødet av fuglebrettet, feide det rent.

Vaskerommet var annerledes. Det luktet såpe. Veggene var blitt vasket og var lysere. Betongen ned mot gulvavløpet var også lysere, selve avløpet var plutselig av nesten blankt stål. Ting stod annerledes plassert. Også her hadde hun vært og gjort om og vasket. Hun gjorde om på alt, uten samtidig å ville ta ansvar for det, ta den fremtiden som fulgte med på kjøpet.

Det var stille inne i fjøset, dyrene var gått til ro for natta. Han sank ned på krakken.

For ingenting. Alt hadde vært til ingen nytte. Hver eneste dag hadde vært til ingen nytte. Hit var han kommet, hit til denne krakken, med lommene fulle. Siri gikk med nye unger i magen, Røstad og Kai Roger hadde ordnet med alt, Mari og Mira skulle grise snart, alt gikk på skinner uten ham. Reker og pizza, TV med fjernkontroll, badstue. Han kom seg opp igjen. Slakteforkleet behøvde han ikke, eller regnfrakk. Hva om de hadde flyttet på Siri, han kunne ikke tenne taklyset. Det røde lyset fra varmelampene var eneste lyskilde der inne nå. Han kikket i skuffen etter opptrekkeren og fant den med det samme der den pleide å ligge, bak en gammel hånddrill. Og flaskene stod i underskapet der han fikk laren til å sette dem. Han greide ikke å buksere stolen og samtidig bære både akevitt og øl, han puttet to ølflasker i lommene, men greide å holde akevitten i hånda.

Siri var heldigvis der hun skulle være. Hun lå og sov, men våknet straks da han stod der.

– Bare ligg, du jenta mi.

Men hun reiste seg likevel, kastet en kolossal skygge i det røde nattlyset, kom stampende ivrig mot ham, snøftet og surklet og gryntet, hun ville komme til å vekke de andre. Han støttet seg med albuen til gåstolen og fikk

291

fisket opp pakken med trønderfår, rev den åpen med tennene og ga henne halvparten. Hun ble så forundret at hun satte seg beint ned på skinkene og tygget lenge. I mellomtiden brukte han nevene og kom seg over metallrørene inn til henne, gåstolen etterlot han i midtgangen. Han tviholdt i rørene mens han senket kroppen helt ned på gulvet. Han ble ikke våt da han traff gulvet, det var rent og tørt i bingen, godt med halm også, nesten for mye halm, de laget bare arbeid til seg selv, Torunn og avløseren, hvis de overdrev med halmen. Han satte seg godt til på rumpa. Når han satt slik, var Siri mye høyere enn ham.

– Legge seg ned nå, jeg har mer av godsaker. Fine jenta mi, det er jenta si det, ja …

Hun nufset og snuste ham i håret, rundt i ansiktet, på skuldrene, mens han tok henne opp om hodet, bak ørene, hvor han krafset og gned.

– Så ja, så ja, her er jeg, vet du … Her er jeg.

Han kjælte og småpratet med henne til hun fikk lagt seg til, med det svære hodet mot ham, det var stille i bingene rundt, de trodde vel ikke at det var ham, hvordan kunne de vel tro det, etter all denne tiden. Han strøk trynet hennes, kjente den fuktige glattheten i det, hun løftet kjeften mot fingrene hans.

– En om gangen nå, ikke halve pakken mer, for da blir det tomt tvert.

Han åpnet den første ølflaska og hentet frem tablettboksen, slo en håndfull tabletter ut og svelget dem med de første slurkene øl, deretter tok han en støyt akevitt. Siri ville snuse på alt. Han tenkte han kanskje måtte vente litt før han tok mer, så han ikke kastet opp, men kom på at da ville han kanskje sovne først. Sovne og våkne igjen. Han satt stille til han kjente at han ikke ville komme til å kaste opp, og gjentok prosedyren, tabletter ned med øl, deretter akevitt. Da tablettboksen var tom, kastet han den ut i midtgangen. Han hadde bare drukket ei eneste flaske øl. Han åpnet den andre, kjente at han skalv, men nå var han ferdig, han behøvde ikke å gjøre mer, han ville ikke behøve den tredje, han trakk den opp av brystlomma og fikk med stort besvær plassert den helt ute i midtgangen så ingen av dyrene fikk fatt i den og ødela seg.

– Siri min.

Hun hvilte hodet på gulvet, det glinset i øynene hennes, hun lå og så på ham. Det var ubekvemt med metallrørene i ryggen, han la seg ned på høyre albue med overkropp og ansikt tett mot hodet hennes. Hun luktet sterkt og godt. Han lukket øynene, alt svingte, han åpnet dem fort igjen.

– Mor.

Han lukket øynene igjen. Skautet hennes. Han så skautet hennes, surret tett om håret, knyttet i nakken, det var det brune med røde striper, hun bøyde seg over noe, han fikk ikke sett ansiktet hennes, det var bortvendt.

– Mor!

Der var hun, rett mot ham, smilende, hun snakket om oppveksten sin, den gang naboene hjalp hverandre med slåtten og drakk hjemmelaget øl fra mugger etterpå, hun snakket om krigen, de stakkars krigsfangene på Øysand, om berlinerpoplene som aldri holdt opp med å vokse, med røtter som skjøt i alle retninger, som blomstret med lange rakler hver vår, de satt ved kjøkkenbordet, han kunne se respatexen som lignet marmor, han kjente smaken av havrekjeks og kaffe i munnen, det var så godt. Hun strøk ham over kinnet, han var liten og han var odelsgutt, hun strøk ham og puttet et jordbær i munnen hans, lo høyt av noe, stemmen til bestefar Tallak var der også, dyp og malmfull, de stod sammen med ham, begge to, lo ned mot ham, det var varmt, det var sommer, var det aldri vinter? Nei, det var aldri vinter, vinteren kom først siden, med svarte greiner og frosne jorder og ullvotter dekket av harde snøklumper som hang etter ørtynne hår, han bet klumpene av og spyttet dem i bakken.

Han la seg helt ned på gulvet. Det var da slett ikke vinter, her var det varmt, dyrevarmt, her var de sammen, her var de sammen og alt var rødt lys mot svart. Lange svarte skygger i det røde, og Siri som pustet. Så godt det var å være her igjen. Så godt det var.

ERLEND SATT URØRLIG PÅ DEN ene empirestolen i hallen, med hendene knuget i fanget. Han lyttet. Etter en uendelighet hørte han heisen, spratt opp og åpnet ytterdøra, og stod der da Krummes hode ble synlig i den smale slissen av glass som langsomt steg opp og stanset. Han rev opp døra.

– Hvorfor har du ikke på mobilen din, Krumme?! Klokka er over ni på en fredag kveld, jeg trodde du var overkjørt igjen!

– Har sittet i møte med politiet helt til nå, glemte å skru den på igjen. Vi har fått en anmeldelse mot oss, noen bilder vi ikke sladdet godt nok, fra gisseldramaet i den banken i Rødovre, du husker sikkert at …

– Drit i det. Nå er du her. De er GRAVIDE!

– Hva?

– Begge to!

– Gode gud.

– Nei, han er ikke faren. Og jeg har fortalt dem om siloen! De ble himmelhenrykte! De elsker jo Norge! Visste du det, Krumme? At de simpelthen elsker Norge?!

– Jeg må sette meg, sa Krumme. Han sank ned på den ene stolen, Erlend satte seg på den andre. De ble sittende helt stille, i flere lange sekunder.

– Hvordan har du det, sa Krumme.

– Jeg er vettskremt, hvisket Erlend.

295

– Jeg også. Begge to, altså ..?

– Ja. Begge to.

– Er ikke det egentlig en medisinsk sensasjon?

– Det sa jeg også. Men Jytte mente det var kjærlighet, sa Erlend.

– Prøv å si det til par som forsøker i årevis.

– De vil at vi skal komme.

– Selvfølgelig skal vi komme. Er de like vettskremte som oss? sa Krumme, han hadde fremdeles Matrix-frakken på.

– Nei. De jubler. Og de forlangte at jeg skulle drikke champagne på vegne av dem begge, de har kjøpt skikkelig vare. Men vet du hva, Krumme. Akkurat nå har jeg faktisk ikke lyst på champagne ...

– Er du syk?

– Jeg har mer lyst på varm sjokolade med krem.

– Du er syk. Kom, så drar vi.

De satt hånd i hånd i taxien, Erlend forsøkte å tenke intenst på champagnen som ventet ham. Lysene fra Amagerbrogade virvlet forbi. Ett barn. To barn. Hans og Krummes.

– Vi har aldri vært på den kinesiske mur, sa han.

– Det er ni måneder til, det rekker vi fint, Erlend. Og dessuten har jeg hørt rykter om at de også tillater barn å gå på muren. Er du redd for at verden skal gå under?

– Definitivt.

– Så de likte tanken på en tre-etasjes silo, sa Krumme.

– Det kom vel litt bardust på dem, men de elsker jo Norge, vet du. Visste du det?

– Ikke bli hysterisk nå, jeg er like ute av meg som deg.

– Jeg har så lyst til å fortelle det til Torunn. Både om ... ja, det med gården, men først og fremst at vi skal ... at jeg skal bli ...

– Far, sa Krumme.

– Nettopp.

– Ikke over telefonen, sa Krumme.

– Kan vi ikke dra dit? I morgen?

– I morgen?! Jeg tror du er aldeles på styr!

– Det tar jo bare noen timer å komme dit, sa Erlend.
– Vi kan dra ned igjen på mandag. Da får vi jo virkelig
bevist for oss selv hvor lett det er å komme til og fra en
landsens silo. Vi kan ta taxi fra Værnes, det koster nok
en syv–åtte hundre, men Torunn kjører oss sikkert til-
bake på mandag. Vi kjøper med god mat og drikke, mun-
trer dem opp litt, hva sier du.

– Dette kom du ikke på akkurat i dette øyeblikk.

– Nei, sa Erlend. – Jeg planla det mens jeg satt i en hel
time og ringte mobilen din og de sa i redaksjonen at du
var hos politiet, og da jeg ringte politiet visste de ingen-
ting om noen overkjørsel. Da tenkte jeg på at vi kunne
dra dit, hvis du fremdeles levde. Jeg så meg selv som ens-
lig far. Tenk på det, du.

Krumme klemte hånda hans, de var fremme.

– Så gjør vi det, sa han. – Vi tar en svipptur til Norge i
morgen. Og setter dem i godt humør.

– Jeg lurer på hva Margido vil si, sa Erlend, mens han
plukket sedler ut fra lommeboka. – Om hans høye moral
vil tåle det.

– Siloen eller barna?

– Jeg tror ikke det står noe i Bibelen om siloer, Krumme.

– Jeg tror han vil bli glad. Etter det du fortalte at dere
snakket om. Når til og med *presten* syntes vi virket hyg-
gelige …

– Behold vekslepengene, sa Erlend til sjåføren og åpnet
bildøra. – Da går vi inn til mødrene. Jaggu skal jeg drikke
champagne. Varm sjokolade er for småunger.

GJENNOM GLASSDØRA SÅ HAN ut i badeværelset sitt. Håndvasken var også ny, og han hadde fått fliser på gulvet. I forhold til badet i København var det et kott. Men det var et splitter nytt oppusset kott, og det var hans. Dampgeneratoren fungerte perfekt. Damp var damp, tenkte han, om han lukket øynene, var det ikke noe problem å se for seg en ovn med glødende kull på toppen. Begravelsen han fikk i fanget i dag lå over ham som en blykappe, nå kunne han svette ut og forberede seg til den sorgen han profesjonelt skulle håndtere, heldigvis var det svært sjelden å få et så voldsomt oppdrag. En mann med sine tre barnebarn i bilen. Front mot front i ettermiddag, alle tre barna omkom, selv overlevde han, nesten uten en skramme. Eller ... overlevde. Hvilket liv hadde han å se frem til. Han ville høyst sannsynlig ikke orke å komme i kirka.

Tre barnekister. Det ville bli et blomsterhav. Hikstende sammenhengende gråt fra begynnelse til slutt, til bakerste og innerste benk. Og presten som ville forsøke å trøste, *la de små barn komme til meg, og hindre dem ikke ... Jeg gir dem evig liv; de skal aldri i evighet gå tapt, og ingen skal rive dem ut av min hånd.* Han ville bli nødt til å få låne en ekstra bårebil fra et av de store byråene. Han skulle hjem til foreldrene i morgen formiddag, de orket ikke i kveld, moren var dessuten lagt i dyp søvn av legen. Han skulle sitte sammen med dem en lørdag formiddag og planlegge dødsannonse, kister, sanger. En mor og en far frarøvet alt. Farfaren var egentlig på vei til Burger King med barna for å spandere hamburgere og etterpå ha dem på overnattingsbesøk mens moren og faren skulle på restaurant og feire ti års bryllupsdag.

Han så på klokka. Han hadde sittet en time. Han koblet ut generatoren og satte på vifta, slo opp trebenkene og åpnet for dusjen. Han følte seg allerede bedre, dette var jobben hans, han måtte ikke la følelsene stikke for dypt, da mistet man klarsynet og oversikten. Han ville heller tenke på det fru Gabrielsen foreslo over morgenkaffen i dag tidlig, da han for en sjelden gangs skyld fortalte litt om forholdene på Neshov, og at han syntes det var vanskelig å ikke kunne få hjelpe til med penger uten at Torunn opplevde det som en fornærmelse.

Han tok på seg morgenkåpe og tøfler og gikk på kjøkkenet og ordnet ei skive med skinke og masse ost. Han smurte smør på undersiden og la skiva i stekepanna med lokk over, i et kort glimt så han for seg speilbildet i København, men slo straks fra seg tanken om å begynne å sløyfe smøret heretter. Han fikk heller se til å røre seg litt mer, han orket ikke å renonsere på den lille smule god mat han unte seg, og godt smør trukket opp i ei stekt loffskive var snadder.

Hvor mye betaler du per måned for lageret på Heimdal som du leier til kistene og det andre utstyret, hadde fru Gabrielsen spurt. Fem tusen i måneden. Inkludert strøm, svarte han. Kan du ikke heller ha lager på Neshov, da? I låven der? sa fru Gabrielsen.

Så enkelt. Muligheten hadde overhodet ikke streifet ham. Hvis han satte litt i stand, det ville ikke koste stort, det var en solid bygning fra før. Selvsagt skulle han ikke betale dem fem tusen, men han kunne ta seg av forsikringer og kommunale avgifter og den slags, det ville monne enormt, bare det, så små som marginene var der ute.

Han skrudde på fjernsynet og fant en gammel amerikansk film. Han ville dra dit i morgen etter at han hadde vært hos foreldrene og fått levert dødsannonsen til Adresseavisen. Barna lå forvart på St. Olavs, dem behøvde han ikke stelle før på mandag. Han ville dra dit og foreslå det, høre hva de sa, legge det frem som om det ville lønne seg for *ham*, at det ikke var en almisse. For det *ville* faktisk lønne seg. For dem alle. Og fra kontorene i sentrum var det like langt til Neshov som til lageret på Heimdal. Men Tor ville selvsagt protestere, kanskje si plent nei. Det måtte han være forberedt på. Det kunne bli krangel av det. Da fikk han heller la ham tenke på det en stund og fremsette idéen på nytt, etter at Tor ble seg selv igjen, med friskt bein.

Ostesmørbrødet var ferdig, smeltet ost blandet seg med smøret i stekepanna. Sammen med et glass melk bar han det hele med seg inn til stresslessen, satte fatet i fanget og melkeglasset på bordet ved siden av seg. Med fjernkontrollen skrudde han opp volumet. Det var Cary Grant og en skuespillerinne han ikke husket navnet på, han fikk sjekke i TV-programmet etter at han hadde spist. Han var varm og avslappet i kroppen og tørst. Han tømte melkeglasset i én slurk.

HUN LISTET SEG INN, KLOKKA VAR ett, hun skulle opp igjen halv syv, hun skulle ikke ha tatt den siste ølen. Det ville bli lettere for Kai Roger å stå opp, som sjåfør holdt han seg til lettøl helt til de stengte. Han foreslo at han kunne ta fjøset alene i morgen tidlig, men det ville hun ikke. Klart jeg står opp, hadde hun sagt, det skulle bare mangle, jeg kan sove mer senere på dagen.

Oppe på badet pusset hun tennene, huset lå lydløst rundt henne, de sov, hun drakk vann fra springen og fjernet øyesminken, listet seg inn på soverommet og skiftet raskt til pysj.

Hun ble liggende lenge og betrakte gardinene foran det åpne vinduet. Dyna ble endelig varm. Kai Roger hadde ikke flørtet, det var hun glad for. Han hadde ikke spurt heller, om hun hadde en mann, de snakket om hunder, han var spent på valpen, han hadde ønsket seg hund i årevis, den skulle hete Sofus.

Og det hadde vært så godt å sitte der ved bordet, som et vanlig menneske som ble *sett* og anerkjent fordi hun kunne en hel masse han ikke visste så mye om. Pizzaen smakte vidunderlig, med varm eplekake og krem til dessert, hun fortalte ham om øyekontakt og det å lære valpen å lære, om mat-øvelsen og leke-øvelsen, og frydet seg da han måtte innrømme det logiske og opplagte i slik trening,

301

like forbløffet over hvor enkelt det lød, som valpeeierne hennes på kursene i Oslo.

Og da han kjørte henne hjem og de svingte opp i alléen, kjente hun så sterkt at Kai Roger kjørte henne *hjem*. Det var rart. Her *kom* hun egentlig fra. Og her befant hun seg nå. Det forundret henne hvordan én eneste kveld unna gården hadde fått henne til å begynne å tenke løsningsorientert, og ikke bare i ring.

Da vekkerklokka ringte halv syv, greide hun så vidt å åpne øynene. Skulle hun tatt hele fjøset alene nå, ville hun ha dødd ved tanken. Men om en halvtime ville Kai Roger være der, de var sammen om det.

Rommet var iskaldt, det måtte ha blitt kuldegrader i løpet av natta. Hun skyndte seg ut av senga, grep klærne og gikk på badet. Hun tok litt maskara på da hun hadde kledd på seg, det pleide hun aldri før fjøset, hun smilte litt til sitt eget speilbilde mens hun sakte feide maskarakosten langs vippene, over og under øynene.

Stuedøra var lukket slik den pleide på denne tiden av dagen, faren stod aldri opp før etter hun var gått i fjøset, og farfaren ikke før hun kom tilbake. Hun var glad for å kunne sitte der alene, og skrudde på radioen på laveste volum, satte over kaffekjelen og fyrte opp i vedkomfyren. Kanskje dette ville bli en bedre dag. Hun ville forsøke å snakke med ham i dag, uten å krangle, forsøke å tenke litt høyt rundt det, høre hva han trodde, om hvor mange år han selv så for seg å drive gården. Og økonomien, hvordan det egentlig stod til. Hun måtte virkelig få fakta på bordet hva økonomi angikk. Hun måtte også forklare ham at hun *trengte* ham, hvis hun på sikt skulle ta over her. Og da måtte han ikke være sur og vrang, men på hennes side. Være den hun var blitt kjent med, og greie å legge ting bak seg.

Ti på syv drakk hun en kopp kaffe, stående ved benken, mens hun lyttet til naturprogrammet som gikk på radioen, om dyr i dvale, nedsatte kroppsfunksjoner, den forunderlige innebygde klokka i kroppen på dem, som fortalte dem når våren kom.

Hun satte den tomme kaffekoppen på benken og skrudde av radioen. Kai Roger ville være her om et øyeblikk.

Da hun krysset tunet, oppdaget hun at fuglebrettet var tomt. Så rart, hun fylte det kvelden før, etter at det var blitt mørkt. Kanskje det hadde vært ekorn her. Det skulle vært moro å få ekorn på tunet, de var søte.

Da hørte hun grisene. De skrek. Det pleide de aldri å gjøre, ikke før de hørte fjøsdøra gå opp. Hun sprang. Da hun kom helt frem til døra, hørte hun at lydene var annerledes, det lå en helt ny panikk i dem, de skrek som besatt, et helt kor av grisestruper.

Hun rev opp ytterdøra og sprang forbi vaskerommet uten å skifte til fjøsklær, åpnet døra inn til dyrene, og tente taklyset.